N A F E A

The **Rudolf Staechelin** Collection Basel
*La Collezione **Rudolf Staechelin** Basilea*

NAFEA

Hans-Joachim Müller

The *La Collezione* Rudolf Staechelin

Collection Basel
Basilea

With contributions by
Hanno contribuito

Christian Geelhaar
Franz Meyer
Simon de Pury
Ruedi Staechelin

Wiese Publishing Ltd. Basel
Wiese Edizioni SA Basilea

To Christian Geelhaar

Eine deutsch-französische Ausgabe dieses Buches ist unter ISBN 3-909158-52-8 erschienen.

Une édition bilingue allemand-français de ce livre a été publiée sous ISBN 3-909158-52-8. La traduction française a été faite par Hélène Pelucchi, Bâle.

Editor / *Editore:*
   Rudolf Staechelin'sche Familienstiftung Basel
Conception and Production / *Ideazione e realizzazione:*
   Hans Rudolf Bachmann, Qualimat AG Basel
Design / *Grafica:*
   Robert Hiltbrand Basel
Translations / *Traduzione:*
   English translation: Margie Mounier, Montmollin.
   I testi in lingua italiana sono stati tradotti dal testo originale tedesco e curati da Anna Maria Staechelin, eccetto il saggio di Hans-Joachim Müller che è stato tradotto da Susanne Müller.

Photos / *Fotografia:*
   Archiv Rudolf Staechelin'sche Familienstiftung Basel
   10, 11, 14, 15, 17, 19, 29, 31, 44, 47, 134, 138–149, 163, 188, 189, 191, 192, 196, 198, 199, 199
   Kunsthalle Basel 25
   Kunstmuseum Basel 27, 27, 185
   Hans Hinz Basel-Allschwil 33, 33, 35, 49, 57, 59, 61, 63, 65, 67, 71, 73, 75, 77, 79, 81, 83, 85, 87, 89, 91, 93, 95, 97, 99, 101, 104, 105, 107, 109, 115, 117, 119, 125, 127, 128, 129, 153, 154, 158, 158, 159, 159, 182, 182, 183, 183, 203
   Katalog Vincent van Gogh, Amsterdam 35
   Georg Kreis «Entartete» Kunst für Basel 41
   Musée d'art et d'histoire Genève 67, 69, 111, 113, 121, 123
   Kurt Wyss Basel 177, 177, 178, 179, 181
   The Guardian London 202
Copyright 1990 PRO LITTERIS, ZH 33, 117, 182, 183, 185

Lithographs / *Litografia:*
   LAC AG für Kunstreproduktion Basel
Composition and Printing / *Stampato da:*
   Werner Druck AG Basel

© Copyright / *Copyright:*
   Rudolf Staechelin'sche Familienstiftung Basel
   and the authors / *e autori*

Publisher / *Editore:*
   Wiese Verlag AG Basel
   ISBN 3-909158-53-6   Printed in Switzerland 1991

Contents

Indice

Preface

NAFEA – NAFEA faaipoipo in full – means "When Will You Marry?". It is the Tahitian title of our cover picture, one of Paul Gauguin's best-known paintings. Rather than entitling the history of the Rudolf Staechelin Collection with the collector's name, it has been provided, "pars pro toto", with the title of one of the collection paintings. I feel certain this would have pleased my grandfather.

NAFEA is a very personal book, owing its existence to a grandson's desire to know more about his grandfather's life. Curiosity as to the past, and the longing to discover one's own origins, are probably common to all human beings. However, more than an archetypal human need instigated this book's creation. Indeed, Rudolf Staechelin . . . his collector's passion . . . his intellectual, material and moral legacy . . . all have affected and shaped my entire life to a very great extent.

Quite fortunately though, NAFEA has turned out to hold far greater interest than for me alone. Due to the growing attention attracted by the arts in general, and to the high quality of my co-authors and their contributions, I feel confident the book will attract a wider public.

The choice of Hans-Joachim Müller as the book's main author represents a particularly lucky circumstance for NAFEA. After delving thoroughly into extensive material, he has drawn up a truly fascinating portrait of the collector, concentrating on Rudolf Staechelin as a person and collector but including as well his galleries and the times he lived in.

When I asked Christian Geelhaar, director of the "Öffentliche Kunstsammlung" (Public Art Collection), for a short essay on the significance of the Staechelin loans to the Basel Museum of Fine Arts, I was in for a surprise. He turned out to be extremely interested in the topic of Rudolf Staechelin, and was quite willing to play more than a secondary role in this project. Christian Geelhaar then proceeded to precisely chronicle the acquisitions and "non-acquisitions" in every collection realm. He moreover brought some light onto Rudolf Staechelin's role as a member of the Art Committee, where his vote was often crucial in determining the purchasing policy of the Basel Museum of Fine Arts.

At the time of the widely known vote on two Picasso paintings, Franz Meyer was at the head of the Basel Museum of Fine Arts. His contribution, which discusses "his" purchases

Prefazione

NAFEA, o più esattamente NAFEA faaipoipo, significa «Quando ti sposi?», ed è il titolo tahitiano del quadro che abbiamo scelto di riprodurre in copertina. Si tratta di uno dei dipinti più famosi e importanti di Paul Gauguin. La storia della Collezione Rudolf Staechelin non porta dunque il nome del collezionista, bensì, «pars pro toto», il titolo di una delle maggiori opere della sua collezione. Credo che a mio nonno l'idea sarebbe proprio piaciuta.

NAFEA è un libro molto personale, poichè è nato dal mio desiderio di scoprire e conoscere meglio la vita di mio nonno. In ognuno di noi vive il bisogno di esplorare il passato e di ritrovare le proprie radici. Per quanto mi riguarda, le ragioni che mi hanno indotto a realizzare quest'opera sono molto concrete: Rudolf Staechelin, la sua passione per l'arte e la sua eredità spirituale, materiale e morale hanno influenzato e modellato la mia vita in maniera straordinaria.

Per fortuna NAFEA è diventata ben più di una ricerca destinata esclusivamente a me stesso. Sia il vivo interesse che oggi l'arte suscita un po' dappertutto, sia la qualità dei contributi dei coautori mi inducono a sperare che questo libro riesca ad incontrare l'interesse e il favore di più di una persona. La scelta di Hans-Joachim Müller come autore principale si è rivelata quanto mai felice: carico di energia e di iniziativa, ha esaminato filze di documenti e, grazie a questo minuzioso lavoro, è riuscito a dipingere un affascinante ritratto – non soltanto di Rudolf Staechelin uomo e collezionista – ma anche della storia, delle sue gallerie preferite e della sua epoca.

Dopo aver chiesto a Christian Geelhaar, direttore della «Öffentliche Kunstsammlung», un piccolo contributo a quest'opera – circa l'importanza dei prestiti Staechelin al suo museo – ebbi una gradevolissima sorpresa di sentirmi rispondere subito che l'argomento lo interessava molto e che era disposto a partecipare attivamente, e non in un ruolo subordinato, al progetto. Christian Geelhaar ha il merito di aver elaborato una cronaca esatta degli acquisti e dei «non acquisti» per ogni specifico settore della collezione.

Inoltre, è stato messo in evidenza il ruolo di Rudolf Staechelin, quale membro della Commissione per le Belle Arti, una carica che gli permise più di una volta di influenzare in modo decisivo la politica degli acquisti del Kunstmuseum di Basilea.

and "his" plebiscite, and describes his truly enriching meeting with Picasso, splendidly recalls the event. And despite the article's sober factualism, the author's strong personal engagement for the arts transpires beyond the pure narrative.

Simon de Pury is a childhood friend going back to my high school years. Already then he was a lover of the arts. Now Sotheby's director for Europe, he probably knows the art market as few others do. In his essay he examines the effects of markets and prices on museums and collectors, mostly through examples taken from the collection my grandfather originally established.

My own contribution is, like Franz Meyer's, very personal, though somewhat more subjective. Indeed, browsing through all the old documents released some pent-up emotions as well. Old memories were rekindled, long forgotten moments of my youth were relived. From time to time, I found myself speaking not only on my own behalf, but for my father as well: there was so much he was prevented from saying because of his death in an accident. It was I who was responsible for the choice and sequence of the works depicted, while Hans-Joachim Müller commented each painting and took care of the scientific research involved.

NAFEA is a book with a great many facets;
NAFEA is the portrait of an important collector;
NAFEA is a family legend;
NAFEA is a book of pictures from Corot to Picasso;
NAFEA is an outstanding contribution to the history of art
    collecting;
NAFEA is the story of the 1967 Picasso vote in Basel, as
    described by one of its protagonists;
NAFEA is part and parcel of Basel's cultural heritage and
    town history.

Ruedi Staechelin

All'epoca della controversa questione sui Picasso Franz Meyer era direttore del «Kunstmuseum» di Basilea. Il suo scritto, che parla dei «suoi» acquisti, della «sua» votazione popolare e del suo incontro – ricco e produttivo in ogni senso – con Picasso, evoca e ci fa rivivere intensamente questi avvenimenti. Pur essendo concepito in modo quanto mai obbiettivo, l'articolo non si accontenta di descrivere semplicemente i fatti, ma rivela, riga per riga, un profondo impegno personale.

Simon de Pury, attualmente direttore della Sotheby's per l'Europa, è un amico d'infanzia e già negli anni del liceo si era appassionato all'arte. Conoscendo il mercato d'arte come pochi, egli analizza l'influenza dei mercati e dei prezzi sul comportamento di musei e collezionisti, con particolare riferimento ad alcuni esempi tratti dalla collezione di mio nonno.

Il mio contributo è, come quello di Franz Meyer, molto personale, anzi direi soggettivo. Esaminando i vecchi documenti ho rivissuto emozioni, episodi e ricordi d'infanzia e del passato e qualche volta parlo non soltanto a nome mio, ma anche a nome di mio padre, la cui tragica scomparsa gli ha impedito di esprimere personalmente tutto quello a cui teneva.

Io stesso sono responsabile della scelta e dell'ordine in cui appaiono i quadri riprodotti nella parte illustrata di quest'opera, il commento e le descrizioni, invece, sono stati realizzati da Hans-Joachim Müller.

NAFEA è un libro dalle molte sfaccettature,
NAFEA è il ritratto di un grande collezionista,
NAFEA è la storia di una famiglia,
NAFEA è un libro illustrato, da Corot a Picasso,
NAFEA è un contributo alla storia delle collezioni d'arte,
NAFEA è la storia del «referendum Picasso» del 1967, raccontata da uno dei maggiori protagonisti,
NAFEA è un momento della storia culturale della città di Basilea.

Ruedi Staechelin

Hans-Joachim Müller

Rudolf Staechelin
A Collector:
His Life and Times

An intellectual, "clear-minded and inclined as well to make his opinion clear" and "scrupulously conscientious". "The discernment to recognize facts for what they were, and the capacity to see through any false appearances"[1]. He impressed his contemporaries as a striking personality. When Rudolf Staechelin died of a stroke, on a train trip between Sissach and Basel, on January 3rd, 1946, the "Basler Nachrichten" described him as "a Grand-Seigneur of times gone by and yet a fully modern-thinking and -feeling man, who never sought to strike a pose, as many a snob would have been tempted". "So entire of personality, he probably had not an enemy to his name." So that Georg Schmidt, curator at the Basel Museum of Fine Arts was to write the collector's widow: "That old and honorable expression 'he made himself deserving as a servant of the public interest' may well be applied to Rudolf Staechelin."

Rudolf Staechelin, born in Basel on May 8th, 1881, was the oldest son of master mason and building contractor Gregor Staechelin and his wife Emma, née Allgeier. His father had moved to Basel in 1872 from Istein in Baden, where the "ultraconservative Catholic … became a builder of entire streets and sections in the flourishing Protestant town of his adoption, an entrepreneurial founder and manager of various industrial enterprises (…) and a pillar of capitalism"[2].
A Basel citizen as of 1884, Gregor Staechelin remained an active member of the Grosse Rat (Greater Council of Basel) until his death in 1929. At an early age, his son Rudolf worked in his successful father's numerous enterprises. From 1900 onwards, that is at age 19, he held a managerial position with Staechelin & Co. Liegenschaftsverwaltungen (real estate agents) in Basel and with the finance company G. Staechelin Söhne & Co. in Stans. Above all he became substantially involved in the expansion of the Pissevache Falls power station near Vernayaz in the Valais, which the family acquired in 1900 and operated on their own account. At the beginning of World War I, when the power station changed into the hands of Lonza AG, Rudolf Staechelin was elected vice-president of the company's board of directors. He filled that position along with various other presidencies and held diverse administrative responsibilities for various Basel real estate firms for two decades[3]. Little is available on the schools he attended or his educational orientation. The paths

Hans-Joachim Müller

Rudolf Staechelin:
l'uomo, la sua epoca,
la sua collezione

«Una mente profonda, lucida, aperta ed estremamente scrupolosa.» «La vita si presentava nella sua nudità, così com'era, alla sua mente chiara, e tutte le ingannevoli apparenze si dileguavano davanti a lui.[1]» Nel giudizio dei contemporanei questa è l'immagine che ci resta della pronunciata personalità di Rudolf Staechelin. Quando l'uomo fu troncato da un insulto apoplettico il 3 gennaio 1946 durante un viaggio in treno tra Sissach e Basilea, le «Basler Nachrichten» gli resero omaggio, ricordando quel «Grand-Seigneur dalle parvenze antiche, eppure dalla sensibilità e dalla mentalità perfettamente moderne, scevro da pose, che nondimeno sarebbero state una grande tentazione per uno snob»: «Lui, uomo integro, che non aveva sicuramente nemici.» E Georg Schmidt, «Konservator» del «Kunstmuseum» di Basilea, scrisse alla vedova: «Per Rudolf Staechelin vale l'antico adagio: uomo che si rese benemerito alla vita pubblica.»

Rudolf era nato l'8 maggio 1881, primogènito dell'impresario e capomastro Gregor Staechelin e di Emma Allgeier, che da Istein, nel Baden, nel 1872 si erano trasferiti a Basilea ove il padre, «cattolico ed arciconservatore […], era divenuto col tempo, nella fiorente città protestante che lo aveva adottato, costruttore di strade e di interi quartieri, intraprendente promotore e direttore di svariate imprese industriali […], pilastro del grande capitalismo»[2].

Cittadino di Basilea, «Bürger» nel senso proprio del termine a partire dal 1884, Gregor Staechelin fu membro del «Grossrat» fino al 1929, anno della sua morte, mentre il figlio Rudolf fin da giovane si era impegnato nelle numerose intraprese del brillante genitore. All'età di 19 anni era già dirigente della «Staechelin & Co. Liegenschaftsverwaltung» e della finanziaria «G. Staechelin Söhne & Co.» a Stans. Determinante fu il suo ruolo nell'ampliamento della centrale idroelettrica Pissevache di Vernayaz, nel Vallese, acquistata nel primo anno del secolo e in seguito gestita autonomamente dalla famiglia. Quando, all'inizio della grande guerra, la centrale fu incorporata dalla «Lonza AG», Rudolf fu eletto vicepresidente del Consiglio di amministrazione, carica che avrebbe mantenuto per diversi decenni assieme ad altre presidenze e responsabilità amministrative a Basilea[3]. Poco sappiamo delle scuole che il giovane Rudolf frequentò, così come della sua formazione intellettuale. Alla copiosa documentazione relativa alla storia, e ai meriti, del ceppo originario, non corrisponde infatti una adeguata conoscenza della storia della famiglia a partire

9

Gregor Staechelin, 1851–1929

followed and the achievements of the actual founding dynasty are extensively documented and commented upon, but the family history falls silent with Rudolf Staechelin's generation. The entry into the "Historisch-Biographisches Lexikon der Schweiz" [Historical-Biographical Encyclopedia of Switzerland] (1931 edition) ends with Gregor's death in Menton on February 16th, 1929. An when, in September 1920, Rudolf Staechelin's collection was exhibited for the first time at the Kunsthalle of his hometown, the arrangements were made with anonymity and discretion hardly conceivable in Gregor's own times. Even the "Basler Jahrbuch" [Basel Almanac] kept silent about the provenance of the paintings: "After the summer break, we were able to organize a truly outstanding exhibition in September – thanks to the kind cooperation of a local collector – a highly interesting and extremely educational show, because of the strongly defined contradictions between its various components." (1921 edition, p. 231 ff.)

Rudolf Staechelin did not grow up in particularly artistically inclined surroundings. His father, Gregor, is said to have studied architectural drawing between four and six in the morning daily during his apprenticeship years in Freiburg im Breisgau. Later however the patriarch would make a reputation for himself as "an intentionally old-fashioned, peasant-like and surly" self-made man who "of a practical and speculative nature, through industry, thrift, self-control and hale energy"[4] made the family fortune and held on to it with all due authority. His mother was somewhat more open-minded towards culture. Still, it is quite surprising that Rudolf Staechelin's first documented purchases of works of art go back as far as 1914. Showing hardly a hesitation and taking little precaution, the 33-year-old budding collector from the onset acted decisively and determinedly. His acqui-

dalla generazione di Rudolf. La menzione, nella edizione del 1931 del «Lessico storico-biografico della Svizzera», termina con la morte di Gregor, avvenuta a Mentone il 16 febbraio 1929; e quando, nel settembre venne presentata per la prima volta la collezione di Rudolf Staechelin alla «Kunsthalle» di Basilea, oramai un velo di anonimità e di discrezione, difficilmente immaginabili al tempo di Gregor, avvolse la vicenda. Perfino il «Basler Jahrbuch» tacque circa l'origine dei dipinti: «Dopo la pausa estiva, grazie alla disponibilità di un collezionista basilese è stata allestita in settembre una eccellente mostra che, visti i forti contrasti che caratterizzano le opere, risulta veramente molto interessante ed istruttiva. (Edizione del 1921, p. 231 sg.)

Rudolf non era cresciuto in un ambiente particolarmente sensibile all'arte. Suo padre, Gregor, almeno stando a ciò che vien riferito, pare che durante gli anni della sua formazione a Freiburg im Breisgau si dedicasse ogni giorno nelle primissime ore del mattino, fra le quattro e le sei, al disegno architettonico. Certo è che in seguito il vecchio patriarca ebbe fama di essere uomo che si era fatto da sè, «dai modi antiquati, rozzo come un contadino», che aveva saputo mettere insieme e difendere con autorità, con «un fiuto per la speculazione, con assiduità, parsimonia, padronanza di sè e un insistente ed energico dinamismo» il patrimonio familiare[4]. La madre Emma, si dice, fosse invece donna alquanto aperta culturalmente. Sorprende dunque che le prime acquisizioni documentate di opere d'arte da parte di Rudolf risalgano già al 1914. Senza troppi tentennamenti e cautele, ma cogliendo l'occasione e mostrando una estrema decisione, il trentatreenne Rudolf acquistò dalla Galleria «Maison Moos» di Ginevra un intero blocco di opere di pittori romandi come Emile Bressler, Gustave François ed Edouard Vallet[5]. Eppure la grande guerra aveva fatto segnare una battuta d'arresto alla politica commerciale della famiglia. Una manifattura di nastri di seta, inaugurata nel 1913 nei pressi di Belfort, era stata confiscata dai

Rudolf Staechelin, 1881–1946

sition comprised an entire ensemble of paintings by French-Swiss painters such as Emile Bressler, Gustave François and Edouard Vallet at Galerie Moos in Geneva[5]. The transaction was made in spite of the fact that war had, for the time being, put a stop to the usual business expansion policy of the Staechelin family. A silk ribbon factory, opened in 1913 near Belfort, had been seized by the French. And the economic crisis of the war years substantially impeded the lucrative business of providing electricity to the lower part of the Valais. If it is true, as biographer August Rüegg would have it, that Gregor Staechelin managed his family with paternalistic benevolence and strictness, in accordance with the principle that only such persons were justified in remaining within the family circle as were aware of their obligation and responsibility for its continuation, then the sudden enthusiasm for the arts shown by the son and heir must have come as a surprise, to say the least.

Available sources of family information are silent as to homefront reactions, nor is much known as to what sort of

francesi, e poi le crisi economiche susseguitesi negli anni della guerra, avevano reso assai arduo anche il processo di elettrificazione del basso Vallese. Se è vero, come pretende di sapere il biografo August Rüegg, che Gregor governava la famiglia bonariamente e con un rigore tutto paternalistico in base al principio secondo cui aveva il diritto di restare nella cerchia familiare soltanto chi contribuiva alla sua prosperità con senso del dovere e responsabilità, allora c'è ragion di credere che l'improvvisa esplosione di entusiasmo per l'arte del primogènito, debba aver destato perlomeno stupore.

Le fonti familiari tacciono sulle possibili reazioni avvenute in seno alla famiglia e neppure sappiamo molto circa gli incoraggiamenti e le influenze a cui bisogna far risalire le decisioni del collezionista. Certo è che gli interessi artistici di Rudolf segnano l'immagine della successiva generazione, la quale cercherà di dare alla reputazione borghese dei suoi avi, che avevano soprattutto accumulato il patrimonio e il prestigio, anche una impronta culturale. Alla fase della accumulazione e del decollo in campo economico corrispondeva, adesso, il momento dell'acquisizione

incitement and influence may have helped shape his decisions. Of course, Rudolf Staechelin's interest in the various arts mirrored a new self-awareness characterizing a generation seeking to seat its bourgeois reputation culturally, whereas the previous generation had concentrated on acquiring wealth and keeping up appearances. Once economic expansion had been more or less cut off, the acquisition of art became another means to continue dynamic business policies. And, as such, it represented the worthy expression of the entrepreneurial creativity that was the pride of the newly wealthy families. The Rudolf Staechelin collection was built up just when other industrial entrepreneurs and merchants in Switzerland had begun to invest in "modern" art as well. After the first acquisitions in 1896, Baden collectors Sidney and Jenny Brown for instance gave their collection its decisive profile between 1908 and 1919[6]. The same applies to the Hahnloser and Georg Reinhart collections in Winterthur and to that of Hans Mettler in St. Gall: art collections soon dominated, if to differing degrees, by a core of "French paintings of the times". These were Impressionist and Post-Impressionist paintings which, after some hesitation, more advanced bourgeois tastes were forced to acknowledge in Switzerland as well, seemed to come closest to striking a balance between the criteria solidity and modernism[7].

Posthumous tributes to Rudolf Staechelin's collector's instinct, repeatedly commend the assurance with which he was always able to tell quality from mediocrity. No other art collector, Georg Schmidt wrote in the obituary notice, had such an instinctive capacity to sight quality in a picture at first glance[8]. And the catalogue to the memorial exhibition held at the Basel Museum of Fine Arts in 1956 respectfully and admiringly notes: "We owe it to the decisiveness and to the exceptional flair for detecting significance of one single man, that the highest achievements in Impressionism have found their way to our own town"[9]. Wherefrom however this unerring feeling for quality, this obviously precocious recognition of lasting values? One assumes that neither his pragmatically-oriented family context, with little room for the muses, nor his education predestined Rudolf Staechelin to become an art expert. The motivating factors determining his resolution must have originated with his direct exposure to contemporary art, with experience gained from the slowly awakening Basel art scene for instance. From 1909 on, when Wilhelm Barth became Curator at the Kunsthalle, that scene had definitely become more lively and curious as to new trends.

Rudolf Staechelin's interest in German painters came relatively late (the acquisitions documented are dated 1918, 1919 and 1920). The earliest roots for his interest may possibly be traced to the massive interest shown by the Basel Kunsthalle

di opere d'arte, che altro non era se non il proseguimento in ambito diverso di quel dinamismo che aveva caratterizzato le intraprese e gli affari della famiglia, e che rappresentava la degna ed adeguata espressione di quella creatività imprenditoriale di cui solitamente si andava fieri, nelle famiglie che erano appunto diventate ricche. La costituzione della collezione di Rudolf Staechelin cadeva proprio nel momento in cui anche altri industriali e commercianti stavano, in Svizzera, investendo nel campo dell'arte «moderna». E questo era, ad esempio, il caso di Sidney e Jenny Brown di Baden, i quali proprio tra il 1908 e il 1919 impressero alla loro collezione un deciso profilo[6]. Lo stesso si può dire per le collezioni Hahnloser e Georg Reinhart a Winterthur o Hans Mettler a San Gallo, ove prevarrà ben presto, seppur con intensità diverse, un nucleo di «pittura francese moderna». La pittura impressionista e postimpressionista sembrava infatti bilanciare più delle altre solidità e modernità, fatto questo che anche in Svizzera, dopo qualche esitazione, il gusto borghese più avanzato aveva ammesso[7].

Nei riconoscimenti, postumi, alla figura di collezionista di Rudolf Staechelin, è stata elogiata la magnifica padronanza grazie alla quale egli riusciva sempre a discernere immediatamente le opere di valore da quelle mediocri. Georg Schmidt, nel suo necrologio, ha scritto di non aver mai conosciuto nessun collezionista che sapeva intuire, in modo così sicuro e alla prima occhiata, la qualità di un dipinto[8]. E nel Catalogo della mostra commemorativa tenuta a Basilea nel 1956, si legge con tono di rispettosa ammirazione: «Dobbiamo essere grati alla determinazione, alla capacità e alla spiccata sensibilità per ciò che è significativo di un uomo, se adesso la nostra città è diventata la patria delle massime opere dell'impressionismo[9]. Ma da dove scaturiva questa infallibile percezione, donde proveniva questa sua precoce, eppur matura, sensibilità per ciò che è duraturo? Né la mentalità pragmatica della famiglia, così poco predisposta nei confronti dell'arte, né la formazione culturale di Rudolf possono spiegare questa sua vocazione, che deve essere ricondotta al rapporto diretto che egli ebbe con l'arte contemporanea. Forse le esperienze maturate grazie al risveglio della vita artistica basilese, la quale almeno a partire dal 1909 con l'assunzione di Wilhelm Barth in qualità di «Konservator» della «Kunsthalle» era diventata effettivamente più vivace e più aperta, possono, ad esempio, spiegare questo fatto.

Non è dunque da escludere che l'impegno, assai tardo, per i pittori tedeschi – le cui acquisizioni risalgono agli anni tra il 1918 e il 1920 – abbia le sue radici nel fortissimo interesse della «Kunsthalle» per gli artisti della «Secessione di Monaco». All'interno della cultura tedesca questo gruppo, fondato nel 1893, faceva parte della prima opposizione artistica che in seguito si organizzò all'improvviso e in modo generalizzato contro le corporazioni accademiche. Non più tardi del 1894, Fritz Weitnauer, direttore del comitato per le esposizioni del «Basler Kunstverein»,

in painters of the "Munich Secession". Founded in 1893, within the German-speaking countries this group was among the first to express opposition by artists, a movement which would soon spread everywhere against the more academically inclined painters' guilds. Already by 1894, Fritz Weitnauer, director of the exhibition delegation of the Basler Kunstverein, had introduced a number of these Bavarian Secessionist paintings to the Kunsthalle. Rudolf Staechelin, then 13, might very well have seen that exhibition, which was soon to become the talk of the town. "Those who wish to render justice to the artistic efforts of the Secessionists who now count in the hundreds", the "Basler Nachrichten" wrote on September 23rd, 1894, "can, just by considering the samples exhibited in Basel, probably sharpen their judgement of the entire modern trend. Rumor has it that never before has there been so much giggling, shoulder shrugs and head shaking in the Basel Kunsthalle as in the last few weeks, upon the first appearance in Switzerland of the younger painters of the realist school." Still, there were – thus the reviewer summarized – sufficient stimulating and brilliantly gifted works to satisfy the most inquisitive. Of the painters exhibited (over 100 works listed in the catalogue – from Franz Stuck, through Ludwig Dill, to Heinrich Zügel), none were later to be admitted to the Staechelin Collection, but the Munich artists were to exhibit their art at the Kunsthalle every two years until 1900. Thus, the Basel public as well would become familiarized with the paradigmatic transformation allowing the new self-awareness of cultural Modernism to slowly replace the obsolete tastes of the nineteenth century. Youthful memories of art experiences may also have resurfaced when the collector took to defending a few painters of a "Münchner Neuen Secession" group: several members of various local artists' groups who set themselves up in 1913 as an Expressionist-oriented avant-garde grouping[10].

In Basel, official recognition of modern French painting took somewhat longer to develop than in other Swiss towns. Though a 1906 "Exposition d'Art français" – still organized by Paris and held in Basel – did not dare to include anything more contemporary than the Barbizon School, scarcely two years later the first Impressionist exhibition took place in Zurich[11]. The "Exposition d'Art français" however already did include an Impressionist section: "Among other Modernists", thus the contemporary description found in the Basel Almanac, "Degas was characteristically represented by two 'Dancers'. Among the older Impressionists, Monet contributed three paintings: a shimmering 'Terrasse de Vétheuil', a glowing 'Cabane de douaniers', where a red roof counterpoints a massive sea, and finally 'Cap Martin'. And even better than Monet, Renoir's development was on display with a portrait entitled 'Madame M.' of 1871, showing stronger

decise che un gruppo di opere dei secessionisti bavaresi fosse presente nel museo basilese, scelta che il tredicenne Rudolf Staechelin deve aver pur visto, dato che ne parlò tutta la città. «Se chi cerca di rendere giustizia alle aspirazioni artistiche delle centinaia di secessionisti, prende in considerazione soltanto gli esempi esposti provvisoriamente a Basilea, – scrissero le «Basler Nachrichten» – rischia di accentuare decisamente la sua critica nei confronti dell'intera arte moderna. Raramente, quanto nelle ultime settimane, cioè dal momento in cui i maestri più giovani della scuola realistica hanno fatto il loro ingresso in Svizzera, si è sogghignato tanto, si sono tanto alzate le spalle o si è tanto scossa la testa alla «Basler Kunsthalle». Malgrado tutto, secondo il recensore, lo sguardo del curioso avrebbe pur sempre colto qualcosa di interessante e di geniale da ammirare. Anche se la collezione di Staechelin non avrebbe in futuro accolto nessuno dei pittori esposti (sul catalogo risultano più di cento tele di artisti quali, ad esempio, Franz Stuck, Ludwig Dill fino a Heinrich Zügel), è pur vero che i monacensi si presentarono alla «Kunsthalle» fino al 1900 ogni due anni. E come in altre parti, essi avrebbero finito per abituare il pubblico basilese a quel cambiamento che dissolveva pian piano il gusto obsoleto del XIX secolo, sostituendolo con una mutata modernità culturale. È possibile che Rudolf sia stato dunque influenzato da ricordi ed esperienze artistiche giovanili quando in seguito, verso la fine degli anni dieci, si adoperò per alcuni pittori del circolo della «Münchner Neuen Secession», che era composta da membri delle diverse associazioni artistiche e che si mise allora in mostra come gruppo di avanguardia orientato in senso espressionista[10].

A Basilea l'affermazione della pittura francese moderna si verificò con un piccolo ritardo rispetto ad altre città svizzere. Mentre nella città sul Reno nel 1906 una «Exposition d'Art français», che era stata organizzata a Parigi, non si era arrischiata oltre la scuola di Barbizon, a Zurigo appena due anni dopo ebbe luogo invece la prima esposizione impressionista[11]. L'«Exposition d'Art français» comprendeva pur sempre un settore di pittura impressionista: «Tra i più moderni», – si legge nella descrizione del «Basler Jahrbuch» – «Degas è rappresentato in maniera caratteristica con due ‹Ballerine›. Per quanto riguarda gli impressionisti più tradizionali si possono ammirare tre opere di Monet, una scintillante ‹Terrasse de Vétheuil›; una ‹Cabane de douaniers› dalle tonalità vive, in cui un tetto rosso contrasta perfettamente con la massa marina; infine un ‹Cap Martin›. Alla evoluzione di Renoir è stata dedicata invece maggiore cura: un ritratto ‹Madame M.› dell'anno 1871 lo mostra sicuro nel disegno e nella scelta dei colori, anche se l'insieme è ancora un po' duro, la ‹Madame Choquet› (1875) appare invece come un quadro in controluce interessante e dolce, mentre il paesaggio ‹Quernesey› (1883) rivela l'artista già come impressionista. Una tra le sue principali opere – ‹Le cabaret de la mère Antoni›, con i ritratti in grandezza naturale di Sisley, Monet et Murgers – costituisce il fulcro dell'esposizione.» (Edizione 1907, p. 251)

Mühlenberg 7
Views from the "Kleinbasler" [lower Basel] side of the
Rhine, around 1925

Mühlenberg 7,
Interior with paintings by Pablo Picasso and André Derain

Interior with paintings by
Paul Cézanne and Pablo Picasso

Mühlenberg 7
Vista dalla riva del Reno, lato Kleinbasel, circa 1925

Mühlenberg 7
Interno con dipinti di Pablo Picasso e André Derain

Interno con dipinti di Paul Cézanne e Pablo Picasso

colors and graphic features but still a bit hard; and with a second one, entitled 'Madame Choquet', of 1875, – an interesting, soft contre-jour painting, and with a landscape entitled 'Quernesey' of 1883 confirming him as an Impressionist. One of his main paintings, 'Le cabaret de la mère Antoni', with its lifesize portraits of Sisley, Monet and Murger, was the highpoint of the exhibition" (1907 edition, p. 251).

Wilhelm Barth's program for the Basel Kunsthalle sought to adjust the museum's standards to a more progressive exhibition policy. The curator's large-scale efforts to demonstrate the development of nineteenth and early twentieth century French painting in a series of three shows was condemned to failure however by the Basel public's manifest lack of interest. But in the years before Rudolf Staechelin began to build up his own collection, again and again "modern French painters" were guests at the Kunsthalle: in 1912, a collection of "French Impressionists" was shown, from which a Pontoise landscape by Pissarro was acquired (Pissarro was to become Staechelin's 'main Impressionist' shortly thereafter – with a total of seven works); in 1913, "French Masters from Courbet to Signac" and, in 1914, Picasso. "His first, distinct period", reads the "National Zeitung" of May 20th, 1914, "is represented by more than a dozen drawings, mostly only outlines, placing him unconditionally on a par with the best French etchers: 'The Poor', circus riders, trapeze artists, a 'Sitting Man' and a 'Reclining Woman' – so many virtuosic pieces of the sprightly and tasteful French art of drawing". In

Sotto la guida di Wilhelm Barth il programma della «Basler Kunsthalle» si sarebbe poi allineato a uno stile e in una direzione più avanzati. Certo è però che il tentativo in grande stile del «Konservator» di illustrare in una trilogia lo sviluppo della pittura francese del XIX secolo e dell'inizio del XX, naufragò alla fine proprio per l'evidente disinteresse del pubblico basilese. Malgrado ciò, i «francesi moderni» erano ripetutamente ospitati alla «Kunsthalle» proprio negli anni in cui Rudolf Staechelin cominciò a raccogliere la sua collezione. Questa presenza della pittura francese moderna a Basilea è peraltro confermata dalle seguenti mostre: 1912, una raccolta di «impressionisti francesi» da cui fu acquistato un paesaggio di Pontoise di Pissarro (artista che doveva diventare in seguito «l'impressionista principale» di Staechelin, con sette opere); 1913, «Maestri francesi da Courbet a Signac»; 1914, Picasso. La «National-Zeitung» scrisse: «Ci sono più di dodici disegni del suo primo, peraltro comprensibile periodo; spesso si tratta solo di contorni che lo inseriscono assolutamente tra i migliori artisti francesi a matita: «I poveri», cavallerizzi e cavallerizze, trapezisti, un «uomo seduto», una «donna sdraiata» sono vere espressioni di virtuosismo del geniale e gustoso disegno francese». Queste opere rispecchiano d'altro canto l'ambito e i motivi in cui si situano anche il disegno «Le berger» del 1903 e il quadro «Les deux frères» del 1905, vale a dire quelle «elegie della melancolia di Fin de siècle» (Werner Spies) che hanno segnato in maniera così impressionante la collezione di Staechelin. Se si tengono conto anche le due esposizioni basilesi di Hodler, avvenute nel 1911 e nel 1917, e la rassegna «Pittori romandi» del 1915 (composta da Maurice Barraud, Emile Bressler, Gustave François ed altri), allora, a ragione, si può ipotizzare

any case, their thematic context, which is at the origin of the 1903 drawing entitled "Le berger" [The Shepherd] and of the 1905 "Les deux frères" – those "melancholic elegies to the fin-de-siècle" (Werner Spies) left its impressive mark on Staechelin's collection. If we add the two Basel Hodler exhibitions (in 1911 and 1917), and the survey of "French-Swiss Painters" in 1915 (including Maurice Barraud, Emile Bressler and Gustave François), we do in fact realize to what extent all the local exhibitions anticipated the individual ensembles of the later collection. Further motivation may stem from a show at the Kunsthalle for "Neuere Kunst aus Basler Privatsammlungen" [Recent Works of Art from Basel Private Collections] – in which Staechelin participated anonymously with his Barraud paintings – that caused the art critic of the "Basler Nachrichten" to exhort, in April 1916: "It is striking that the very circle within Basel society one might most expect to collect contemporary art, with all due consideration to tradition and financial possibilities, are not to be found among the collectors. This proves they lack an active relationship with modern art, a most regrettable state of affairs. Maybe this exhibition will help improve the situation."

Numerous invoices are available to help us draw a picture of the manner in which Rudolf Staechelin's collection was built up and rounded out during the war and first postwar years. Quite obviously, Rudolf Staechelin was more your occasional than an obsessive collector, compiling his collection less under the influence of immediate encounters with the arts than upon recommendations, and in close collaboration with a

che tutti i singoli gruppi, che si sarebbero ritrovati poi nella futura raccolta, abbiano rispecchiato appunto anche le impressioni che il giovane Rudolf aveva ricavato dalle mostre cittadine. È possibile che un impulso decisivo gli fosse venuto dalla mostra alla «Kunsthalle», «Arte recente di collezioni private basilesi» a cui Staechelin partecipò prestando i suoi dipinti di Barraud, senza peraltro essere nominato. Fu proprio tale mostra ad indurre nell'aprile del 1916 il critico delle «Basler Nachrichten» ad un severo monito: «È strano che gli ambienti di Basilea dai quali, proprio per tradizione e risorse economiche, ci si dovrebbe aspettare un impulso volto a collezionare l'arte contemporanea, non compaiano tra i collezionisti. Tutto ciò dimostra che manca a questi ambienti un rapporto effettivo con l'arte moderna, fatto che è assai deplorevole. C'è solo da sperare che la mostra contribuisca al miglioramento di questa situazione.»

Le fatture conservate consentono di dedurre il modo attraverso il quale la collezione di Staechelin fu acquisita e completata tra gli anni 1914 e 1920. Rudolf accumulò i suoi quadri grazie ai consigli e in stretta collaborazione con alcune gallerie specializzate, fatto questo che mostra come egli fosse in realtà un collezionista piuttosto occasionale. Almeno rispetto al corpus della pittura francese, la raccolta non crebbe tela dopo tela, in base ad una cauta politica degli acquisti, ma si costituì invece grazie a un paio di notevoli acquisizioni in blocco tra l'estate del 1917 e quella del 1918. Questo aspetto ci fa pensare che improvvisamente, e senza alcun segno premonitore, si sia manifestata in Rudolf l'aspirazione a possedere entro breve tempo una cospicua galleria di grandi artisti.

few specialized galleries. His collection was not constituted gradually piece by piece, in a cautious apprenticeship, but in a couple of acquisitions in block which – at least as far as the central French part is concerned – only took about twelve months, from the summer of 1917 until the summer of 1918. Indeed, it's almost as if he had felt a sudden urge, without any premonition, to put together an imposing gallery of masterpieces as quickly as possible.

Rudolf Staechelin had his appraisals carried out altogether strategically, by a circle of important art dealers fully familiar with the collector's requirements. On December 29th, 1917, the Zurich gallery Tanner gave "best thanks" to Rudolf Staechelin for his having agreed by phone to acquire van Gogh's "Berceuse" "at a price of SFr. 35,000.– net value". The art dealer is said to have telegraphed immediately to express his "hope that the painting will be here by end January at the latest". One wonders whether the collector had seen more than a mere illustration of that major purchase at the time. (. . .) Tanner moreover continues to say "two very interesting paintings by Manet have been recommended" to him and that he was expecting "the photographs any day now".

The galleries Staechelin bought from belonged to the leading art dealership names for all of Europe; their gallery branches in Switzerland, France and Germany occasionally established business contacts with each other. Among the galleries in Switzerland (and above all the two Zurich galleries Tanner and Bollag), the Geneva gallery "Maison Moos" ("Exposition, Tableaux modernes, Aquarelles, Eaux fortes Originales, Gravures, Photographies, Encadrements") [Exhibitions, modern paintings, watercolors, original etchings, engravings, photographs, frames] stands out in particular. This is where the collector made his first ensemble purchases: on August 23rd, 1915, for example, 15 watercolors by Maurice Barraud; and again on November 20th, 9 drawings by the same artist. This is also where the emphasis of his interest shifted from French-Swiss to French painting: paintings by Sisley, Pissarro, Renoir ("Paysage avec deux figures" [Landscape with two Figures]), Gauguin ("NAFEA") and van Gogh ("Les harengs" [The Herrings]), which the gallery negotiated between May and October 1917. A year later, Staechelin was again to buy six Renoirs (among them the two "Gabrielle" portraits) in a single day. Finally "Maison Moos" is also responsible for all of the Hodler paintings in the collection, which were acquired on two occasions, in January and August 1918.

In Paris, it was the art dealer Bernheim-Jeune who, between October 1917 and May 1918, sold the Basel collector three of Cézanne's major works ("Pommes et verre" [Apples and

Interior with paintings by Ferdinand Hodler

Interior with paintings by Auguste Renoir and Camille Pissarro,
inside and top of the glass cabinet, East Asian objects

Interno con dipinti di Ferdinand Hodler

Interno con dipinti di Auguste Renoir e Camille Pissarro, dentro e sopra la vetrina oggetti d'arte orientale

Rudolf Staechelin raccolse i suoi tesori artistici grazie a una precisa strategia che coinvolgeva una cerchia di importanti mercanti d'arte che conoscevano perfettamente le esigenze del collezionista svizzero. In data 29 dicembre 1917 la galleria zurighese Tanner conferma, e «caldamente ringrazia» l'«impegno telefonico», che Rudolf ha assunto di acquistare la «Berceuse» di van Gogh «al prezzo di Frs. 35 000 netti». Pare anche che la galleria d'arte abbia subito telegrafato affermando: «spero che il quadro arriverà al più tardi qui alla fine di gennaio». Chissà se Rudolf aveva in realtà visto il suo importante acquisto oltre che in fotografia? D'altra parte, Tanner annunciò anche all'acquirente «due dipinti di Manet molto interessanti», di cui attendeva «le foto da un giorno all'altro».

Le gallerie a cui faceva capo Staechelin erano tra le principali in Europa e le loro sedi in Svizzera, in Francia e in Germania intrattenevano tra loro continui rapporti d'affari. Tra queste si trova anzitutto la «Maison Moos» («Exposition, Tableaux Modernes, Aquarelles, Eaux Fortes Originales, Gravures, Photographies, Encadrements»), che occupa una posizione preminente tra le gallerie svizzere (tra cui bisogna ricordare anche Tanner e Bollag di Zurigo). Proprio da questa galleria il collezionista svizzero fece i suoi primi acquisti in blocco: il 23 agosto 1915 comprò, ad esempio, 15 acquerelli di Maurice Barraud e il 20 novembre altri 9 disegni dello stesso artista. Fu grazie a tale galleria, e all'acquisto che grazie ad essa avvenne di quadri di Sisley, Pissarro, Renoir («Paysage avec deux figures»), Gauguin («NAFEA») e van Gogh («Les harengs»), offerti a Rudolf Staechelin fra maggio e ottobre 1917, che gli interessi del collezionista svizzero si spostarono

Glass], "Maison du docteur Gachet" [Doctor Gachet's House] and "Portrait Victor Choquet"). The gallery owned by Josse and Gaston Bernheim built its reputation mainly through Felix Fénéon, art critic and publishing pioneer for Impressionism and Post-Impressionism. As of World War I, just when Staechelin was making his acquisitions, Fénéon was the director of the Paris art dealer shop. The fact that Fénéon's particular protégés, such as Seurat, Signac, Toulouse-Lautrec, Bonnard, Vuillard or the "Nabis" guild do not figure in Staechelin's collection might give further indication that the collector did not – at least at that particular time – travel to Paris, and therefore never fell under Fénéon's influence. All purchase contracts were entered upon with the Bernheim-Jeune gallery branch in Lausanne, where Paul Vallotton was manager.

The German galleries with which Rudolf Staechelin established business contacts had their headquarters in Frankfurt and Munich. Ludwig Schames, originally a Paris banker, founded his Frankfurt gallery around the turn of the century, securing its position in the history of classic modern art mainly through its longstanding commitment to Ernst Ludwig Kirchner. Upon the gallery owner's death in 1922, Kirchner created a memorial woodcut inscribed "in memoriam": "Here lies the art dealer Ludwig Schames, a noble and altruistic friend of art and artists"[12]. Schames contributed to Staechelin's collection with Vlaminck's "River Landscape with Steam Boat" in June 1917 and, on February 13th of the following year with Monet's "Temps calme, Pourville"

progressivamente dalla pittura romanda a quella francese. Sempre qui, un anno dopo, Rudolf avrebbe ordinato in un sol giorno altri sei dipinti di Renoir (tra cui i due ritratti di «Gabrielle»). La «Maison Moos» fu anche quella che propose l'insieme di tele di Hodler che in due momenti, tra il gennaio e l'agosto del 1918, si aggiunse alla collezione.

A Parigi aveva la propria sede la galleria Bernheim-Jeune, la quale riuscì a vendere a Rudolf Staechelin, tra l'ottobre del 1917 e il maggio 1918, tre fra le opere principali di Cézanne («Pommes et verre», «Maison du docteur Gachet» e «Portrait de Victor Choquet»). La galleria Josse e Gaston Bernheim doveva la sua importanza essenzialmente a colui che fu il critico, il precursore e il giornalista dell'impressionismo e neoimpressionismo, vale a dire Felix Fénéon, il quale era stato direttore della galleria a partire dalla prima guerra modiale, dunque proprio nel periodo delle acquisizioni di Staechelin. Ma il fatto che quei pittori particolarmente prediletti da Fénéon (Seurat, Signac, Toulouse-Lautrec, Bonnard, Vuillard o il gruppo dei «Nabis») manchino nella collezione Staechelin, può essere considerato un ulteriore segno che Rudolf non si era in realtà mai recato a Parigi, almeno in quel periodo, e che quindi non aveva subito l'influsso diretto di Fénéon. Non è un caso che tutti i contratti di acquisto siano stati stipulati con la succursale di Bernheim-Jeune a Losanna, allora diretta da Paul Vallotton.

Le gallerie tedesche con cui Rudolf Staechelin manteneva dei rapporti avevano sede a Francoforte e a Monaco. Ludwig Schames, in un primo tempo banchiere a Parigi, aveva fondato, a

[Becalmed Day, Pourville], plus two paintings by Derain ("Paysage du midi I and II" [Landscape of Southern France I and II]) and Pechstein's "Bathers".

The Frankfurt art dealer Goldschmidt & Co. considered himself mainly as an agency representing painters of the German expressionist movement. Between October and December 1919, Goldschmidt sold his Basel client nine paintings by Max Pechstein. Along with four landscapes by Franz Heckendorf, these were among Staechelin's last lump acquisitions. It is however striking that the German painters were first added only as a supplement to the body of choice French paintings at the very end, when Staechelin's passion for collecting had almost been slaked. And no less striking that the Expressionist painters of the Basel collector's choice were not among the most prominent ones such as Beckmann, Kokoschka or Kirchner, all favorites of the Frankfurt art galleries, but those who were less well-known – hence probably more moderate – representatives of the expressive arts during the first ten years of the century. An essay in the Munich art magazine "Kunst für Alle" [Art for Everyone] (1924), notes: "Franz Heckendorf loves pure and simple colors and their symbolic expressivity. (…) He demonstrates how they can be spiritualized by denaturalization without losing their origins in nature and how, using almost plain psychological methodology the very core of things can be attained so that the universal is made to replace the haphazardly individual." Some contact with Gustaf Jagersbacher as well must have occurred even before. The latter's artistic social pathos ("themes, from the everyday life of workers, the poor the destitute and beggars")[13] seems to have left its mark on Rudolf's father, Gregor, as well: in 1915 he had his portrait done – in a leather armchair in front of his desk – by Jagersbacher. Jagersbacher's wife – Helen(e) Häfliger[14], born in Lausanne in 1885 – is also listed in the collection inventory. Of the "Münchner Neuen Secession" painters (Gustav Jagersbacher, Helen Häfliger, Rudolf Grossmann, Edwin Scharff, Adolf Schinnerer, Rudolf Sieck, Franz Heckendorf, and Max Pechstein) only Grossmann, Heckendorf and Jagersbacher are represented by works in the collection. The first public presentation of the Staechelin Collection at the Basel Kunsthalle in 1920 (and subsequently at the Kunsthalle in Berne) selected Pechstein, Heckendorf, and Jagersbacher plus two self-portraits by Lovis Corinth – not however listed in the inventory. Still, when the art collection was made part of the Family Foundation in 1931, the Munich Expressionists were listed in their entity in "the compilation affixed by thread and seal to this document". An evaluation of the Foundation's assets in November 1940 in compliance with the requisite "Abgabe der Wehropfer-Erklärung" [Military Dues Declaration], once again lists the Munich artists. Yet by 1956, at the memorial exhibition on the tenth anniversary of

cavallo dei due secoli, la sua galleria sul Meno, la quale entrò nella storia dell'arte moderna grazie al suo duraturo impegno a favore di Ernst Ludwig Kirchner. Quest'ultimo realizzò, in occasione della morte del gallerista avvenuta nel 1922, una xilografia a cui era aggiunta «in memoriam» la seguente dedica: «Era questo il mercante d'arte Ludwig Schames, nobile e disinteressato amico dell'arte e degli artisti[12].» Schames permise a Rudolf Staechelin l'acquisto delle seguenti tele: nel giugno del 1917, il «Paesaggio fluviale con battello a vapore» di Vlaminck, il 13 febbraio dell'anno successivo, «Temps calme, Pourville» di Monet, due quadri di Derain, «Paysage du midi I e II», e la «Bagnante» di Pechstein.
Anche la bottega di Goldschmidt & Co. a Francoforte era anzitutto ritenuta un'agenzia per i pittori dell'espressionismo tedesco. Nell'ottobre e nel dicembre del 1919, Goldschmidt riuscì a procurare all'acquirente basilese nove opere di Max Pechstein che, assieme a quattro paesaggi di Franz Heckendorf, costituirono uno degli ultimi acquisti in blocco di Rudolf Staechelin; anche se è opportuno ricordare che i pittori tedeschi furono aggiunti alla collezione delle pregiate tele francesi solo in un secondo tempo, quando la febbre di collezionare opere sembrava progressivamente venir meno. Che Rudolf Staechelin non avesse optato per i più noti rappresentanti dell'espressionismo tedesco (per esempio per Beckmann, Kokoschka o Kirchner, vale a dire per gli artisti prediletti dalla galleria francofortese), ma per pittori meno noti, non è un fatto da sottovalutare, giacchè Staechelin sembra aver scelto in tal modo il versante meno famoso, ma in compenso più moderato, dell'arte espressionista tedesca del primo decennio del secolo che, nel 1924, in un articolo della rivista d'arte di Monaco «Die Kunst für Alle», fu giudicato con queste parole: «Franz Heckendorf [...] ama i colori puri, semplici e la loro capacità espressiva simbolica. [...] Egli mostra come si possano spiritualizzare i colori non in modo naturalistico, anche se movendo dalla natura, e come ci si possa avvicinare al nocciolo delle cose, grazie a un metodo psicologico sostanzialmente semplice, e a sostituire ciò che è tipico con ciò che è solo accidentalmente individuale.» Per quanto concerne i rapporti con Gustav Jagerspacher, si hanno buone ragioni per ritenere che essi risalgano ad un periodo precedente; pare infatti che il suo pathos sociale espresso nei «Motivi dalla vita degli operai, dei poveri, degli impoveriti e dei mendicanti»[13] avesse impressionato anche il padre di Rudolf, Gregor, che nel 1915 si era fatto ritrarre da Jagerspacher seduto nella poltrona di cuoio davanti alla scrivania. Jagerspacher era sposato con Helen(e) Häfliger[14], nata a Losanna nel 1885, e che peraltro figura nell'elenco della collezione. Adesso la raccolta dei pittori della «Münchner Neue Secession» (Gustav Jagerspacher, Helen Häfliger, Rudolf Grossmann, Edwin Scharff, Adolf Schinner, Rudolf Sieck, Franz Heckendorf e Max Pechstein), comprendeva solo gruppi di opere di Grossmann, Heckendorf e Jagerspacher, mentre in occasione della prima presentazione pubblica della galleria Staechelin alla «Kunsthalle» di Basilea nel 1920 (e successivamente alla

Rudolf Staechelin with
his son Peter,
Christmas 1926

*Rudolf Staechelin con
suo figlio Peter,
Natale 1926*

Rudolf Staechelin's death at the Basel Museum of Fine Arts, none at all were on display. Georg Schmidt wrote in the exhibition catalogue: "…followed in 1919 and 1920 by several German Expressionists – Pechstein, Heckendorf, etc. who however represented only a short episode." There is some doubt whether the museum expert was correctly informed in this instance. The Foundation protocol, listing all meetings of the Foundation board up until November 24th, 1959, contains no information as to a sale partially entailing the German paintings. They may have been sorted out and sold as late as in the sixties.

Rudolf Staechelin did not owe only the relatively less significant Expressionist part of his collection to the Goldschmidt gallery in Frankfurt. He owed them as well Courbet's "Portrait du peintre Jules Lunteschütz" [Portrait of Painter Jules Lunteschütz], or Fantin-Latour's "The Judgement of Pâris". The latter painting's mythological thematic context falls outside the collection's canons; it does however exemplify (albeit rather late in time) the purely classical nineteenth-century

«Kunsthalle» di Berna), furono presentate opere di Pechstein, Heckendorf, Jagerspacher e due autorittrati di Lovis Corinth, che però non compaiono più nel catalogo della collezione. Quando nel 1931 fu istituita la Fondazione di Famiglia, tutti gli espressionisti di Monaco figuravano ancora nell'«elenco allegato con cordoncino e sigillo», così come nella stima del patrimonio che nel novembre del 1940 la Fondazione fece, al fine di calcolare il suo «Contributo per la difesa nazionale». Ma l'intero gruppo è già assente all'esposizione commemorativa per il decimo anniversario della morte di Rudolf Staechelin che ebbe luogo al «Kunstmuseum» basilese nel 1956. Nell'occasione Georg Schmidt scrisse nel catalogo: «[...] nel 1919 e nel 1920 emersero alcuni espressionisti, tra cui Pechstein, Heckendorf ed altri, i quali però si rivelarono poi solo un fenomeno transitorio.» C'è da dubitare che Schmidt fosse veramente aggiornato, dato che il registro, che mette a verbale tutte le riunioni del Consiglio della Fondazione fino 24 novembre del 1959, non contiene nessun ordine del giorno da cui risulti una vendita, anche parziale, di pittori tedeschi. È infatti probabile che lo smembramento e la vendita di queste opere siano avvenuti soltanto negli anni sessanta.

French painting to which the collector's tastes seemed to run. Goldschmidt also participated in that memorable day of June 22nd, 1917, when, after its French-Swiss prelude, the collection took on the first features marking its future museum-like profile. It did so with the acquisition of two paintings by Vlaminck (one acquired through Schames, one through Goldschmidt), and one painting, "Les deux frères", by Picasso (through Caspari, of Munich).

The collector's dealings with the "Moderne Galerie Heinrich Thannhauser" in Munich were particularly intensive. Thannhauser first set himself up as an art dealer together with the Munich opera Singer Franz Josef Brakl; he became independent in 1909. His rapidly famous address on Theatinerstrasse became the "trade center for the works of the leading German and foreign Modern masters, the Secessionist artists, the Young Munich Artists and the Young French"[15]. From December 1911 until January 1912, Thannhauser held the first exhibition of "Blaue Reiter" [Blue Riders] painters. Thannhauser's strength lay in his mixture of the most ambitious modern domestic as well as foreign works already proven on the market with occasional experiments in avant-garde paintings that had known no financial success[16]. For over twenty years, this policy brought purchasers not only from Munich but above all as well from Switzerland and from other parts of Germany. In fact, his Swiss clientele was so interesting that in 1919 the gallery opened a branch on Haldenstrasse in Lucerne. It was managed by Thannhauser's son Justin who would become a most influential promoter of twentieth-century art. The Thannhauser art shop provided the central part of the Staechelin Collection: Corot's "Olevano, La Serpentara"; Delacroix's "Chien mort"; Pissarro's "La sente du Chou, Pontoise", "Une rue à l'Hermitage", "La carrière, Pontoise", "Le monument Henri IV"; Manet's "Tête de femme"; Monet's "Portrait d'un viellard à haute-forme"; Sisley's "Nature morte – poisson"; van Gogh's "Tête de femme"; Gauguin's "Paysage breton, chien et enfants" (or "Entre les lys") – great collection names and outstanding paintings negotiated directly or indirectly by Thannhauser. The first documented purchases go back to December 1917. After the acquisitions of August and September 1921 (Delacroix, Corot, Monet, Sisley – through Thannhauser, Lucerne) these business contacts seem to have come to a stop. The gallery's 1917 sales catalogue lists von Gogh's "Tête de femme" (together with the oval "Reclining Woman", today in the Barnes Foundation in Philadelphia) and, already in December of that year, the purchase contract with the Basel client would be finalized. Things went differently for Gauguin's painting "Breton landscape with Boy" (Girl) (or "Dog and Lilies"). Offered by Thannhauser in a summer exhibition of 1916[17], this painting probably became part of the Staechelin Collection between 1920 and 1929 through Mario

Occorre aggiungere che il debito di Rudolf Staechelin verso la galleria Goldschmidt di Francoforte non si limita solo agli espressionisti, che peraltro costituivano, rispetto all'intera collezione, uno dei settori meno importanti; anzi, a ben vedere, Rudolf deve a Goldschmidt anche l'acquisto del «Portrait du peintre Jules Lunteschütz» di Courbet o il «Giudizio di Paride» di Fantin-Latour, opera questa che si discosta, in ragione del suo soggetto mitologico, dal canone figurativo tipico dell'intera raccolta, anche se a ben vedere sembra corrispondere poi, in quanto tardo esempio della pittura francese classica del XIX secolo, alle preferenze del collezionista. Goldschmidt intervenne inoltre anche nel memorabile 22 giugno del 1917, quando l'orientamento iniziale verso la pittura svizzero-romanda mutò d'un tratto e la collezione, con l'acquisizione di due dipinti di Vlaminck (uno «tramit Schames», l'altro «tramit Goldschmidt») e di «Les deux frères» di Picasso (grazie a Caspari di Monaco), assunse un carattere piuttosto museale.

Sembra che Rudolf Staechelin abbia avuto un rapporto particolarmente stretto con la «Moderne Galerie Heinrich Thannhauser» di Monaco, il cui proprietario, prima di mettersi in proprio nel 1909, aveva gestito una bottega d'arte assieme al cantante lirico Franz Josef Brakl. La galleria, che si trovava nella «Theatinergasse», divenne ben presto nota, caratterizzandosi come «emporio delle opere dei primi maestri moderni, tedeschi e non, dei secessionisti e dei giovani artisti monacensi e francesi[15].» Dal dicembre del 1911 al gennaio del 1912, Thannhauser ospitò la prima mostra dei pittori del «Blaue Reiter»: «L'aspetto caratteristico di Thannhauser consisteva nel mescolare l'impegnativa arte moderna nazionale e straniera, la quale si era già affermata sul mercato, con occasionali esperienze di avanguardia, le quali venivano però abbandonate se si rivelavano un fallimento finanziario[16].» Proprio in virtù di questo «savoir faire», Thannhauser avrebbe trovato per oltre 20 anni non solo acquirenti a Monaco, ma anche nel resto della Germania e soprattutto in Svizzera, ove la clientela doveva essere molto importante, dato che la galleria aprì nel 1919 una sua succursale alla «Haldenstrasse» di Lucerna, che fu affidata al figlio di Thannhauser, Justin, il quale sarebbe diventato in seguito uno dei più influenti promotori dell'arte del XX secolo. Il nucleo centrale della collezione di Rudolf proveniva proprio da questa galleria, visto che tutti i quadri e gli artisti più importanti della raccolta erano stati procurati, direttamente o indirettamente, dallo stesso Thannhauser: «Olevano, La Serpentara» di Corot; «Chien mort» di Delacroix; «La sente du Chou, Pontoise», «Une rue à l'Hermitage», «La carrière, Pontoise», e «Le monument Henri IV» di Pissarro; «Tête de femme» di Manet; «Portrait d'un vieillard à haute-forme» di Monet; «Nature morte – poisson» di Sisley; «Tête de femme» di van Gogh; «Paysage breton, chien et enfants» o «Entre les lys» di Gauguin. I primi acquisti documentati risalgono al dicembre del 1917. In seguito, dopo le acquisizioni dell'agosto e del settembre 1921 (Delacroix, Corot, Monet, Sisley), i rapporti di affari tra Staeche-

Arbini[18]. In any case, the catalogue for the collection's first comprehensive exhibition in Basel does not list it. However, Wilhelm Barth's Gauguin monograph published in 1920 does have an illustration of it and a description with the annotation: "The painting is in a Basel private collection"[19]. Arbini, a kind of private dealer with an address both in Munich and in Genoa, appears several times in the Staechelin estate documents. An invoice by Thannhauser, Munich, of December 1917 alludes to something: "You already bought and received through Mr. Arbini." And from Genoa, Arbini confirms the sale of three Pissarros and "Portrait of a Lady" by Renoir: "You grant me the right to buy back these paintings up until June 30th, 1921, at the latest (…). The paintings are at your disposal from today on at my Munich flat and I have already arranged for them to be sent to you."

The sequence in which the acquisitions were made does little to reconstitute the dramatic line of events in building up a collection. In the first major purchase year, Rudolf Staechelin once again began with his great favorite among French-Swiss painters, Maurice Barraud, adding an older as well as a younger representative of French painting by purchasing a Sisley and a Vlaminck. At the same time, he acquired Picasso's "Brothers" at Caspari's in Munich. A week later, Gauguin's mysterious painting "NAFEA faaipoipo" was added to the collection. Up to the end of 1918, Impressionists and Post-Impressionists compete in joining the collection: Sisley was followed by van Gogh, Cézanne by Manet, Pissarro by, once again, Gauguin, Renoir by, once again, Cézanne – which hardly allows us to deduce a favorite. The broad path Rudolf Staechelin marked out for himself within nineteenth- and turn-of-century French painting, past pages of art history, is more of a reflection on the collector's narrowed appreciation of the newly established pictorial values of Modernism. Indeed, he was to admit but the most eminent of the latter.

As a rule, the paintings collected are those created during the individual artists' main creative phases, in their "mature periods" that is. The Pissarro group, for instance, obviously represents the classic "plein-air" technique; that painter's experiments with the divisionist technique he so admired in Seurat's work from 1885 till 1887 are not represented in the Staechelin Collection. The impressive Hodler set consists exclusively of work from the painter's last work phase, from 1914 till 1918. Renoir is mainly represented by paintings created after the turn-of-the-century: virtuosic portraits narrating the aged painter's ethereal dream of eternal (female) youth, reflecting the bourgeois tastes of a generation still likely – despite all the hardships of war and depression – to identify with "la belle époque". In comparable fashion,

lin e Thannhauser sembrano subire una battuta d'arresto. Oltre alla «Donna sdraiata», ovale che si trova oggi alla «Barnes Foundation» di Filadelfia, il catalogo della galleria Thannhauser del 1917 conteneva la «Tête de femme» di van Gogh, opera per la quale il contratto d'acquisto fu stipulato con il cliente basilese già nel dicembre dello stesso anno. Il paesaggio bretone di Gauguin con fanciulli (fanciulle), cane e gigli, giunse invece per strade diverse. Nonostante Thannhauser avesse infatti offerto il quadro nella sua esposizione estiva del 1916[17], esso deve essere giunto a Staechelin grazie a Mario Arbini[18] tra il 1920 e il 1929. Ad ogni modo, l'opera non è segnalata nel catalogo della prima mostra a Basilea, mentre nel 1929, quando compare una monografia di Gauguin curata da Wilhelm Barth, il quadro viene riprodotto con l'avvertenza: «Proprietà privata a Basilea[19].» Arbini, che si potrebbe definire come un «private dealer», e che aveva un domicilio a Monaco di Baviera e uno a Genova, compare un paio di volte nei documenti di compra-vendita, ad esempio nella fattura della galleria Thannhauser di Monaco del dicembre 1917, compare la nota: «comprato e preso in consegna dal sig. Arbini», il quale conferma da Genova la vendita di tre Pissarro e di un «Ritratto di donna» di Renoir scrivendo a Staechelin: «Lei mi concede il diritto di riacquistare da Lei le tele al più tardi il 30 giugno del 1921 […]. I quadri sono da oggi a Sua disposizione nella mia abitazione di Monaco e ho già dato l'incarico affinchè Le siano spediti.»

Non è possibile desumere con precisione dalla sequenza degli acquisti il metodo seguito dal collezionista svizzero. Durante il primo anno delle maggiori acquisizioni, Rudolf Staechelin cominciò ad interessarsi a colui che sembrava essere il grande prediletto della pittura romanda, vale a dire Maurice Barraud, per poi passare a due rappresentanti, uno più vecchio, l'altro più giovane, della pittura francese, cioè a Sisley e Vlaminck. Nello stesso periodo comprò a Monaco, da Caspari, «Les deux frères» di Picasso a cui, una settimana dopo, aggiunge il misterioso quadro di Gauguin «NAFEA faaipoipo». Fin verso la fine del 1918, gli acquisti sembrano guidati da un interesse che alterna impressionismo e postimpressionismo: a Sisley segue van Gogh; a Cézanne Manet; a Pissarro, di nuovo, Gauguin; a Renoir, nuovamente, Cézanne. Da ciò non si può tuttavia dedurre qualcosa di preciso circa la mutevolezza delle sue preferenze; le grandi tracce, che Rudolf Staechelin ha lasciato nella pittura francese del XIX e dell'inizio del XX secolo, segnano infatti la figura di un collezionista che tollerava attorno a sè soltanto i rappresentanti più grandi della pittura moderna, il cui valore era già stato peraltro riconosciuto.

Le tele acquistate da Rudolf pertengono solitamente ai cosidetti periodi centrali, ai «periodi maturi» dei singoli pittori. Il gruppo di opere di Pissarro, ad esempio, rappresenta inconfondibilmente l'apice della pittura «plein air», mentre, d'altra parte, mancano nella collezione i suoi esperimenti divisionisti, tecnica questa

Renoir's late period works of Cagnes are the focus point in the already significant Renoir section of the Baden "Langmatt" Foundation.

Nonetheless, Paul Cézanne's works in the collection comprised examples of his still lifes, portraits and landscapes, though no example of his "Bathers" generally considered "difficult" or of his "conceptual" Sainte-Victoire series were included (in contrast to the Brown Collection, which counts "The Bathers" of 1895–1898 among its earliest Cézanne acquisitions[20]). In any case, Rudolf Staechelin did not collect the wild searching Cézanne, but the becalmed, seemingly solid artist, a well-balanced painter characterized by Rilke in 1907, in commenting on "Woman in a Red Armchair": It is as if each place knew about every other place ... by participating to such an extent, by all that takes place by mutual adjustment and rejection, by the manner in which each seeks to achieve and contribute to equilibrium: by the very way the painting, in all, balances reality[21].

The collector's choice of works representing Picasso proved just as crucial for the collection. With "Deux frères" (1906), chosen without any previous background information, he demonstratively decided on one of the paintings central to the early period of Picasso, an artist of the same age as the collector. "Arlequin au loup", painted the year of acquisition (1918), just as demonstratively represents a choice highlighting the artist's return to realism, in a dialectical reaction to his own work[22]. Related in the melancholy expressed, both figure paintings reveal a Picasso still harboring a penchant for his fin-de-siècle heritage. They show no trace of the daring Cubist approach Picasso had taken in the meantime: a pair of paintings that totally denies the artist's avant-garde experimentation between 1907 and 1913.

Rudolf Staechelin never collected with an eye to the completeness of œuvres represented, or to avoiding gaps in representing individual periods of work. Thus, his collection lacks as well all the more radical turning points in Modernism: Cubist or Futurist paintings of the "Blaue Reiter" or "Brücke" (with the exception of Max Pechstein) must have seemed unacceptable to a collector whose artistic principles required a certain noblesse and symbolically heightened information of works entering into consideration. This contrasts a great deal with the likes of Basel citizen and collector Raoul La Roche, who focussed his collection on experimental phases in the more recent history of art, such as Cubism. Rudolf Staechelin, judging from his acquisitions and non-acquisitions, represented the type of choosy collector wanting his elite art property to reflect his eminent economic and social status. The paintings chosen are not representative of specific periods or trends but artistically

per la quale il pittore, tra il 1885 e 1887, aveva ammirato Seurat.

L'impressionante gruppo di tele di Hodler comprende esclusivamente l'ultima fase che si situa tra gli anni 1914 e 1918. Renoir è prevalentemente rappresentato con quadri dipinti dopo l'inizio del secolo, con virtuosi ritratti che raccontano l'imponderabile sogno di una eterna giovinezza (femminile). Proprio un simile fantasticare, da parte di un artista ormai avanti negli anni, corrispondeva al gusto borghese di una generazione che, malgrado la guerra e le crisi economiche, si considerava ancora appartenente alla «belle époque». (Val la pena qui di ricordare le tele dell'ultimo periodo creativo di Renoir, a Cagnes, le quali costituiscono il punto più alto di quella che è pur sempre l'importante sezione alla «Langmatt» di Baden.)

Paul Cézanne è stato accolto nella collezione come pittore di nature morte, come ritrattista e come paesaggista, ma nessun esemplare delle sue «Bagnanti», stimate «difficili», né un qualche esempio della sua serie «concettuale» di Sainte-Victoire, sono mai state fatte entrare da Staechelin nella sua raccolta (contrariamente alla Collezione Brown, nella quale il quadro della «Bagnante» del 1895–1898 figura tra i primi acquisti[20]). Chiaramente Rudolf Staechelin non prediligeva il Cézanne impetuoso, incostante, ma quello quieto, dalle serie apparenze, equilibrato, insomma quello che Rilke caratterizzò nel 1907 di fronte alla «Donna nella poltrona rossa» con le seguenti parole: «È come se ogni parte conoscesse le altre e vi prendesse parte; è come se in ogni parte confluissero assuefazione e negazione. Ogni parte cura a modo suo tanto l'equilibrio, creandolo, quanto l'insieme del quadro mantiene in equilibrio la realta[21].»

Non meno eloquente è la scelta concretizzata dal collezionista basilese nei confronti di Picasso: scegliendo i «Deux frères» (1906), Rudolf Staechelin preferì palesemente uno dei quadri centrali della prima fase del pittore, proprio in un momento in cui la sua collezione non disponeva ancora di alcun punto di riferimento. Acquisendo poi nel 1918 l'«Arlequin au loup» (1918), Rudolf mostrò di prediligere oltremodo un quadro di Picasso che, reagendo dialetticamente alla sua stessa opera, pareva ritornato all'oggettività[22]. Ambedue le tele, che sono affini proprio per il motivo della malinconia, svelano un artista che vive ancora del retaggio della «Fin-de-siècle», e non rivelano in alcun modo quale audacia il Picasso cubista avesse nel frattempo raggiunto. Si tratta quindi di una coppia di quadri che passa completamente sotto silenzio l'esperimento d'avanguardia che si colloca tra il 1907 e il 1913.

Rudolf Staechelin non ha mai collezionato con lo scopo di possedere l'opera completa di un artista o un corpus che dimostrasse in modo pressoché completo i diversi periodi di sviluppo di un singolo pittore. Del resto, mancano nella sua collezione gli eventi

individualistic examples of manifest strength and a level of achievement.

"He began to collect early in life, and stopped collecting early as well", Gustaf Adolf Wanner recollected in the "Basler Nachrichten" on December 2nd/3rd, 1967. The early part of his collecting phase and its rather abrupt end can no longer be reconstituted down to the finer details. Occasional acquisitions made during the twenties and the thirties enriched the extensive French core of the collection, but could no longer bring about any changes. After the later acquisitions of 1921 at Thannhauser's (Delacroix, Corot, Monet, and Sisley), the collection was significantly enlarged by Matisse's "Madame Matisse au châle de Manille" of 1911 (through the Lucerne gallery Rosengart, 1943) and Picasso's portrait of colleague Jacinto Salvado in the mask of an "Arlequin Assis" of 1923, which the collector discovered at Galerie Rosenberg during a Paris sojourn in the summer of 1924. From then on, Rudolf Staechelin concentrated on another collection area: East Asian art. At the same time, he "put his artistic judgement and his willingness to make decisions on artistic issues into the service of the public"[23]. As of 1923 he was on the Basel Art Committee for the "Öffentliche Kunstsammlung" [Public Art Collection] who, over the next twenty years or so, according to Georg Schmidt's experience, were not to acquire a single work "without Rudolf Staechelin's decisive collaboration nor, most often, without his decisive help"[24]. The year before he had already been elected to the Committee of the Museum of Ethnology.

The economic recession of the post-war years certainly imposed limits on the collector's scope of activity. In the form of social tensions, rapidly increasing prices, increasing unemployment and a virulent climate of strikes, the onset of the great depression had reached Switzerland by then. After the deceptive post-war uptrend in the second half of 1919, symptoms of the crisis to come had become visible already by the autumn of 1920 through the general collapse of the currency. These developments put several Swiss banks into financial straits and led to a flooding of the domestic market with cheap foreign consumer goods[25]: "From January 1920 up until June 1922, the wholesale price index sank by almost 50% and the agricultural production prices by 40% (...); by December 1921, 10.5% of the wage earners were out of work"[26]. "These are bitter times indeed", Johannes Huber, a Basel commercial course teacher was to lament "at the beginning of the Christmas month of 1920 (...) as even the price of bread is increasing hour by hour. If in Basel today we count about 1,400 unemployed, that amounts to about 1.5 battalions. Have you even seen a battalion march by? It takes quite a long time, doesn't it"?![27] In Basel's parliament, politicians such as Gregor Staechelin vociferously opposed any

estremi della modernità, sicché non si troveranno mai quadri cubisti, futuristi o astratti. Perfino i dipinti del «Blaue Reiter» o della «Brücke» (a parte Max Pechstein) non sembrano conciliarsi con quei principi che miravano anzitutto alla «noblesse» pittorica e ad un approfondito simbolismo esplicativo. In maniera assolutamente diversa dal suo concittadino Raoul La Roche, che invece preferiva rivolgere la sua attenzione alle correnti sperimentali dell'arte moderna quale il cubismo, Rudolf Staechelin incarna, una volta commisurato in base ai suoi acquisti e alle sue «esclusioni», un collezionista selettivo, il quale desiderava che il suo patrimonio artistico rispecchiasse la prosperità e la posizione sociale raggiunta, e che non privilegiava un certo periodo o un determinato movimento, ma cercava invece la forza dispiegata e i pregi dell'individualità artistica.

«Ben presto cominciò a collezionare, ben presto smise!» Con questa frase lapidaria Gustaf Adolf Wanner lo ricordò nelle «Basler Nachrichten» del 2/3 dicembre del 1967. In particolare, rimane a tutt'oggi senza una spiegazione adeguata, l'improvvisa e precoce fine dell'attività di collezionista di Rudolf Staechelin. Difatti, malgrado le occasionali acquisizioni negli anni venti e trenta avessero finito per arricchire il già considerevole nucleo di arte francese che egli possedeva, esse non avrebbero affatto mutato il carattere di fondo della raccolta, che aveva già una propria particolare fisionomia. Solo in due occasioni, dopo i tardi acquisti dell'anno 1921 da Thannhauser (Delacroix, Corot, Monet, e Sisley), la collezione aumentò significativamente: grazie al quadro «Madame Matisse au châle de Manille» di Matisse (1911), acquistato nel 1943 tramite la galleria Rosengart di Lucerna, e attraverso il ritratto fatto da Picasso del suo collega Jacinto Salvado mascherato da arlecchino («Arlequin assis» del 1923). Rudolf scoprì quest'ultima opera nell'estate 1924, durante un soggiorno a Parigi, ove fece visita alla galleria Rosenberg. Da quel momento in poi, Staechelin si concentrò su un altro tipo di collezionismo, sull'arte dell'Asia orientale, mettendo «in modo volenteroso la sua capacità di giudizio e la sua perspicacia al servizio pubblico»[23]. Così, dopo essere stato eletto nel 1922 nella Commissione del Museo di etnologia, a partire dal 1923 fece parte della Commissione artistica della «Öffentliche Kunstsammlung» di Basilea, la quale durante i venti anni successivi, secondo Georg Schmidt, non avrebbe più acquistato un'opera «senza il parere e spesso anche senza l'aiuto decisivo di Rudolf Staechelin[24]».

Anche la recessione economica del dopoguerra avrà certamente contribuito a limitare il raggio d'azione dell'attività di collezionista di Rudolf Staechelin. Tanto è vero che già in questi anni alcune avvisaglie della imminente crisi mondiale avevano raggiunto la Svizzera, manifestandosi sotto forma di tensioni sociali, di rapido aumento dei prezzi, di crescente disoccupazione e di un teso clima dovuto agli scioperi. Così, dopo l'ingannevole congiuntura dell'immediato dopoguerra, si avvertirono ben presto,

attempts, above all those by leftist parties, to counter the structural problems of the old economy and dated social organization by introducing modern social laws.

Gregor's son Rudolf, added his own, elegant note to the family renown with his still young art collection. He must have found his father's conservatism a rather heavy burden to bear when he in turn made a name for himself in local politics, thanks first to an exhibition of his treasures at the beginning of 1920 at the Kunsthalle and, a little later, through his positions on various museum committees. Gregor Staechelin had, after all, spent a lifetime defending himself against the disastrous decadence of the likes of Picasso, notwithstanding the latter's grand success and significance as a representative of Modernism. Possibly Rudolf Staechelin wanted to cease adding to his collection for the time being, as well in order to avoid any additional strain on the family. Several clues indicate that he simply was not very solvent during the twenties, hindering the spontaneous acquisition of important works of art. In a letter of January 28th, 1922 – therefore immediately after his last acqusitions at Justin Thannhauser's in Lucerne (the Delacroix, Corot, Monet, and Sisley quartet of September 15th, 1921) – he refers to the "pressure exerted by today's difficult situation" which even he could no longer avoid feeling. In the last six months, the collector said, he had been somewhat imprudent with his cash assets.

Rudolf Staechelin's restraint as a collector in the twenties paralleled a break in buying imposed as well on Brown's of Baden. Until after the onset of the worldwide depression in the early thirties, the collection history of the "Langmatt" Foundation shows an interruption of about a decade. "At BBC net profits in 1920 still amounted to SFr. 5,084,755.–; four years later, in 1924, they were in the red to the tune of 25,578,560.– [28]". The Staechelin family enterprises as well must have strongly felt the collapse between 1929 and 1933 of European/American free trade and gold standard provisions[29], though we know not in what manner and to what extent. Moreover, the deepening crisis may for some time even have endangered the collection's very existence. Notary Ernst Saxer, a member of the Foundation board since May 1941, successor to the late Franz Amstein and quite familiar with the internal economic workings of the Rudolf Staechelin Family Foundation, wrote in the preface to the catalogue of the Basel memorial exhibition of 1956: "Well-meant as well as commercially sound initiatives that he free himself of the burden of the collection slid right by Rudolf Staechelin." The fact is that there were such "initiatives", whatever motivated them, and that therefore the resale of the collection or the parts thereof at some time was proposed, considered or discussed. The collector's "strength and

fin dall'autunno del 1920 attraverso la svalutazione della moneta, i primi sintomi di questa grave situazione che mise numerose banche svizzere in forti difficoltà e che provocò una sorta di inondazione del mercato interno di beni di consumo esteri a basso costo[25]: «Dal gennaio del 1920 al giugno del 1922 l'indice del commercio all'ingrosso scese all'incirca del 50%, i prezzi agricoli alla produzione del 40% […]; nel dicembre del 1921 il 10,5% della popolazione attiva era disoccupato[26].» «Son questi tempi amari!», così si lamenta l'insegnante di commercio basilese Johannes Huber all'inizio del mese di dicembre del 1920, «Il pane aumenta di ora in ora! Adesso, che sono più o meno 1400, i disoccupati a Basilea equivalgono circa ad un battaglione e mezzo. Avete mai visto passare un battaglione in colonna? È vero che impiega molto tempo?![27]» D'altra parte, tentativi, promossi soprattutto dai partiti di sinistra, per risolvere i problemi strutturali del vecchio ordine economico e di un regolamento sociale ormai vecchio con una legislazione moderna, trovarono al Parlamento basilese un'opposizione violenta proprio da parte di uomini come Gregor Staechelin.

Per il figlio Rudolf, il quale aveva aggiunto un tocco personale ed elegante alla reputazione familiare – all'inizio del 1920 aveva fatto il suo ingresso nella vita pubblica cittadina dopo l'esposizione dei suoi tesori alla «Kunsthalle» e poco dopo aveva avuto delle cariche in seno alle commissioni dei musei –, questo conservatorismo paterno non doveva essere una zavorra leggera da sopportare, visto che il solo nome di Picasso, per quanto le sue opere fossero state accolte con entusiamo, simboleggiava emblematicamente proprio quella modernità contro le cui nefaste tendenze il vecchio Gregor Staechelin si sentiva obbligato a lottare. È anche probabile che Rudolf Staechelin pensasse di desistere al momento da un ulteriore ampliamento della collezione per non compromettere l'armonia familiare. A conferma di questa ipotesi si possono portare alcuni sicuri indizi, che ci fanno presumere come negli anni venti egli non disponesse più di una liquidità sufficiente che gli permetteva importanti e improvvise acquisizioni. In effetti, in una lettera del 28 gennaio 1922, subito dopo gli ultimi acquisti da Justin Thannhauser a Lucerna (il quartetto di Delacroix, Corot, Monet e Sisley, acquistato il 15 settembre 1921), Rudolf accenna alle «pressioni dovute alla difficile situazione odierna» a cui non riesce più a sottrarsi. Oltretutto, ammette di essere stato negli ultimi sei mesi anche un po' sconsiderato riguardo ai mezzi finanziari a sua disposizione.

La moderazione di Rudolf Staechelin negli anni venti trova conferma nella sospensione degli acquisti anche da parte dei Brown di Baden. Nella storia della collezione di «Langmatt» si manifesta effettivamente un vuoto di oltre un decennio, fin dopo l'inizio della crisi economica mondiale. «L'utile netto della BBC nel 1920 ammontava ancora a Fr. 5 084 755; quattro anni più tardi, nel 1924, le perdite erano già salite a Fr. 25 578 560.»[28] Anche le intraprese della famiglia Staechelin avevano sicuramente subito

24

ability to hold on to what he had achieved", thus Ernst Saxer's praise, were all in the collection's favor, "with the onset in the thirties of a serious economic crisis upsetting the entire world and which was to personally affect Rudolf Staechelin as well". Indeed certain experienced or threatened dangers are what probably led Rudolf Staechelin to make his paintings part of the Family Foundation. "In order to secure the material value of my collection for the family as an emergency reserve", he personally entered into the protocol book of the Foundation on September 4th, 1931, "and in order to prevent that treasures so lovingly collected and for which sacrifice has not been spared, be dispersed to the four corners of the world unless out of dire necessity, I have today transferred all of the art works in my possession to the Rudolf Staechelin Family Foundation which I founded."

At the beginning of the twenties however there was no mention yet of any requisite guarantees of continued existence. To all evidence, the collector had triumphantly attained his collector's objective, and the collection took on the firm contours that a mere two or three years before seemed totally unrealistic. After having lent support to Wilhelm Barth's 1916 exhibition at the Kunsthalle – "Recent Works of Art from Basel Private Collections" – by contributing his recently enlarged Barraud contingent, the collector met with a request by the curator for greater maintenance support. "Dear Mr Staechelin", the latter wrote, "for once I am not contacting you in order to ask a small gift but to request a substantial service of you for me and for the 'Kunstverein'. (...)[30]". The "substantial service" meant help in a specific emergency. Actually and originally the collection complied by the Müller brothers in Solothurn was supposed to be the next exhibit. But in spite of an agreement's having been made, "the brother Josef in Geneva has turned stubborn again", and the agreement was broken. "I am therefore in an emergency situation. May we take all you have in order to turn it into a great skylighted exhibition?" Arriving at Rudolf Staechelin's office in the morning, the curator concluded with "devoted greetings and ineffable gratitude in advance, as I await, trembling and hopefully, what you decide".

Rudolf Staechelin agreed to Wilhelm Barth's humble request. On September 8th, exactly eight days after the latter's somewhat desperate plea for help, the collection was put on display at the Kunsthalle, under the uninspiring title "September Show". "Part I" of the exhibition comprised 125 "paintings from a private collection", that is to say the "loot" from Staechelin's emptied house and was divided into four sections: "Nineteenth Century French Masters" (34 works), "Modern French Painters" (7 works), "Swiss Painters" (47 works) and "Contemporary German Painters" (27 works).

The Basler Kunstverein was founded in 1839 and the Kunsthalle on Steinenberg was inaugurated in 1872

Nel 1839 fu fondato il Basler Kunstverein (Associazione Amici dell'Arte di Basilea) e «am Steinenberg» nel 1872 venne aperta la Kunsthalle

il crollo tra il 1929 e il 1933 del sistema europeo-americano del libero scambio e della valuta aurea[29], malgrado non si conosca in quali settori e in quale misura questi effetti si fossero realmente manifestati nelle attività di detta famiglia. Sembra tuttavia che l'inasprimento della crisi avesse messo in pericolo per qualche tempo l'integrità della collezione, giacché il notaio Ernst Saxer, che dal maggio 1941 faceva parte del Consiglio della Fondazione in quanto successore del defunto Franz Amstein e che ben conosceva i problemi finanziari di questa, scrisse, nella prefazione al catalogo dell'esposizione commemorativa di Basilea del 1956: «Le benevole proposte, nonché quelle di stampo più propriamente commerciale che erano state fatte a Rudolf Staechelin per liberarlo dall'onere della collezione non avevano fatto presa su di lui.» Questa dichiarazione ci consente di dedurre che tali «iniziative» – comunque siano state motivate – erano state reali e che la vendita intera o parziale della collezione era stata ad un certo punto proposta, considerata o discussa. Ernst Saxer elogiò con le seguenti parole il comportamento del collezionista svizzero: «La determinazione e la perizia usata per conservare quello che si è raccolto» sono state benefiche per la collezione «all'inizio degli anni trenta, quando una grave crisi economica aveva scosso il mondo, coinvolgendo anche Rudolf Staechelin». È da presumere, dalla nota autografa di Rudolf, conservata nei verbali della Fondazione del 4 settembre 1931, che sarebbero stati proprio i pericoli che aveva corso e ancora incombevano, a indurlo a costituire una Fondazione «per salvaguardare il valore materiale della collezione, affinché la mia famiglia ne possa usufruire come patrimonio di riserva in caso di bisogno, e per evitare al tempo stesso che i tesori da me raccolti con tanto amore e sacrifi-

The show catalogue is quite thin – not much more than a list – devoid of any introduction, any indication of the provenance of the loans, or any illustrations. Of course there had been no time to get together a more impressive publication. Not to mention that Wilhelm Barth's exhibitions were somewhat notorious anyway for their exceptionally modest catalogues. The 1916 exhibition of Basel private collections, had already elicited a complaint in the "Basler Nachrichten": "Such a significant exhibition would have deserved somewhat better. For instance, the year of birth or other dates for each artist might well have been included, as well as a short biography; and the works might have been listed chronologically with an indication of their year of creation. Let alone a few good illustrations."

Hence the first public justification Rudolf Staechelin provided for his collector's activities after half a decade, was basically the result of a cultural predicament. Neither planned nor prepared in advance, the collection's presentation was the fruit of the apparently quite uncomplicated coordination between a museum curator in need and a both willing and generous collector. Nevertheless, Barth would never have entreated Staechelin had he had not been pretty certain that the young collector was actually awaiting a first chance to go on display. And what he had to offer had been an object of discussion for some time among museum experts and critics alike.

The show's outcome – 2,078 visitors – does not seem excessive. The April 1918 Auguste Rodin exhibition drew "18,080 paying visitors" to the Kunsthalle; and the "Exposition de Peinture Française", with representatives of the older generation of painters such as Ingres, Delacroix, Corot, Courbet or Millet, attracted 12,000 visitors as well by May/June 1920. Was Staechelin really too daring for the taste of the local public with his "young artists (...), who play first fiddle at the Parisian 'Salon d'Automne' "[31]? The critic writing for the Bernese "Bund" (immediately after closing its doors in Basel, the exhibition went on display at the Bernese Kunsthalle) was visibly relieved: "None of the wildest ones are on display; Cubism is only represented in its milder and tamer version, and the movement's leader – Picasso – portrays himself as a color academician (...) moreover, he is said to be refraining lately from his peculiar mania for dissecting the outer world into cubes, cylinders and more or less regular spheres."

But even though this first exhibition of the Rudolf Staechelin Collection hardly turned out to be a local art event, it did get some publicity by critics who discerned, with astonishing sensitivity, certain characteristic traits linking the individual paintings. The traits they discovered gave them a clue to

The museums on the Augustinergasse were inaugurated in 1849. Paintings belonging to the "Öffentliche Kunstsammlung" hung in the attic until 1936

Basel Museum of Fine Arts
Inaugurated in August 1936

I musei dell'Augustinergasse aperti nel 1849. Nell'ultimo piano vennero conservati fino al 1936 i dipinti della «Öffentliche Kunstsammlung»

Kunstmuseum Basel. Aperto nell'agosto 1936

cio, rischino di essere dispersi ai quattro venti. Perciò ho ceduto oggi tutta la mia collezione alla Fondazione di Famiglia Rudolf Staechelin, da me istituita.»
All'inizio degli anni venti le garanzie patrimoniali, che ben presto si sarebbero rivelate necessarie, non furono comunque ancora considerate. Anzi, Rudolf doveva evidentemente aver conseguito in pieno il suo scopo, dato che la collezione aveva già acquisito un profilo molto preciso e omogeneo, fatto questo che era impossibile prevedere due o tre anni prima. Dopo che Rudolf aveva già partecipato nel 1916 all'esposizione di Wilhelm Barth alla «Kunsthalle» («Neuere Kunst aus Basler Privatbesitz»), offrendo il suo più recente gruppo di opere di Barraud, che aveva acquistato d'un tratto, adesso il «Konservator» del museo chiese a Staechelin di contribuire in modo ancor più consistente: «Egregio signor Staechelin, questa volta non mi rivolgo a Lei per chiederLe un piccolo dono, ma mi azzardo a reclamare per me e per il ‹Kunstverein› un favore gigantesco [...]»[30]. Il «favore gigantesco» altro non era che una richiesta di aiuto in una condizione che appariva di estrema necessità. In un primo tempo la «Kunsthalle» aveva infatti l'intenzione di esporre la collezione dei fratelli Müller di Soletta; malgrado le assicurazioni, «il fratello di Ginevra, Josef, è però diventato caparbio» a tal punto da revocare la promessa. «Perciò – prosegue la lettera del ‹Konservator› – mi trovo in grandi difficoltà. Posso spingermi fino a chiederLe di spogliare la Sua casa per adornare con le Sue tele una splendida sala con lucernario del Museo?» Nella missiva si legge inoltre che lo stesso «Konservator» sarebbe passato, timoroso e fiducioso, la mattina successiva dall'ufficio di Rudolf Staechelin per sottoporre una tale richiesta e per avere una risposta, e si conclude «con saluti devoti e anticipati ringraziamenti».

draw up the portrait of the unknown collector behind the paintings. Above all, Albert Baur of the "National-Zeitung" was to focus his attention on the Staechelin Collection. He reverted to the subject in three articles describing the show as a whole and its various sections. His enthusiasm derived from paintings "such as we long have gone without, for which we hungered and thirsted (for even our enjoyment of the arts was rationed during the war years), and that give rise to a feeling that says: it is a pleasure to be alive, a pleasure to write essays on art"[32]. The art essayist Baur proceeds from painting to painting, and comes to the conclusion that all in all, the paintings are far from extreme, no battle pictures these, but mostly imbued with a depth of sentience outdoing all conscious skill[33]. An observation which clearly takes into account Rudolf Staechelin's secret yet obvious preferences as an art collector.

The critic Georg Schmidt wrote in a somewhat younger, less respectful style. He too, cleverly and inspiredly, goes through the show artist by artist, but concludes that "more of an overall impression, such as is to be expected from an exhibition covering names such as Manet, Daumier, Cézanne"[34] is missing. (…) "The waters collected come from peaks that are uneven of height. Some peaks sent down streams, but all we get to see of them are small brooks." Schmidt's evaluation of Picasso is also quite to the point: that the show gave little idea of his personality. (…) "While he is usually known as the founder of Cubism, we experience him here through his 'Arlequin' (1918), a painting revealing an artist with a particularly fine color sense, who has reverted to the almost

L'umile Wilhelm Barth non fu però abbandonato da Rudolf Staechelin: l'8 settembre del 1920, esattamente quindici giorni dopo la disperata richiesta, la mostra fu aperta alla «Kunsthalle» con il titolo poco entusiasmante di «Esposizione di settembre». La «Prima Parte», che era divisa in quattro sezioni: «Maestri francesi del XIX secolo» (34 opere), «Pittori francesi moderni» (17 opere), «Pittori svizzeri» (47 opere) e «Pittori tedeschi contemporanei» (27 opere), riuniva 125 «Dipinti di proprietà privata» che corrispondevano interamente al «bottino» fatto nella casa, ormai vuota, di Staechelin. Il catalogo della mostra, che consisteva in un sottile fascicolo, non rappresentava in realtà altro che un elenco nudo e crudo delle opere, senza introduzione, senza riferimenti a chi si dovessero i prestiti e senza alcuna illustrazione. Era infatti mancato anche il tempo strettamente necessario per curare la pubblicazione. A parte questo fatto, le esposizioni di Wilhelm Barth avevano comunque la fama di essere accompagnate da una fin troppo modesta documentazione, tant'è che le «Basler Nachrichten» avevano criticato la mostra di Collezioni private basilesi nel 1916 proprio a tale proposito: «Per quanto riguarda il catalogo, vista l'importanza della mostra, sarebbe stato sicuramente necessario uno sforzo maggiore. Si sarebbe potuto, ad esempio, indicare l'anno o la data di nascita dei singoli artisti, inserire una breve nota biografica e infine sistemare in ordine cronologico le opere dando conto di quando esse sono create. Infine, sarebbe stato auspicabile aggiungere qualche bella riproduzione.»

La prima occasione pubblica che illustrava l'attività di collezionista che in un lustro Rudolf Staechelin aveva perseguito, fu dunque in fondo dovuta a dei disguidi della «Kunsthalle». La

ralistically strident and still slightly uneven plasticity of the corporeal. Quite to the contrary, the 'Les deux frères' painting specifically impresses, with powerful insistence, through the homogeneity of its resolute yet subtly veiled corporeality, and through the simplicity of its composition."

Rudolf Staechelin's resolutely compiled collection thus became public knowledge in cultural circles. So it was only natural for the collector to become an important address as a safeguard for ambitious exhibition plans. At least four of the largest one-man show projects by the Basel Kunsthalle under the aegis of Wilhelm Barth – Cézanne in 1921, van Gogh in 1924, Gauguin in 1929, and Matisse in 1931 – made use of loans by Rudolf Staechelin. The curator, who was good at using his charm to make the most of friendly relationships, had already managed to insert a refined "captatio benevolentiae" into his introductory remarks on the 1920 Staechelin Collection exhibition. No doubt the person to whom it was primarily addressed did get the gist of it: "Collectors who keep up with their times and do not content themselves by filling their shelves with antiques, fulfill an essential and invaluable role. They represent a necessary complement to public art institutions whose acquisition policy may be cumbersome and extremely restricted. It is beautiful when such collectors remain conscious of their obligation towards the public and heed it by making their property accessible outside their own four walls to a broader public"[35]. Wilhelm Barth's not altogether altruistic reference to the social obligation entailed by property owning was to be taken up some eleven years later by Rudolf Staechelin, who delicately copied it as the motto for the protocol records set up upon the occasion of the Family Foundation's creation.

On September 14th, 1922, another letter from the Kunsthalle arrived at the Staechelin residence. The sender: Wilhelm Barth. The salutation: "Dear Mrs. Staechelin (…)" On March 20th of that year, Rudolf Staechelin and Emma Finkbeiner had gotten married, without their families and on a trip to South America in Buenos Aires[36]. The curator was addressing the lady of the house for diplomatic reasons: "I just realized with a shock that I do not as yet have an agreement with you concerning the exhibition to be held in November, sleeping many a night away on but half promises. You do agree for sure to having an East Asian exhibition in the Kunsthalle in November, don't you? (…) I would be in the greatest mess in Europe if at this point the agenda for November would revert to being empty. Please convince your husband, absolutely and unconditionally (to agree) (…)[37]". Possibly the fact that the entreaty was addressed to the collector's wife indicates that she was not altogether indifferent to her husband's new collection interest. Apparently she was particularly interested in Chinese and Japanese figural

mostra, che non era stata né programmata, né preparata, fu infatti realizzata grazie alla disinvolta collaborazione tra il «Konservator» della «Kunsthalle» e un collezionista che all'occasione si dimostrò tanto disponibile quanto generoso. Eppure, Barth non sarebbe andato a implorare Staechelin se non fosse stato abbastanza sicuro di trovare nel giovane collezionista un uomo che appunto attendeva la prima occasione e che aveva qualcosa da offrire. Il patrimonio artistico di Rudolf era di fatto già da molto tempo oggetto di conversazioni tra gli addetti ai musei e tra i critici.

Il fatto che 2078 persone avessero visitato la mostra non appare di per sè un fatto altamente incoraggiante, visto che nell'aprile 1918, per la mostra di Auguste Rodin, ben «18 080 erano stati i visitatori paganti», e che l'«Exposition de Peinture Française» – composta da rappresentanti della generazione più vecchia come Ingres, Delacroix, Corot, Courbet o Millet – del maggio-giugno 1921 avrebbe attirato ben 12 000 visitatori. È da presumere che Rudolf Staechelin, con i suoi «giovani artisti [...] che suonano il primo violino al ‹Salon d'Automne›[31] parigino», avesse osato avanzare troppo in là rispetto al gusto del pubblico locale. Ad ogni modo, un sospiro di sollievo tirò il critico del «Bund» bernese (la mostra fu presentata immediatamente dopo alla «Kunsthalle» di Berna) quando scrisse: «Non si è visto nessuno tra i più arrabiati: il cubismo vien presentato solo nel suo aspetto più blando e docile e il maestro di questo movimento, Picasso, si mostra nelle vesti di un colorista accademico; del resto, sembra che l'artista abbia rinunciato ormai alla bizzarra mania di scomporre la realtà in cubi, cilindri e sfere più o meno regolari.»

Se il debutto pubblico di Rudolf Staechelin non destò scalpore in città, nondimeno la raccolta suscitò una notevole eco sulla stampa e in più venne incontro a quei critici che sapevano con sorprendente sensibilità scoprire i tratti essenziali comuni ai quadri e abbozzare attraverso i dipinti il gusto di un anonimo collezionista. Soprattutto Albert Baur, della «National-Zeitung», si dedicò attentamente alla collezione di Rudolf Staechelin, scrivendo tre articoli sulla mostra e le sue diverse sezioni. Baur si dimostrò molto entusiata di fronte a tele «di cui abbiamo da molto tempo sentito la mancanza, e del cui godimento eravamo affamati e assetati (anche perché il nostro ‹consumo› d'arte è stato razionato duranti gli anni della guerra). Si avverte interiormente una sensazione che spinge a proclamare la vita come piacere, giacché è un piacere scrivere lettere d'arte[32].» Il giornalista rievocò un quadro dopo l'altro, concludendo che nessuna delle tele raccolte rappresentava in realtà delle tendenze estreme o polemiche; si trattava piuttosto di opere in cui una profonda sensazione eclissava il potere della coscienza[33]. Osservazione questa che riconosce al collezionista un gusto perfetto e le sue, ancorché segrete, eppur a ben vedere, evidenti predilezioni.

Sammlung Rudolf Staechelin

The four Rudolf Staechelin
collection exhibition catalogues

*I quattro cataloghi delle mostre
della Collezione Rudolf Staechelin*

Kunsthalle Basel, September-Ausstellung
Gemälde aus Privatbesitz
8. September – 3. Oktober 1920

Kunsthalle Basel, Ostasiatische Kunst
9. November – 3. Dezember 1922

Kunstmuseum Basel, Sammlung Rudolf Staechelin
Gedächtnis-Ausstellung zum 10. Todesjahr des Sammlers
13. Mai – 17. Juni 1956

Musée National d'Art Moderne Paris
Fondation Rodolphe Staechelin, De Corot à Picasso
10 avril – 28 juin 1964

sculptures, Japanese color woodcuts and theater posters,
purchased as lump acquisitions mainly in 1921. Ten days
after Wilhelm Barth's attempt, Staechelin wrote Georg
Biermann, publisher of the art magazine "Cicerone": "My
wife is currently engaged in evaluating the material for the
catalogue."

The stone, bronze, and wooden Buddha figures from China
and Japan (covering the seventh through the eighteenth centuries) were the first sculptures added to the Staechelin Collection. What neither Rodin nor the German Expressionists
had accomplished (for instance, the sculptor Edwin Scharff
was represented in the collection only by a drawing)[38], was
achieved by the East Asian figural sculptures: the spell cast
by the paintings was broken. It is quite remarkable, and most
revealing as to the profile of Rudolf Staechelin as a collector,
that the latter was not attracted to the "negro sculptures" so
important to developments in contemporary art, but rather
to the Buddhist cultural realm where artistic canons focussed
on the unity of forms rather than on their simplification.

*Il critico Georg Schmidt adottò invece un tono un po' più disin-
volto e meno ossequioso. Dopo aver esaminato anch'egli ogni
singolo artista, dando prova peraltro di grande capacità critica,
concluse che «manca quella vasta impressione d'insieme» che
ci si aspetta da una mostra che espone nomi come Manet, Daumier, Cézanne[34]. In base alla sua colorita espressione, l'esposizione avrebbe finito infatti per raccogliere acqua da profondità
alquanto diverse: qualche picco, da cui sono scaturiti dei
fiumi, qui partorisce solo ruscelli. Altrettanto preciso fu il giudizio di Schmidt quando affermò che è difficile farsi una vera
idea della personalità di Picasso partendo dai quadri esposti.
Ma citiamo alcune sue osservazioni: «Conosciuto come fautore
del cubismo, di Picasso noi vediamo qui solo un ‹Arlequin›
(1918) che testimonia una raffinata sensibilità per i colori
e il ritorno del pittore ad una plasticità del corpo fin troppo
smagliante e ancora poco equilibrata. A ciò si contrappone il
dipinto ‹Les deux frères› che esprime, attraverso un carattere
fortemente unitario e una insistente e convincente sobrietà
compositiva, una decisa, ancorché teneramente velata corporeità.»*

"I have just seen the seventh-century Chinese Buddha head", Albert Baur would write in an almost religiously-tinged description of the "East Asian Art" exhibit at the Kunsthalle ("Basler Presse" – November 25th, 1922), "fully bathed by the bright autumn sun. A masterpiece of unfathomable kindly dispositioned solemnity and considerable mastery of form (…) The greatness of all these Buddha and Kwannon images, inspired from deep within the works themselves, goes far beyond the usual Far Eastern art fare." For which the reviewer did have an explanation: "Originally they do not in fact belong to those peoples, but to the Indian people; so they are Aryan of origin, and therefore less remote from our nature than what usually is created in the Far East." Presumably, such Europeanization of East Asian sculpture matched the collector's own evaluation as well. And quite certainly he felt his series of enthroned and standing cult figures from China and Japan were "less remote from our nature" than both the "de-constructive" corporal architecture of the Cubists and the brutal body rythmics of the Expressionist. In the fashion of a Buddhist deity, one of the two protagonists in the collector's "NAFEA Faa ipoipo" painting by Gauguin represents the focal point of the work. She raises her right hand, making a gesture as if to reach the lotus flower, symbol of the very non-duality that seems to get so deeply disturbed by the rival who squats to the foreground[39]. When Gauguin was still working in Brittany, at Le Pouldu, he decorated his studio with "lithographs by Bernard and himself, together with Japanese woodcuts"[40]. And Vincent van Gogh was to write from Arles, to his brother Leo: "We do not know in particular the Japanese well enough. Fortunately we do know the French Japanese, the Impressionists that is, all the better"[41]. Anyway, the "Japanistic" aspects of Impressionist and late Impressionist painters provided another bridge between the two collection realms. That explains why Karl With's "Einführung in die ostasiatische Ausstellung im Kunstverein" [Introduction to the East Asian Exhibition at the Kunstverein] reads like a description of Rudolf Staechelin's "French Collection": "What is it that provides a link and common grounds among such a variety of Chinese and Japanese artistic expressions? It is a double measure of at once decorative beauty and a strong inner expressivity, a fortunate blend of imagination and observation, of physical and spiritual values, of ornamentation and reality." ("National-Zeitung" of November 12th, 1922.)

Rudolf Staechelin's East Asian collection originally consisted of three sectors: "Chinese and Japanese Sculpture", "Japanese Woodcuts" (black and colored prints), and "Japanese Theater Posters". Subsequently "Japanese Arts and Crafts" were added especially lacquer ware, as well as stoneware tea bowls and textiles, all of which the collector organized into a follow-up exhibition for the Museum of Arts and Crafts.

*La collezione di Rudolf Staechelin, messa su con estrema determinazione, diventò così di pubblico dominio. Era inevitabile che il collezionista diventasse ben presto un importante punto di riferimento, in grado di garantire il successo di ambiziose proposte espositive. Sotto l'egida di Wilhelm Barth almeno quattro, tra i maggiori progetti monografici della «Basler Kunsthalle» – Cézanne 1921, van Gogh 1924, Gauguin 1928 e Matisse 1931 – fecero appello ai suoi quadri. Il «Konservator», che si poteva avvalere di notevole «charme» nei rapporti amichevoli, aveva avuto già modo di tessere una delicata «captatio benevolentiae» nella sua prefazione al catalogo della raccolta di Rudolf Staechelin del 1920. Questo il riferimento sicuramente più allusivo: «Il collezionista, che vive nel presente e che non progetta solo un bugigattolo di anticaglie, adempie a un compito necessario e prezioso, poiché rappresenta l'indispensabile complemento alle istituzioni pubbliche, per natura lente e intralciate da ogni parte nelle loro acquisizioni. Ancora più degno di nota se il collezionista privato è conscio della sua responsabilità nei confronti della collettività e se ottempera a questo suo dovere rendendo accessibile la sua proprietà a un pubblico vasto anche al di fuori delle sue mura private[35].» Pressappoco undici anni più tardi, un tale ammonimento riguardo ai doveri sociali legati alla proprietà, sarebbe stato preposto dalla graziosa calligrafia di Rudolf Staechelin come motto a quei verbali, da cui prenderà le mosse la Fondazione della Famiglia.
Il 14 settembre 1922 fu consegnata a casa Staechelin un'altra lettera della «Kunsthalle». Il mittente era Wilhelm Barth, ma questa volta il contenuto era diverso. Intanto, c'è da dire che l'incipit della missiva recitava: «Egregia signora Staechelin [...]» Rudolf Staechelin ed Emma Finkbeiner si erano infatti sposati, senza la partecipazione della famiglia, a Buenos Aires il 20 marzo dello stesso anno durante un viaggio in Sudamerica[36]. Il fatto che il sovraintendente si rivolgesse questa volta alla signora, aveva però dei motivi di opportunità: «Mi sono ricordato con sgomento di non avere ancora stipulato con Lei un accordo per la mostra di novembre e di aver dormito tranquillamente numerose notti benché avessi solo una mezza promessa. Farà dunque l'esposizione dell'arte dell'Asia orientale alla ‹Kunsthalle›? La farà sicuramente, almeno lo spero! [...] Sarei l'uomo in tutta Europa più dileggiato se nel mese di novembre la ‹Kunsthalle› rimanesse improvvisamente vuota. La prego perciò di convincere Suo marito, assolutamente [...] [37]» Questa specie di supplica alla moglie del collezionista è probabilmente da interpretare come un indizio che mostra in quale misura la stessa Emma non fosse poi completamente estranea al nuovo interesse di Rudolf Staechelin. Sembra infatti che proprio lei si sia impegnata particolarmente in opere d'arte cinesi e giapponesi, dalle xilografie colorate alle scenografie teatrali giapponesi, acquistate in blocchi soprattutto nel 1921. Rudolf Staechelin scrisse dieci giorni dopo l'iniziativa di Wilhelm Barth a Georg Biermann, editore della rivista d'arte «Cicerone»: «Mia moglie sta classificando con zelo il materiale per il catalogo.»*

Residence Ebenrain, Sissach
View seen from the entrance and the garden

Residenza di Ebenrain, Sissach
Vista dall'entrata e dal giardino

In that show, his loans were framed by a wide selection of museum- and privately-owned pieces. The jade and 'cloisonné' enamel works of Imperial China, collected by Basel citizen Krayer-Förster, and the Chinese porcelains of Theo Frick in Zurich are proof that Staechelin's new collection interest was not as exotic an idea as it might appear, reflecting as it did a cultural tendency of the times.

The thirties began with the purchase of the manor house of "Ebenrain" near Sissach, built in 1776 according to plans designed by Samuel Werenfels for the ribbon manufacturer Martin Bachofen-Heitz[42]. During the Staechelin family's move there – though they continued to hold on to their Mühlenberg town flat – the collector received another request to lend part of his treasures to the Kunsthalle. Wilhelm Barth, in the meantime named associate professor[43], conceived a last sweeping panorama of French painting, which was to show works by Matisse, Braque, and Chagall in the Kunsthalle up until his retirement in 1933. Such a legacy unmistakably represents an attempt to play confirmed classic concepts of representational painting against the many abstract tendencies of contemporary art, with the latter threatening to become "Kunsthalle-worthy" in the eyes of the young and open-minded collector Emanuel Hoffmann, chosen new president of the "Kunstverein" in 1930[44]. As a first act (September 27th to October 25th, 1931) to his ambitious project, Wilhelm Barth presented a selection entitled "Von Delacroix bis Picasso. Meister des 19. Jahrhunderts" [From Delacroix to Picasso. 19th-Century Masters], to which Rudolf Staechelin contributed with the loan of two paintings by André Derain and Camille Pissarro, and three Picassos ("Les deux frères", "Arlequin au masque", "Arlequin assis")[45]. By that time French Impressionist and post-impressionist

Per la prima volta la scultura in pietra, bronzo e legno apparve nella collezione di Rudolf Staechelin, seppur nelle sembianze di Buddha. Proveniente dalla Cina e dal Giappone e collocabile tra il VII e il XVIII secolo, la scultura orientale riuscì dove non erano riusciti ad imporsi né Rodin, né gli espressionisti tedeschi (ricordiamo che lo scultore Edwin Scharff, ad esempio, fu rappresentato solo con un disegno[38]). L'arte plastica dell'oriente infranse così l'incantesimo dei quadri. È interessante e nel contempo rivelatore della personalità di Rudolf, che non sia stata la «scultura negra», fondamentale per l'evoluzione dell'arte contemporanea, ad affascinare il collezionista, quanto piuttosto la cultura buddista, i cui canoni figurativi miravano non tanto alla riduzione della rappresentazione della realtà, quanto alla unità della raffigurazione. «Ho appena visto la testa di un Buddha cinese del VII secolo», esordì Albert Bauer con tono solenne e confidenziale nella sua recensione della mostra «Arte dell'Asia orientale» alla «Kunsthalle» («Basler Presse», 25 novembre 1922) «mentre il luminoso sole autunnale la colpiva in pieno. Si tratta di un capolavoro che esprime una serietà inconcepibile e indulgente, e che testimonia una padronanza significativa della forma. [...] Ognuna di queste effigie di Buddha e di Kwannon dimostra una grande serenità che non siamo abituati a trovare nello stile cinese e giapponese.» Il recensore proseguiva spiegando che «queste figure non appartengono originariamente a questi popoli, ma a quelli dell'India; son dunque di provenienza ariana e perciò sono meno estranee alla nostra mentalità di quanto lo siano in generale le opere dell'estremo oriente.» Si può supporre che proprio questo carattere europeo delle sculture dell'Asia orientale corrispondesse al gusto del collezionista. Ed è molto probabile che egli considerasse la sua serie di figure di culto cinesi e giapponesi, che troneggiavano od erano ritte, «meno estranee alla nostra mentalità» delle strutture cubiste decostruttiviste e della crudele succesione di forme degli espressionisti. Come una

31

paintings were considered fully worthy of hanging in museums, as the exhibition reviews amply confirm. The reviews also reveal that, having come to terms with his Cubism, Picasso had become a warmly acclaimed addition to the list of nineteenth-century masters. "His 'Masked Harlequin' of 1918 is already beautiful to see, but one cannot tire of gazing at the 1923 sitting version, with its marvelous play of irridescent colors. The art of representation here has been transformed into pictorial essence and, quite rightfully, this painting has become the highlight of the show. Upon taking leave of the exhibition, people have been known to turn back for a last look at Picasso's Harlequin – enveloping him with their gaze, bowing to pay respects to what they take as representing a step above mere mortals – and, in turn exalted, only then to go their way. Let us gratefully do likewise"[46]. The painting conveys a special mood, which does much to explain the rather surprisingly emotional reaction on the part of Basel art enthusiasts more than three decades later, when this picture came up for sale.

The loans returned to Rudolf Staechelin already belonged to the Family Foundation officially created on September 4th, 1931. In addition to all the French, Swiss and German paintings and drawings, and the East Asian sector, the Foundation assets included as well antique furniture, Roman glasses, and "Greek and Roman marble, stone and terracotta heads".

Paragraph 1 of the deed of Foundation reads: "By establishing this Foundation, the founder intends to ensure, as far as necessary, the welfare and support of the members of the Staechelin Family, as well as to maintain a certain family coherence among all beneficiaries of the Foundation." There was therefore never any doubt about the exclusively private character of the Foundation, which is something the Basel public would tend to forget later on with respect to the Foundation's longterm loans to the Basel Museum of Fine Arts. In September 1969, for example, Peter G. Staechelin – presiding as the collector's son, over the Foundation board in 1946 – felt obliged in an interview to once again clarify the in fact basically clear-cut legal situation: "The Rudolf Staechelin Family Foundation is, as its name says and as I have explained ever so often, a purely private Family Foundation! The public can stake no claims whatsoever on the Foundation"[47].

Moreover, the founder had noted on the flyleaf of the Foundation protocol records a legally not binding but nevertheless, for Foundation purposes, explanatory declaration: "My long held wish to in time entrust the works of art I have collected to our Basel museums may perhaps come to be later on." Ernst Saxer, himself a member of the Foundation board, was even to quote this introductory note in his cata-

divinità buddista si staglia infatti nella collezione una delle due protagoniste nel quadro di Gauguin «NAFEA faaipoipo», la quale attira lo sguardo mentre solleva la mano in un gesto che fa pensare che voglia donare il fior di loto, simbolo della non-dualità, di quello stato di cui sembra invece soffrire la sua antagonista, che è accoccolata in primo piano[39]. Quando Gauguin lavorava ancora nella Bretagna, a Le Pouldu, ornava il suo atelier con «litografie di Bernard e di sè stesso e con xilografie giapponesi»[40]. E da Arles, van Gogh scriveva a suo fratello: «non sappiamo abbastanza dei giapponesi, ma per fortuna conosciamo meglio i giapponesi di Francia, vale a dire gli impressionisti[41]. In tal modo non si può certo negare che il carattere «giapponese» degli impressionisti e dei tardi impressionisti getti un ulteriore ponte tra le due collezioni di Rudolf Staechelin. L'«Introduzione alla mostra d'arte dell'Asia orientale al Kunstverein» di Karl With può essere letta come se l'autore volesse descrivere proprio la galleria di «francesi» di Rudolf Staechelin: «Qual è quindi l'elemento di connessione, comune a queste espressioni artistiche così diverse tra di loro della Cina e del Giappone? È la combinazione, in grado molto elevato, della bellezza decorativa e della rilevante espressione interiore, un felice connubio di fantasia e di osservazione, di valori sensuali e spirituali, di ornamento e di realtà.» («National-Zeitung» del 21 novembre 1922.)

La collezione di oggetti d'arte dell'Asia orientale di Rudolf Staechelin si componeva inizialmente dei tre settori: «Arte scultorea cinese e giapponese», «Xilografie giapponesi» (in nero e a colori), «Manifesti del teatro giapponese». A tutto ciò si aggiungeva l'«Artigianato artistico giapponese», che comprendeva soprattutto oggetti laccati, tazze da tè in terracotta e tessuti, tutti oggetti con i quali Rudolf allestì l'esposizione successiva al «Gewerbemuseum» (Museo delle arte e dei mestieri), ove ai suoi prestiti si aggiunse un ricco assortimento proveniente dal museo o da privati. I lavori in giada e smalto a cellette della Cina imperiale, accumulati dal basilese Krayer-Förster, le porcellane cinesi dello zurighese Theo Frick dimostravano che il nuovo interesse di Rudolf non era poi così esotico come poteva sembrare a prima vista, ma traeva origine da una consuetudine culturale tipica dell'epoca.

Gli anni trenta ebbero inizio con l'acquisto della tenuta di campagna «Ebenrain», nei pressi di Sissach, che era stata costruita secondo i progetti di Samuel Werenfels nel 1776 per il fabbricante di nastri Martin Bachofen-Heitz[42]. Nel mentre la famiglia Staechelin vi si trasferiva, senza peraltro rinunciare all'abitazione cittadina al Mühlenberg, a Rudolf fu chiesto ancora una volta da parte della direzione della «Kunsthalle» di mettere a disposizione una parte dei suoi tesori artistici. Wilhelm Barth, che nel frattempo era stato nominato professore straordinario[43], andava infatti progettando un vasto panorama della pittura francese. Alla «Kunsthalle», fino alle dimissioni del «Konservator» nel 1933, si tennero infatti mostre di Matisse, Braque e Chagall. Questi ten-

Pablo Picasso, Les deux frères, 1906
Basel Museum of Fine Arts

Pablo Picasso, Les deux frères, 1906
Kunstmuseum di Basilea

Pablo Picasso, Arlequin assis, 1923
Basel Museum of Fine Arts

Pablo Picasso, Arlequin assis, 1923
Kunstmuseum di Basilea

logue of the memorial exhibition of 1956, drawing attention
to the "far-reaching foresighted stipulations" of the Foundation deed. By which he was no doubt referring more to the
founder's handwritten addition ("... in order to prevent that
treasures, so lovingly collected and for which no sacrifice has
been spared, be dispersed to the four corners of the world
unless out of dire necessity ...") than to the properly legal
stipulations of the deed. For the latter explicitly authorizes
the Foundation board to "sell individual items of the collection in order to purchase other works of art with the
proceeds" (Paragraph 7). And furthermore (Paragraph 8):
"Should the financial situation of the Foundation benefi-

tativi altro non erano in realtà che frutto di un retaggio culturale
che tentava evidentemente di rimettere al primo posto la pittura
oggettiva rispetto all'insieme delle tendenze astratte dell'arte con-
temporanea che aspiravano a divenire idonee per la «Kunsthalle»
per merito del giovane, e culturalmente aperto, collezionista
Emanuel Hoffmann, il quale fu eletto presidente del «Kunst-
verein» nel 1930[44]. *Wilhelm Barth debuttò con una rassegna*
«Da Delacroix a Picasso. Maestri del XIX secolo» (27 settembre
al 25 ottobre 1931), alla quale Rudolf Staechelin partecipò con
due dipinti di André Derain e Camille Pissarro e con i suoi
tre quadri di Picasso («Les deux frères», «Arlequin au masque»,
«Arlequin assis»[45]*). La critica dell'epoca mise in luce quanto*

ciaries render it necessary for whatever reasons, the Foundation board is herewith authorized to sell individual parts of the Foundation and to use the proceeds thus obtained to entirely or partially defray the cost of eduction, equipment of maintenance for family members or to similar ends."

The Foundation era of the Staechelin Collection began in "Bottmingen, at the offices of G. Staechelin Söhne & Co., on April 4th, 1932, 10 a.m."[48]. Only the founder himself was present. He soon moved the seat of the Foundation to Mühlenberg 7, where he put his wife in charge of the secretariat. But the peaceful era to do with merely regulatory and procedural questions was soon to come to its end. Quite unintentionally, the Foundation found itself the subject of international headlines and involved in a maelstrom created by German cultural policy in the throes of turning National Socialist in its outlook. At the third meeting of the Foundation board on April 20th, 1933, the only item on the agenda mentioned in the protocol was a quarrel about the authenticity of van Gogh's late painting "Le jardin de Daubigny". Rather than the Basel version, considered "one of the most important paintings owned by the Foundation"[49], at first this quarrel concerned the parallel version in the Berlin Nationalgalerie [50]. But this question of original versus fake touched Rudolf Staechelin to the quick, given sorrowful precedent of his own: two of his early acquisitions had turned out to be fakes[51]. And if doubt was cast on the Berlin painting, surely the defenders of that version would soon turn against the Basel version. The Foundation board therefore decided "to contact the curator of the Nationalgalerie in Berlin, Ludwig Justi, who had acquired the painting in question and was familiar with the original in the Foundation's hands". Everything was to be done to help clear up the question of authenticity. And if necessary, the Foundation would be willing to put the Basel version of "Jardin de Daubigny" at the disposal of the Nationalgalerie for comparison's sake and to be x-rayed.

Ludwig Justi, director of the Berliner Nationalgalerie from 1909 until 1933, had been able to add van Gogh's "Daubigny's Garden" to his substantial gallery of modern art due to the support of the association "Freunde der Nationalgalerie" [Friends of the National Gallery][52] set up in 1929. He paid 250,000 gold marks, in contrast to the mere 35,000 francs paid by Rudolf Staechelin for his "Jardin" at Bernheim-Jeune's in 1918. The art expert Paul Ortwin Rave, called to the Nationalgalerie by Justi, recalled in his report published in 1949 "Die Kunstdiktatur im Dritten Reich" [Cultural Dictatorship in the Third Reich], the state-wide German national reactions to the Berlin acquisitions. "The acquisition of van Gogh's paintings (...) has upset many of the professional painters of Southern Bavaria. In a 'blazing veto', the 'Reichs-

la pittura impressionista e postimpressionista fosse in realtà intesa e percepita come cosa degna di un museo, e inoltre che anche Picasso, affrancato dal cubismo, fosse ormai stato inserito con rispetto ed emozione fra la schiera dei maestri del XIX secolo: «Se già l'arlecchino con maschera del 1918 dispone di qualità stupende, con maggior ragione si è tentato di contemplare l'arlecchino seduto del 1923, una figura che incanta per la meravigliosa varietà e per la tonalità madreperlacea dei colori. Con lui l'arte figurativa è diventata pittura dell'essere umano. E dunque a buon ragione questa opera rappresenta il fulcro dell'esposizione. È infatti accaduto che alcuni visitatori, prima di uscire dalla mostra, siano tornati ad ammirare il grande arlecchino di Picasso, nel tentativo di assorbirlo letteralmente con lo sguardo, e poi si siano inchinati e l'abbiano salutato come un essere più che vivente, quindi se ne siano andati con l'animo elevato. Cerchiamo dunque di imitare questi esempi[46]!» Questo brano rivela un'immagine suggestiva, che contribuisce forse ad intendere meglio le forti emozioni che colpiranno il pubblico basilese quando, tre anni più tardi, queste tele sarebbero state messe in vendita. Quando le opere date in prestito rientrarono nel loro legittimo possesso, facevano già parte della «Fondazione di Famiglia Rudolf Staechelin», che fu rogata il 4 settembre 1931 e il cui patrimonio si componeva non solo dei dipinti e disegni di provenienza francese, svizzera e tedesca e delle antichità dell'Asia orientale, ma anche di mobili antichi, di coppe romane e di «teste greche e romane in marmo, pietra e terracotta». Il primo paragrafo dell'atto di fondazione precisa: «Il fondatore mira, con l'istituzione di questa fondazione, ad assistere e sostenere, nel momento in cui si riveli necessario, i membri della famiglia, e di curare il precipuo senso familiare dei beneficiari della Fondazione.»

Il carattere esclusivamente privato della collezione è dunque indubbio, anche se questo aspetto è stato talvolta dimenticato dal pubblico basilese quando, ad esempio, le opere di proprietà della Fondazione sono state concesse in prestito al «Kunstmuseum». Perciò Peter G. Staechelin, figlio del collezionista che ha presieduto il Consiglio della Fondazione dal 1946 in poi, colse nel settembre del 1969 l'occasione per sottolineare ancora una volta in una intervista la situazione giuridica in cui versava la Fondazione, condizione che peraltro non aveva bisogno di molte spiegazioni: «Come il suo nome spiega, e come ho già sottolineato in altre innumerevoli occasioni, la Fondazione di Famiglia Rudolf Staechelin è esclusivamente privata! Il pubblico non gode di alcun diritto nei confronti di essa![47]»

Tuttavia, Rudolf aveva rilasciato, sul primo foglio dei verbali, una dichiarazione che non implicava alcun obbligo giuridico, ma che chiariva lo scopo della Fondazione: «Spero che il mio desiderio, coltivato da molto tempo, di affidare la mia raccolta d'opere d'arte ai musei basilesi, potrà un giorno diventare realtà.» Ernst Saxer, membro del Consiglio della Fondazione, non man-

Vincent van Gogh, Le jardin de Daubigny, July 1890
Rudolf Staechelin Family Foundation, Basel

Vincent van Gogh, Le jardin de Daubigny, luglio 1890
Rudolf Staechelin'sche Familienstiftung, Basel

Vincent van Gogh, Le jardin de Daubigny, July 1890
Hiroshima Museum of Art (earlier Berliner Nationalgalerie)

Vincent van Gogh, Le jardin de Daubigny, luglio 1890
Museo di Hiroshima (proveniente dalla Berliner Nationalgalerie)

verband bildender Künstler' [Association of Fine Arts
Artists of the (German) Reich] branded these acquisitions
wasteful… instead of using all available means to keep
German artists from impoverishment"[53]. At that same time,
Max Liebermann, president of the Berlin Academy of Fine
Arts openly criticized Justi's acquisition policy[54]. It can hardly be considered a coincidence that the authenticity of the
two Berlin van Goghs – first of the "Reaper" (November
1932) and then of "Jardin de Daubigny" (February 1933) –
was cast in doubt by the Dutch art magazine "Maandblad
voor beeldende Kunsten". It all fits in with the ever broader
front broaching discredited Modernism, a movement for
which Justi's impressive collection in the Berlin Kronprinzen-
Palais was to turn into the hated symbol. Whatever it was
that caused the Utrecht art dealer W. Scherjon and the
Dutch art publisher M.J. Schretlen to take concerted action,
their criticism was not levelled so much at van Gogh as at
his energetic Berlin agent Ludwig Justi. The latter's scientific
integrity would be ruined as well as his career as a museum
official if it could be proven that he had dissipated "public
funds" not only on one of those "bastard monstrosities who
engender syphilis and artistic infantilism"[55], but on fakes to
boot! The noose was being tightened around Justi's neck. On
July 1st, 1933, he was dismissed "effective immediately and
without statement of reasons"[56] after Reichskanzler Hitler, in
office since half a year, had received a delegation of artists
who complained and informed against the Berlin gallery
director's collection.

Presumably, Rudolf Staechelin and his Foundation board
were unaware or only partially informed of what was actually
going on in Berlin. Be that as it may, the protocol records

cherà di citare questa nota iniziale di Rudolf Staechelin, nel ca-
talogo della mostra commemorativa del 1956, alludendo appun-
to alle «disposizioni volte anzitutto alla conservazione» che il
documento costitutivo della Fondazione contiene. Una simile
interpretazione risulta chiarita però più dalla osservazione mano-
scritta che il fondatore aggiunse («… per evitare al tempo stesso
che i tesori da me raccolti con tanto amore e sacrificio rischino di
essere dispersi ai quattro venti senza una ragione di forza maggio-
re…»), che dagli articoli dell'atto di fondazione, visto che si
attribuisce espressamente al Consiglio della Fondazione il diritto
di «vendere singoli oggetti della collezione e di utilizzare il rica-
vato per altre opere d'arte» (paragrafo 7). Il paragrafo 8 recita:
«Ammesso che la situazione dei beneficiari della Fondazione lo
renda necessario per un qualsiasi motivo, il Consiglio della Fon-
dazione è autorizzato a vendere singoli pezzi della Fondazione e
ad impiegare parzialmente o totalmente il ricavato per sostenere
le spese per l'educazione, per costituire la dote, per assistere i
familiari, o per scopi simili.»

L'attività della Fondazione Staechelin ebbe inizio «a Bottmin-
gen, nell'ufficio della ditta G. Staechelin Söhne & Co., il 4 apri-
le 1932 alle ore 10»[48]. Era presente solo il fondatore Rudolf che,
come primo atto, trasferì la sede della Fondazione al «Mühlen-
berg» 7 e nominò la moglie responsabile dei verbali. Ma i tempi
quieti delle assemblee e delle discussioni procedurali sarebbero
finiti ben presto: la Fondazione fu infatti involontariamente cita-
ta nelle prime pagine della stampa internazionale e si vide trasci-
nata nei vortici della politica culturale tedesca che stava assu-
mendo i toni della propaganda nazionalsocialista. Alla terza
riunione del Consiglio della Fondazione del 20 aprile 1933, fu
messo a verbale un unico argomento, vale a dire la contestazione
circa l'autenticità di un quadro tardo di van Gogh: «Le jardin de

indicate their only preoccupation was to build a reliable line of defense if and when Berlin were to direct a counterattack against the Basel version of "Daubigny's Garden". Schretlen's alleged doubts as to the authenticity of the Berlin version were based on mere stylistic considerations which, in today's eyes, seem rather grotesque. Upon comparing the two paintings, he said, even an untrained eye would soon come to the undeniable conclusion that the new Berlin acquisition could not possibly have been painted by the same hand. Thus a simple glance was said to suffice in condemnation of the Staechelin van Gogh, described even by Justi – in his book "From Corinth to Klee"– as "splendid". Moreover, Schretlen was to continue, a second version of the late pictorial motif was never mentioned in any of van Gogh's letters to his brother Theo; it was rather improbable anyway that in his last days the muddled painter would have once again painted the "Garden". If, finally, one did proceed to make inquiries as to the provenance of the questionable painting, one would come up with the painter Schuffenecker, whom art historian Meier-Graefe had after all, so he testified under oath, seen several times in the act of copying van Goghs. However gross Schretlen's "circumstantial evidence" seems, it nevertheless succeeded in generating the "official opinion" that only one of the "Jardin de Daubigny" paintings could be genuine.

Rudolf Staechelin travelled to Berlin in April 1934, to bring the new curator of the Nationalgalerie his own van Gogh, "for comparison's sake". After Justi's dismissal, Eberhard Hanfstaengl, curator of the "Städtische Kunstsammlungen" in Munich, had reluctantly agreed to fill the problematic Berlin position in his stead. "With reserved opposition against the new powers that be"[57], and with a skillful show of diplomacy, he tried to save whatever could be saved in the midst of the raging battle over Modernism. And this included at last taking a stand on the van Gogh matter and , if possible, benefitting from an old quarrel. Some miscellaneous observations as to the topic of "Vincent van Gogh's 'Daubigny's Garden'", published by Hanfstaengl's museum assistant Alfred Hentzen in the "Zeitschrift für Kunstgeschichte"[58], were bound to alarm at least the Basel readers. Here too the author's less than logical conclusion was that "a comparison between the two paintings (...) convinced a lot of personally uninvolved cognoscenti, painters and art dealers, without any knowledge of the factual data, that the Berlin version was genuine and the Basel one not". Considered as a manner of relieving the ideological boiler pressure by Berlin, the remarks were taken by Berlin as a declaration of war on Basel. "It has been decided", thus reads the protocol of the Foundation board's June 3rd, 1934 meeting, "to counter the Nationalgalerie's course of action most energetically: no costs are to be spared to help clear up this matter". For prestige reasons, the Nationalgalerie was not willing to

Daubigny». Questa discussione era nata a proposito della tela, simile, che si trovava alla «Nationalgalerie» di Berlino[49]. In un primo momento non venne messa in discussione la versione basilese, «uno dei più importanti dipinti che la Fondazione possedeva»[50], ma certo è che la questione se il quadro fosse autentico o meno evocò in Rudolf Staechelin ricordi dolorosi, visto che ben due delle sue acquisizioni si erano rivelate dei falsi[51]. Se il van Gogh berlinese era parso dubbio, allora era possibile che proprio i suoi difensori finissero per contestare l'autenticità di quello basilese. Perciò il Consiglio della Fondazione decise di «mettersi in contatto con il direttore della ‹Nationalgalerie› di Berlino, Ludwig Justi, che aveva acquistato il quadro in discussione e che ben conosceva l'originale della Fondazione». Si convenne inoltre che non dovesse essere trascurato nulla che avrebbe potuto contribuire a chiarire l'autenticità della tela e, se necessario, la stessa Fondazione sarebbe stata anche disposta a concedere il «Jardin de Daubigny» alla «Nationalgalerie» per un confronto o addirittura per un esame radiografico.

Ludwig Justi, direttore della «Nationalgalerie» berlinese dal 1909 al 1933, aveva avuto la possibilità di inserire il «Jardin de Daubigny» di van Gogh nella galleria d'arte moderna grazie all'appoggio dell'associazione «Freunde der Nationalgalerie», che era stata fondata nel 1929[52]. L'acquisto della tela era costato 250 000 marchi d'oro, mentre Rudolf Staechelin aveva pagato per il suo «Jardin» – nel 1918 da Bernheim-Jeune – 35 000 franchi. Lo storico dell'arte Paul Ortwin Rave, chiamato da Justi alla «Nationalgalerie», ricorda, nel suo articolo «Die Kunstdiktatur im Dritten Reich» uscito nel 1949, le reazioni di carattere sciovinista che si fecero sentire in tutto il paese: «L'acquisizione dei quadri di van Gogh [...] suscitò la massima indignazione tra i pittori professionisti della Baviera meridionale. In una «accesa protesta» del ‹Gau› (distretto) di Monaco del ‹Reichsverband bildender Künstler», tali acquisti furono stigmatizzati, dichiarati come uno spreco e i pittori pretesero che tutti i mezzi disponibili fossero utilizzati per ‹salvare gli artisti tedeschi dalla miseria›[53].» Anche Max Liebermann, presidente dell'Accademia tedesca delle arti figurative, sollevò nello stesso periodo una chiassosa polemica verso la politica di Ludwig Justi[54]. Né può essere considerata solo una casuale coincidenza, il fatto che proprio in quel momento, sulla rivista d'arte olandese «Maandblad voor beeldende Kunsten», fosse messa in dubbio l'autenticità di entrambi i quadri berlinesi di van Gogh – in un primo momento fu contestato il «Mietitore» (novembre 1932) e poi il «Jardin de Daubigny» (febbraio 1933). Anzi, tale discussione parve inserirsi in quel movimento sempre più esteso che cercava di opporsi e di screditare l'arte moderna, di cui l'impressionante collezione di Justi al «Kronprinzen-Palais» di Berlino sarebbe diventata ben presto il detestato simbolo. Pur prescindendo dai motivi di fondo che avevano indotto il mercante d'arte di Utrecht W. Scherjon e il pubblicista olandese M.J. Schretlen ad unirsi in questa polemica, si può comunque affermare che la loro critica non aveva di mira

accept a verification of the facts, so an art expert was to be appointed for the evaluation of "evidence and comparisons submitted to date". The Basel art expert Walter Ueberwasser was commissioned in that role, and in August 1936 he presented his "Stilkritischen und röntgenologischen Beiträge zur Unterscheidung echter und angeblicher Werke van Gogh's"[59] [Critical Observations as to Style and X-ray Differentiation between Genuine and Presumed Works by van Gogh]. "The brochure left the printer's", the protocol proudly notes, "on the (…) day of the beginning of the XIV. Internationaler Kunstgeschichtlicher Kongress" [International Art History Congress] in Basel. The collector made sure all participants in this congress, which attracted art experts from all over Europe as well as the United States, were given the publication containing a notice to the effect that the painting "Le jardin de Daubigny" was currently on exhibit at the Basel Museum of Fine Arts. The annotation seems quite revealing in several respects. Firstly, it illustrates how much Rudolf Staechelin was willing to fight to have his van Gogh internationally acknowledged and declared genuine. In the meantime he had even visited van Gogh's nephew in the Netherlands, in Laren, in order to get even more detailed information on the provenance of the painting in question. And he had a reprint made of a renewed attack published by M.J. Schretlen (together with Arthur Pfannenstiel, again in the "Maandblatt voor beeldende Kunsten", in May 1935) and had it distributed among "those particularly interested in the question of authenticity". Secondly, the protocol entry discloses that the van Gogh in question must have belonged to the first loans which Rudolf Staechelin, or rather the Family Foundation, had made to the Basel Museum of Fine Arts.

Even Walter Ueberwasser's criminological artistic investigations could not and would not provide decisive proof as long as the disastrous debate went on as to claims to exclusivity: if one painting was genuine, the other one had to be a fake. "Upon attentive perusal of the profound if linguistically somewhat clumsy examination protocol (…)", the "Basler Volksblatt" commented (November 14th, 1936), "one unfailingly leans in favor of Basel painting's authenticity. Of course, even some of Ueberwasser's arguments are not altogether convincing." In Rudolf Staechelin's opinion, however, the matter was closed. The Foundation protocol confirms that the exposé elicited a very positive response which found its way into newspaper articles and, in particular, generated a flood of letters to the loan donor: "With the exception of a few museum committees in Germany, general opinion unequivocally favored the Basel painting which thus acquired a reputation in wider circles as well."

Towards the end – for lack of opposition – obtaining public favor for the Basel van Gogh painting was no longer all that

tanto van Gogh, quanto invece il suo estimatore berlinese Ludwig Justi. Entrambi attaccarono Justi scrivendo infatti che la sua integrità scientifica era in realtà dubbia, e che sarebbe diventato insostenibile lasciarlo alla direzione del museo dopo aver verificato che Justi aveva dissipato il «patrimonio nazionale», non solo per uno di quegli artisti «bastardi, degenerati dalla sifilide mentale e dall'infantilismo pittorico»[55], ma anche per aver acquistato delle opere false. Il cerchio si strinse sempre di più intorno a Justi e il primo luglio 1933 fu licenziato «con effetto immediato e senza indicare le ragioni»[56], dopo che il Cancelliere del Reich, Adolf Hitler, in carica da sei mesi, aveva ricevuto una delegazione di artisti che avevano denunciato la collezione messa su dal direttore della «Nationalgalerie».

È possibile affermare che Rudolf Staechelin e il Consiglio della Fondazione non fossero a conoscenza degli avvenimenti berlinesi oppure ne avessero solo sentore? A parte tutto, i verbali delle riunioni della Fondazione sembrano occuparsi esclusivamente di predisporre una linea di difesa nel caso in cui i berlinesi fossero passati al contrattacco del «Jardin de Daubigny» di Basilea. La perplessità di Schretlen circa l'autenticità del dipinto berlinese si fondava sostanzialmente su speculazioni stilistiche che oggi sembrano alquanto grottesche. Schretlen era infatti dell'opinione che il confronto dei due quadri avrebbe rivelato anche all'occhio di un profano che la tela berlinese non poteva essere della stessa mano del van Gogh di Staechelin, quadro questo che perfino Justi aveva giustamente definito «magnifico» nel suo libro «Da Corinth a Klee». Il critico insisteva molto anche sul fatto che la seconda versione di questo tardo soggetto, non era menzionata nelle lettere di van Gogh al fratello Theo, e che era improbabile che il pittore, turbato dalla malattia, avesse dipinto nuovamente il giardino nei suoi ultimi giorni. Infine, secondo Schretlen, l'esame circa la provenienza del quadro contestato, conduceva al pittore Schuffenecker, che lo storico dell'arte Meier-Graefe aveva dichiarato sotto giuramento di averlo visto diverse volte copiare le tele di van Gogh. Per quanto l'argomentazione di Schretlen possa adesso apparire rozza, tuttavia essa ebbe l'effetto di consolidare successivamente nei critici la convinzione che solo uno dei due «Jardin de Daubigny» era autentico.

Nell'aprile del 1934, Rudolf Staechelin si recò a Berlino, portando personalmente con sé il suo van Gogh «al fine di paragonarlo» con l'opinione della nuova direzione della «Nationalgalerie». Dopo il licenziamento di Justi, il Direttore delle «Städtische Kunstsammlungen» di Monaco, Eberhard Hanfstaengl, aveva accettato di malavoglia il delicato incarico berlinese. Hanfstaengl tentò infatti con diplomazia ed abilità – «opponendosi discretamente ai nuovi poteri»[57] – di salvaguardare quello che era possibile di fronte a una così diffusa opposizione nei confronti dell'arte moderna e di passare finalmente all'offensiva sulla questione van Gogh. Hafenstaengl tentò così di riguadagnare il terreno perduto. Il suo assistente, Alfred Hentzen, pubblicò infatti

difficult. For if indeed the particularly daring – for that time and place – reservations expressed by "a few museum committees" had an unpleasant ring to them in Basel citizens' ears, it was the executioners of National Socialist cultural policy who in fact dealt the deathblow to Berlin's van Gogh painting. After the first purges at the Kronzprinzen-Palais, carried out mainly against paintings by the German Expressionists, in 1938 Göring had the Berlin "French paintings" – among them van Gogh's "Le Jardin de Daubigny" – confiscated as well, and sold them off, through the carpet dealer Josef Angerer, in order to obtain sorely needed foreign currency[60]. Today that painting belongs to the Hiroshima Museum of Art. At the great van Gogh retrospective in Amsterdam in 1990, both "Gardens" – long since reconciled in academic circles – hung side by side.

The chapter on van Gogh's "Jardin de Daubigny" includes as well a legal incident that demonstrates how vicious the argument on authenticity could get (...) to the point of endangering the longstanding good relations between collector-founder on the one hand, and the Basel Kunsthalle on the other. With the loan of three paintings, the Berlin Nationalgalerie was among the participants in the spring 1936 show on Lovis Corinth, organized by Lucas Lichtenhan at the Kunsthalle. Rudolf Staechelin succeeded in having their loans seized, in order to ensure Switzerland as the place of jurisdiction in the event of any legal hassle with the Nationalgalerie over the van Gogh matter. The Basel "Kunstverein" filed a protest and the control board decided the paintings' release. Of course, the "Kunstverein" had every interest in preventing paintings on loan from abroad from being seized in Basel: quite obviously, foreign nations would hesitate to put their museum treasures at Switzerland's disposal if they had to fear seizure on the basis of claims staked by private persons[61]. In any case, the decision was later upheld by the Federal Court of Switzerland, and the fact that court intervention had been required did much to cool relations between Rudolf Staechelin and his hometown "Kunstverein". Over the forties, Georg Schmidt, curator since March 1, 1939, of the Basel Museum of Fine Arts, would manage to ingratiate himself with the collector quite to the same exent formerly attained by Wilhelm Barth.

The minutes for a meeting of the Foundation board on November 6, 1943, confirm: "No matter how much importance our founder attaches to sharing the Foundation's valuable objects with major exhibitions, he has not been able to make up his mind to participate in the exhibition of nineteenth-century works of art belonging to Basel private collections to be held from May through June 1943 at the Kunsthalle." The reasons given by the obviously insulted collector are recorded right afterwards (...) Peter Zschokke, president

Walter Ueberwasser
Das letzte Hauptwerk van Gogh's

Basel, 1936
Basilea, 1936

sulla «Zeitschrift für Kunstgeschichte»[58] alcune «Miscellanee» concernenti «il giardino di Daubigny di Vincent van Gogh». Questi scritti inquietarono i lettori basilesi, dato che l'argomentazione, benché non fosse pienamente convincente, mirava a concludere che «il confronto tra i due quadri [...] ha persuaso un gran numero di esperti, pittori e mercanti d'arte personalmente disinteressati, dell'autenticità del quadro berlinese e della falsità di quello basilese, senza peraltro che questi fossero a conoscenza di prove concrete». Questa tesi, che a Berlino aveva anzitutto lo scopo di attenuare la spietata caccia ideologica, doveva condurre Basilea sul piede di guerra. «Si delibera», si legge nel verbale della riunione del Consiglio della Fondazione del 3 giugno 1934, «di opporsi energicamente ai provvedimenti della ‹Nationalgalerie› e di non badare a spese per chiarire la situazione.» Siccome però la «Nationalgalerie» non avrebbe mai, per motivi di prestigio, acconsentito ad un esame obbiettivo, l'analisi «delle dichiarazioni e dei paragoni finora fatti viene affidata ad un esperto d'arte, al basilese Walter Ueberwasser», il quale presentò nell'agosto 1936 il lavoro «Analisi stilistica e radiografica destinata a distinguere le opere autentiche e presunte di van Gogh»[59]. «L'opuscolo è appena uscito dalla tipografia», registra con un orgoglio appena dissimulato il verbale della Fondazione, proprio il [...] giorno dell'inizio del XIV Congresso internazionale di storia dell'arte a Basilea. Il Presidente della Fondazione ha fatto

of the "Kunstverein", had unfairly attacked the Art Committee because of the planned acquisition of Cézanne's "Le cabanon de Jourdan". Therefore, be it only out of solidarity with his fellow Art Committee members, the would-be loan donor felt obliged to refrain from sharing his treasures with the exhibition. Not to mention that those treasures would, in the context of that exhibition, be surrounded by "partially quite mediocre paintings" anyway.

In spite of all the upheaval caused by the "Daubigny" affair, and the time and energy spent thereafter by the Foundation to clear the matter up altogether, the Foundation board did find time as well to grant the loan of several of the collection's main works. The latter probably owed even increased international renown to the lengthy quarrel over the van Gogh painting. In addition to several Swiss exhibitions (e.g. Hodler at the Basel Kunsthalle in 1943; Corot at the Zurich Kunsthaus), a certain number of major European undertakings attracted Rudolf Staechelin's participation. There was, for instance, the Parisian Cézanne retrospective in May–June 1936 or, the same year, the "Exhibition of Nineteenth-Century French Painting" in London. "All paintings on loan have made their way back without mishap from abroad, where they received excellent reviews" was the satisfied commentary. Meanwhile and for the time being, "Le Jardin de Daubigny" was still putting off its "grande entrée". There had indeed already been a request for its loan – by the "Exposition van Gogh" set up at the 1937 World's Fair in Paris – but, "out of respect for the Nationalgalerie Berlin, also a participant in the exhibition", instead of hanging on display at the "Nouveau Musée d'Art Moderne", it had been relegated to the "Palais de la Découverte", quite on the outskirts of the Fair.
Because of a delay in getting the loan back to its owner, the collector was to make a stopover in Paris on his way back from overseas. There he took the matter in his own hands. In those times, whoever wanted to take advantage of Rudolf Staechelin's treasures had to make sure the plans submitted were attractive. A request by Bern's Museum of Fine Arts for help on a Hodler retrospective covering as well the artist's earlier works was turned down, while a similar request by Geneva – with the promise to show "cent chefs-d'œuvre de Ferdinand Hodler" – was "gladly" granted. And the Foundation took great pride that even the Dutch Queen, along with members of the Royal Family, made a point of paying her repects to the "Hundred Years of French Art" show at the Amsterdam Stedelijk Museum. For, after all, the Basel Foundation was participating in that centenary with Gauguin's "NAFEA" and Pissarro's "La Carrière". To be sure, it must be said the founder was never to forget his hometown, notwithstanding his already impressive reputation on a European scale. When the Basel Museum of Fine Arts' new building

consegnare la pubblicazione a tutti i partecipanti al convegno, esperti d'arte di tutti i paesi d'Europea e degli Stati Uniti, e ha accennato al fatto che il dipinto «Le jardin de Daubigny» viene esposto al «Kunstmuseum» di Basilea, che era stato appena inaugurato.

Quest'ultima annotazione è istruttiva sotto diversi punti di vista: per un verso dimostra con quale decisione Rudolf Staechelin si fosse impegnato per far sì che fosse riconosciuta l'autenticità del suo van Gogh anche a livello internazionale. Nel frattempo, era infatti andato perfino a trovare il nipote di van Gogh a Laren in Olanda per ottenere delle indicazioni più precise circa l'origine del quadro. Di un nuovo intervento di M.J. Schretlen (e Arthur Pfannstiel), apparso sempre sul «Maandblad voor beeldende Kunsten» (maggio 1935), Rudolf aveva fatto fare estratti, che faceva circolare negli «ambienti particolarmente interessati alla questione dell'autenticità» del dipinto. Per l'altro, questa nota illustra che il contestato van Gogh deve essere stato uno dei primi prestiti che Rudolf Staechelin o la Fondazione di Famiglia avevano depositato al «Kunstmuseum» di Basilea.

Anche le indagini particolari di Ueberwasser non avevano fornito però la prova decisiva, e a ben vedere non potevano fornirla finché l'infausta discussione muoveva dal presupposto dell'esclusività: se infatti un quadro era autentico, voleva dire che l'altro doveva essere falso. «Se si studia attentamente l'analisi approfondita, e stilisticamente piuttosto greve [...]», scrisse il «Basler Volksblatt» (14 novembre 1936), «si finisce assolutamente per dar fede all'autenticità del quadro basilese, nonostante non tutti gli argomenti di Ueberwasser convincano.» La questione sembrava invece risolta per Rudolf Staechelin, stando almeno al verbale dell'assemblea, in cui si legge che il promemoria aveva suscitato una forte eco sui giornali, in particolare una enorme quantità di lettere indirizzate al fondatore: «A parte pochi musei tedeschi, la posizione è indubbiamente a favore del quadro basilese, che in conseguenza alla disputa è diventato adesso noto.»

Infine, questo parere positivo per il van Gogh basilese non doveva più suscitare difficoltà, giacché mancavano gli oppositori, dopo che il doppione di Berlino era caduto nelle mani degli esecutori della politica nazional-socialista, malgrado le riserve di «poche direzioni di musei», riserve che erano certamente sgradevoli per le orecchie basilesi, eppure coraggiose per la situazione politica tedesca del tempo. Durante le prime epurazioni erano stati confiscati anzitutto i dipinti degli espressionisti tedeschi, mentre nel 1938, Göring riuscì ad impadronirsi dei «francesi» di Berlino – tra cui «Le jardin de Daubigny» di van Gogh – per venderli all'estero tramite il mercante di tappeti Josef Angerer e averne così in cambio valuta che risultava assolutamente necessaria ai dirigenti del III Reich[60]. Oggi il quadro fa bella mostra di sé all'«Hiroshima Museum of Art» e nel 1990, in occasione della

was inaugurated, towards the end of 1936, the official guide counted at least ten temporary loans by the Foundation in the public collection: Manet's "Mlle Demarsy", Pissarro's "Le sentier du village", Corot's "Olevano. La Serpentara", Cézanne's "Self-portrait" and "Verre et pommes", Gauguin's "NAFEA" and "Entre les lys", and van Gogh's "Berceuse", "Tête de femme" and – to be sure – "Le jardin de Daubigny". Apparently the controversy within the museum committee over Georg Schmidt's strong commitment to the so-called "degenerate art" being sold by the Nazis in Switzerland did not inspire Rudolf Staechelin to take much of a stand one way or the other. In any case, Georg Kreis, who sifted through the protocol records[62], did not come across a vote by the collector either hampering or encouraging action. Georg Schmidt did however lay value specifically on Rudolf Staechelin's participation upon the occasion of an auction in Lucerne on June 30th, 1939, to which he asked to be accompanied by both the collector and the latter's fellow Art Committee and Staechelin Foundation board member, Karl Im Obersteg. And in all probability the "Landscape" painting by Charles-François Daubigny, which Rudolf Staechelin sought to obtain by outbidding others at Fischer's in Lucerne, as well represented Nazi booty. Staechelin bid 10,000 francs for it, "but the painting went to someone else instead, at a higher price".

Times were growing worse and worse, and Hitler's war was forcing citizens as well to consider protective measures. End August 1939, the contents of the Basel Museum of Fine Arts were evacuated to Blankenburg Castle in Zweisimmen, but the Foundation turned down an offer to include Staechelin's deposita. In case of a catastrophe, public as well as a private works of art would otherwise suffer the same fate. Should the political situation deteriorate, it seemed preferable to consider transferring the Foundation property to the Stanserhornkulm Hotel in which Rudolf Staechelin, as president of the board of directors of the local train company, had an interest. "For the time being, the paintings in Basel at 7 Mühlenberg, are being taken down and the breakable objects stored for safekeeping." A little later, the Federal Tax Authorities in Berne were to demand an estimate of the art works brought in to the Foundation for purposes of the "Wehropfer-Erklärung" (Military Dues Declaration). Again it was Walter Ueberwasser who was entrusted with this somewhat difficult bookkeeping task. "Summa summarum" he arrived at the figure of about 600,000 francs, a tax basis which the Foundation board felt deserved a second expertise. Thereupon Zurich art dealer Gustav Tanner's calculations came to only about half that sum (SFr. 363,700.); his result served as the basis for a clean compromise in fulfillment of their patriotic obligation: "Considering that Herrn Doktor Ueberwasser's evaluation might be justified in nor-

grande retrospettiva di van Gogh ad Amsterdam, i due «Giardini» sono stati mostrati l'uno accanto all'altro, visto che ormai sono stati tranquillamente riconosciuti dai critici come autentici.

Bisogna però aggiungere un'altro episodio a sfondo legale nel caso del «Jardin de Daubigny» di van Gogh, perché bisogna pur raccontare con quale serietà si è svolta la discussione circa l'autenticità del quadro. Una serietà e un rigore che hanno messo a dura prova perfino i rapporti, fino a quel momento ottimi tra i collezionisti, la Fondazione e la «Basler Kunsthalle». A un'esposizione di Lovis Corinth, che Lucas Lichtenhan aveva organizzato alla «Kunsthalle» nella primavera del 1936, aveva partecipato con tre quadri anche la «Nationalgalerie» di Berlino. Rudolf Staechelin ottenne la requisizione dei quadri, affinché fosse svizzero il foro competente che doveva decidere, nell'eventualità di una lite con la «Nationalgalerie» a causa di van Gogh. Il «Kunstverein» di Basilea fece ricorso e l'ispettorato decretò il dissequestro dei quadri pignorati, stabilendo che il «Kunstverein» aveva indubbiamente un grande interesse nell'evitare che i quadri prestati da altri fossero sequestrati a Basilea. I paesi stranieri non avrebbero infatti messo più a disposizione degli istituti svizzeri le opere giacenti nei loro musei, se dovevano correre il rischio di veder bloccato il loro patrimonio artistico da parte di privati, che in questo modo cercavano di far valere i loro diritti[61]. Questa decisone venne in seguito confermata dal Tribunale federale. I buoni, perfino amichevoli rapporti di un tempo tra Rudolf Staechelin e il «Kunstverein» della città natale si raffreddarono sensibilmente dopo il ricorso ai tribunali e solo negli anni quaranta Georg Schmidt, «Konservator» del «Kunstmuseum» di Basilea dal 1° marzo 1939, avrebbe di nuovo goduto di quei privilegi che un tempo aveva avuto Wilhelm Barth. Nel verbale del 6 novembre 1943 leggiamo: «Per quanto il fondatore ritenga auspicabile la partecipazione ad esposizioni importanti con oggetti pregiati di proprietà della Fondazione, egli stesso non ha potuto associarsi alla mostra di opere del XIX secolo di proprietà privata basilese che avrà luogo da maggio a giugno del 1943 alla ‹Kunsthalle›.» Le ragioni di una simile decisione del fondatore, allora palesemente offeso, vengono fornite nelle righe successive. A quanto pare, Peter Zschokke, presidente del «Kunstverein», aveva attaccato in modo sleale la Commissione per via della progettata acquisizione de «Le cabanon de Jourdan» di Cézanne. Rudolf Staechelin, se non altro per solidarietà nei confronti dei membri della Commissione, si rifiutò di prestare i suoi tesori ad una mostra, nella quale le sue preziose opere sarebbero state circondate, tra l'altro, da «alcuni quadri di mediocre qualità».

Nonostante la considerevole inquietudine provocata dalla vicenda «Daubigny» e i reiterati sforzi della Fondazione per chiarire il caso, essa trovò ancora il tempo di dare in prestito le opere maggiori della sua collezione, che ormai aveva raggiunto una fama internazionale forse proprio attraverso il contestato

"Entartete Kunst" auction, 1939, in Lucerne. Front left, Georg Schmidt, immediately behind him on the right the two members of the Art Committee, Karl Im Obersteg and Rudolf Staechelin (Photo: Münchner Illustrierte)

Asta «Arte degenerata» 1939 a Lucerna
In primo piano a sinistra Georg Schmidt, dietro di lui, a destra, i due membri della Commissione per le Belle Arti del Museo, Karl Im Obersteg e Rudolf Staechelin (Foto: Münchner Illustrierte)

mal times, the sum is to be rounded off upwardly to a total of SFr. 400,000.– for tax assessment purposes." (…) Adding up the vouchers for all the acquisitions made by Rudolf Staechelin at the height of his buying spree comes to a round total of 700,000.–.

"Due to the insecurity of our times, the art market has dried up. No important paintings are being put up for sale from abroad any longer, and the offer of works by important Swiss artists has become severely limited. The Foundation founder therefore has no suggestions to make for new acquisitions. Since there is no further business to be discussed, the meeting is closed shortly after 6 p.m., Basel, March 15th, 1945." This was to be the last meeting of the Foundation board Rudolf Staechelin would attend: he passed away of a stroke on January 3rd of the next year. The "National-Zeitung" described his funeral ceremony in the following terms: "Between flickering candles, in the cold of January, the simple coffin lay outside under the funeral chapel at the Hörnli cemetery. The wreaths and the inscriptions on bows of ribbon testified to the gratefulness and admiration this kindhearted and untiringly active man inspired (…)"[63].

van Gogh. Oltre ad alcune esposizioni svizzere (Hodler, «Kunsthalle Basel» 1942 e Corot, «Kunsthaus Zürich»), Rudolf Staechelin partecipò ad importanti progetti europei. Basta nominare ad esempio la retrospettiva parigina di Cézanne del maggio/giugno 1936 o l'«Exhibition of 19th century french painting» di Londra nello stesso anno. «Tutti i quadri prestati», si dice con soddisfazione, «sono tornati inalterati dall'estero e hanno avuto ottime critiche.» Il «Jardin de Daubigny» doveva però sempre attendere le grandi esibizioni. Anche se era stato chiesto per l'«Exposition van Gogh» dall'esposizione mondiale del 1937 a Parigi, non fu mostrato ai «Nouveaux Musées d'Art Moderne», bensì a parte, al «Palais de la Découverte», «per riguardo nei confronti della ‹Nationalgalerie› di Berlino che pure era presente». Siccome però il rientro dei quadri subì un leggero ritardo, Rudolf Staechelin fece tappa a Parigi durante un viaggio transoceanico proprio per vedere se tutto fosse a posto. Chi intendeva approfittare in quel periodo dei tesori di Rudolf Staechelin, doveva presentare programmi di un certo interesse. Per tale motivo fu respinta la richiesta del «Kunstmuseum» di Berna, che voleva organizzare una mostra retrospettiva di Hodler includendo anche le prime opere, mentre il progetto ginevrino di esporre «Cent chefs-d'œuvre de Ferdinand Hodler» suscitò la piena disponibilità e fu accolto dalla Fondazione, che si dichiarò «in linea di massima disponibile». Del resto, si era particolarmente orgogliosi del fatto che la regina olandese, assieme alla famiglia reale, non avesse rinunciato ad una benevola visita di cortesia all'esposizione «Cento anni di arte francese» allo «Stedelijk Museum» di Amsterdam, a cui la Fondazione basilese partecipava con «NAFEA» di Gauguin e «La carrière» di Pissarro. Malgrado la crescente risonanza europea, Rudolf Staechelin non dimenticò comunque la sua città natale. Quando, alla fine del 1936, fu inaugurato il nuovo edificio del «Kunstmuseum» di Basilea, la guida ufficiale delle «Öffentlichen Sammlungen» comprendeva ancora dieci prestiti della Fondazione: «Mlle Demarsy» di Manet, «Le sentier du village» di Pissarro, «Olevano, La Serpentara» di Corot, l'«Autoportrait» e «Verres et pommes» di Cézanne, «NAFEA» e «Entre les lys» di Gauguin e «Berceuse», «Tête de femme» e, appunto, «Le jardin de Daubigny» di van Gogh. Nelle controversie che scossero la Commissione del museo, a proposito dell'impegno profuso da Georg Schmidt durante le vendite da parte dei nazionalsocialisti della cosidetta «arte degenerata» in Svizzera, Rudolf Staechelin non sembra aver giocato un ruolo importante. Georg Kreis, che ha analizzato i verbali della Fondazione[62], non ha infatti scoperto nulla di particolarmente rilevante, malgrado Georg Schmidt avesse insistito perché Rudolf Staechelin partecipasse all'asta di Lucerna del 30 giugno 1939 e lo avesse accompagnato, assieme al suo collega della Commissione, nonché membro del Consiglio di Fondazione, Karl Im Obersteg, a questa importante vendita. Non è però da escludere che il «Paesaggio» di Charles-François Daubigny, che Rudolf Staechelin voleva acquistare all'asta del 24 maggio 1941 alla galleria Fischer di Lucerna, provenisse proprio dalle ruberie dei nazionalsocialisti.

Immediately thereafter, Georg Schmidt began to try to elicit the approval of the collector's widow for a "spontaneous idea" of his. It would take another decade for that idea's happy realization: an exhibition of the entire Rudolf Staechelin Collection. "Of course, there is no hurry", he wrote on January 23rd, just a few weeks after the collector was buried. "Naturally you must be quite busy with other, more pressing matters. But perhaps we ought to strike while the iron is hot." The Foundation board, including its new member Peter G. Staechelin, preferred to let matters cool down first. They declined the suggestion "in accordance with the late collector's wishes". One would be justified in asking in what sense that decision reflected "the late collector's wishes". For all his oft commended modesty, Rudolf Staechelin never showed any reluctance at all to put his collection representing a lifetime's work into the appropriate public limelight. Perhaps the reticence shown by the Foundation board was a sign of a budding fear that the Basel art public might stake some unjustified claims on the collection, given an all too hasty pact with the museum? Georg Schmidt was to persevere. On Christmas Day of 1946 he once again brought up his project: "I already had occasion to mention the matter to your son once. Namely: to put the Staechelin Collection in its entirety on display for the public at the Basel Museum of Fine Arts for some weeks (...)" And since it was the "Yuletide season for wishes. Might we someday be granted a loan out of the Staechelin Collection, which would at the same time serve as a visible reminder of Rudolf Staechelin's many decades in the service of the Museum of Fine Arts?"

Those in charge of the Foundation however still did not want to participate in planning a complete overview. They did however comply with surprising alacrity to the Art Committee's request that "some gaps in the so-called 'French Cabinet' of the museum be filled by loans, in view of all the tourists again expected from abroad in the summer of 1947". The collection's most significant paintings – Gauguin's "NAFEA" and his "Breton Landscape", Cézanne's "Self-portrait", van Gogh's "Berceuse", his "Portrait of a Woman" and his "Jardin de Daubigny", Picasso's "Arlequin" and his "Deux frères" were transferred to the Basel Museum of Fine Arts where, in the large corner hall on the second floor "the effect was most impressive". Each painting bore the label "on loan from the Rudolf Staechelin Collection" and the lenders were entirely convinced "thus to honor the donor's memory in the most beautiful manner and according to his wishes".

Georg Schmidt had every reason for contentment, and the generous fulfillment of his wish gave him "deep satisfaction": "As you know, it is not only the paintings that matter but, quite on a personal level, to do justice to Rudolf Staechelin's

Il collezionista svizzero offrì 10 000 franchi, che però non furono sufficienti visto che «il quadro passò in altre mani a un prezzo più elevato».

Nel frattempo la situazione diventava sempre più cupa e la guerra costrinse anche i basilesi a predisporre delle misure per salvaguardare il patrimonio artistico. Alla fine di agosto 1939, le opere del «Kunstmuseum» furono trasferite a Zweisimmen, al Castello «Blankenburg». La Fondazione, temendo che i beni artistici, pubblici e privati, potessero essere coinvolti in egual misura in una possibile catastrofe, respinse l'offerta di trasferire a Zweisimmen la sua collezione. Se la situazione politica si fosse aggravata, era stato previsto di portare il patrimonio della Fondazione all'«Hotel Stanserhornkulm», del quale Rudolf Staechelin – in funzione di Presidente del Consiglio d'amministrazione della funivia dello «Stanserhorn» – era socio. «Come misura temporanea e precauzionale a Basilea, al Mühlenberg 7, tutti i quadri verranno staccati dalle pareti e tutti gli oggetti messi al sicuro.» Poco tempo dopo, l'Amministrazione federale delle Imposte di Berna chiese una stima degli oggetti d'arte della Fondazione al fine di calcolare il «Contributo per la difesa nazionale». Ancora per una volta, il delicato computo fu affidato a Walter Ueberwasser che stimò il patrimonio complessivo in 600 000 franchi, cifra questa che però richiese una seconda perizia. Il mercante d'arte zurighese Gustav Tanner calcolò in seguito solo poco più della metà della precedente valutazione (Fr. 363 700.–) e propose un compromesso, in modo da adempiere regolarmente al dovere nazionale: «Poiché la perizia del Dr. Ueberwasser sarebbe senz'altro valida in tempi normali, propongo di arrotondare la cifra imponibile della collezione a Fr. 400 000.– [...]» Se sommiamo le fatture di Rudolf Staechelin, che risalgono agli anni delle selvagge acquisizioni, si arriva a una cifra (arrondata) di Fr. 700 000.–.

«Nella attuale precaria situazione è infatti sceso un velo di silenzio sul mercato d'arte, visto che all'estero non vengono più messi in vendita importanti quadri e l'offerta di opere di artisti svizzeri noti risulta molto limitata. Perciò il Presidente non ha da sottoporre nuovi acquisti. Dato che non vi sono ulteriori questioni da discutere, la riunione viene terminata poco dopo le sei del pomeriggio. Basilea, 15 marzo 1945.» Per Rudolf Staechelin questa doveva essere l'ultima assemblea, poiché egli morì per un'apoplessia il 3 gennaio dell'anno successivo. La «National-Zeitung» descrisse il funerale con le seguenti parole: «Nel freddo gennaio, la semplice bara giaceva, tra il lume vacillante delle candele, nella cappella funebre del ‹Hörnligottesacker›. Le corone, disposte tutte intorno, testimoniavano, attraverso le scritte che si leggevano sui nastri, la gratitudine e la venerazione nei confronti di quest'uomo, benevolo e infaticabile [...][63]»

Subito dopo la scomparsa del primo presidente e ideatore della Fondazione, Georg Schmidt iniziò a perorare presso la vedova

memory in our city"[64]. And upon the arrival of the paintings: "What was to be expected has indeed taken place: the loans have (...) transformed our modest little French 'cabinet' into (...) a French 'salon' beyond what any other museum in the country has to offer"[65]. The thrill of it all pushed any talk of a larger exhibition to the side, but mention was made of a few remaining "weak spots": "May we meet sometime in front of the actual museum walls to talk the matter over?" Whether this "talk in front of the actual museum walls" did take place is not known. In March 1948, Emma Staechelin-Finkbeiner recorded the minutes for the last time at the twenty-sixth meeting of the Foundation board, for she was to pass away during the following year. Not without having given in to Georg Schmidt's rather incessant badgering once or twice more. In that manner Sisley's "Village Street" was added to the museum's French sector as well as, in the course of 1948, "Sentier du village" by Camille Pissarro and Cézanne's "Maison du Dr. Gachet". "These two pictures fill the gap in our French hall in the best possible manner. We wish to thank you in the name of the Art Committee and the 'Öffentliche Kunstsammlung'." Thanks were in order, Ernst Saxer of the Foundation board is to have said, but in any case "a detailed receipt" would be better.

In 1950, Peter G. Staechelin sold the family property, Castle Ebenrain, to the Basel-Country administration, "in order firstly to do the Canton a favor and, secondly, to keep the castle grounds from being senselessly divided up into lots"[66]. The collection was thus left without the residence it had decorated in such a representative manner for two decades.

It was therefore providential that new requests for loans were made by both Basel and Geneva. "As it is quite impossible to hang all the significant paintings up at the Mühlenberg address, it was decided to meet their requests to the exent dictated by expediency" (Protocol of December 17th, 1951). "Expediency dictated" the loan of thirteen paintings to the Musée d'art et d'histoire in Geneva, and of another respectable dozen to the Basel Museum of Fine Arts, including almost all positions previously lacking in the museum's examples of Staechelin's alphabetic array of artists from Cézanne to Renoir. Stunned, the Art Committee is said to have proposed renaming an entire exhibit hall of the Basel Museum of Fine Arts the "Rudolf Staechelin Hall", but the Foundation board's reply was: "After long deliberations, we finally decided to decline this honorable offer as we are persuaded that such public homage would be contrary to the donor's reserved manner."

Another public honor was however becoming more acceptable: namely, an extensive overview of the Staechelin works of art. What Georg Schmidt had not been able to accom-

un'«idea spontanea», la cui realizzazione avrebbe richiesto un intero decennio: Schmidt desiderava infatti fare una mostra della collezione di Rudolf Staechelin. «Naturalmente non c'è fretta», scrisse il 23 gennaio, poche settimane dopo il funerale, «Lei si deve occupare adesso di altre e più importanti questioni. Ma è sempre valido il proverbio secondo cui bisogna battere il ferro finché è caldo.» In un primo momento il Consiglio della Fondazione, con il nuovo membro Peter G. Staechelin, aspettò tuttavia che il ferro si raffreddasse e respinse la proposta proprio per «rispetto verso le intenzioni del defunto collezionista». Certo, potremmo pur sempre chiederci in quale misura questa decisione rispettava veramente «le intenzioni del defunto collezionista». Malgrado la modestia attribuita, Rudolf Staechelin non aveva infatti mai avuto scrupoli di esporre quella che considerava la fatica di una intera vita o di rinunciare a mettere la sua collezione sotto una giusta luce. La dilatoria risposta del Consiglio della Fondazione deve essere quindi piuttosto interpretata come riflesso di una preoccupazione che, seppur ancora limitata, concerneva i possibili diritti che verso l'esposizione il pubblico basilese avrebbe potuto accampare dopo un affrettato accordo con il museo. Georg Schmidt però non demordeva e il giorno di Natale del 1946 propose nuovamente il suo progetto: «Ho già avuto occasione di parlare a Suo figlio della proposta di rendere accessibile per alcune settimane al pubblico l'insieme della collezione Staechelin [...]» Dato che proprio «nel periodo precedente il Natale è permesso esprimere liberamente i desideri, posso forse sperare di beneficiare un giorno di un prestito che rappresenterebbe al tempo stesso un segno visibile della attività pluridecennale di Rudolf Staechelin al servizio del ‹Kunstmuseum›?»

La Fondazione non riteneva tuttavia opportuno intervenire a proposito del progetto promosso da Schmidt, anche se la famiglia Staechelin accolse molto volentieri la richiesta della «Kunstkommission» di «colmare con dei prestiti alcune lacune nel cosiddetto gabinetto della pittura francese, in vista dei turisti che sarebbero ritornati nell'estate 1947». Una parte delle opere principali della collezione, come «NAFEA» e il «Paysage breton» di Gauguin, l'«Autoportrait» di Cézanne, la «Berceuse», il «Tête de femme» e il «Jardin de Daubigny» di van Gogh, l'«Arlequin assis» e i «Deux frères» di Picasso fu portata al «Kunstmuseum», ove faceva un «effetto prodigioso» nella grande sala d'angolo del secondo piano. Ogni tela portava l'avvertenza «Deposito della Collezione Rudolf Staechelin» e i membri della Fondazione erano pienamente convinti in tal modo «di onorare in maniera meravigliosa la memoria del fondatore e di rispettare le sue intenzioni».

Georg Schmidt aveva veramente buoni motivi per essere felice. La realizzazione del suo desiderio lo colmava di «profonda soddisfazione»: «Vorrei sapesse che non sono solo interessato ai dipinti, ma tengo personalmente molto che la memoria di Rudolf Staechelin sopravviva nella nostra città[64].» Dopo l'arrivo dei

Peter Staechelin, 1922–1977

plish by himself apparently could take shape once conceived by the members of the Foundation board as a project of their own: "Mr. Im Obersteg and Mr. Saxer propose organizing a memorial exhibition on the occasion of the tenth anniversary of the collector's death. These two gentlemen intend to contact the Museum of Fine Arts sometime in this connection[67]." In any case they had a complaint to lodge with the administration. (…) The exhibition "Schenkungen, Stiftungen und Ankäufe moderner Kunst im Kunstmuseum Basel 1928–1953" [Gifts, Donations and Acquisitions of Modern Art at the Basel Museum of Fine Arts 1928–1953] had highlighted the Hoffmann Foundation: "The aggregate loan by the Rudolf Staechelin Family Foundation, which after all came to twenty-five pieces, was sidelined to the point of representing almost but a mere complement to the Hoffmann Foundation. Quite an embarrassing situation."

The exhibition at the Basel Museum of Fine Arts held from May 13th till June 17th, 1956 (then prolonged until June 24th) was intended as a complete presentation of the Staechelin Art Foundation works. "The last day", Georg Schmidt and August Simonius wrote to the Foundation board members "with a record 2,000 visitors, represented a worthy closing point to what we dare term a successful venture in every respect." For the first time the Foundation assets had been (with the help of the museum staff) inventoried for the most part, over a thousand copies had been sold of a catalogue illustrating all the works on display in black-and-white, including color illustrations of the more significant of them. "How much we would enjoy", Manuel Gasser of "Weltwoche" reflected,[68] "carrying home such comprehen-

quadri, scrisse: «È successo quello che doveva succedere: i prestiti hanno fatto scoppiare il gabinetto della pittura francese ed è nata così [...] una sala francese pari a nessun altro museo del nostro paese[65].» L'effetto fu così impressionante che non si parlò più della mostra complessiva, anche se alcuni «punti deboli» da discutere rimasero. «Potrei parlarLe personalmente di queste faccende mentre siamo di fronte ai quadri?» Non sappiamo se questo «colloquio di fronte ai quadri» abbia avuto luogo. Nel marzo del 1948, Emma Staechelin-Finkbeiner stese per l'ultima volta il verbale alla 26a seduta del Consiglio della Fondazione. Morì infatti l'anno successivo, ma non senza aver soddisfatto di volta in volta i desideri incessanti del «Konservator», sicché furono date in prestito per la sala francese anche «La strada del villaggio» di Sisley e, durante il 1948, il «Sentier du village» di Camille Pissarro e la «Maison du Dr. Gachet» di Cézanne. «Con questi due quadri Lei ha riempito nel modo più grandioso ogni lacuna nella nostra sala della pittura francese. A nome della Commissione artistica Le porgiamo dunque i più sentiti ringraziamenti della ‹Öffentliche Kunstsammlung›.» I ringraziamenti piacciono, constatò Ernst Saxer al Consiglio della Fondazione, ma certo «una ricevuta particolareggiata» avrebbe avuto più valore.

Nel 1950, Peter G. Staechelin si disfece della residenza di campagna «Ebenrain» nel «Basel-Land», «in primo luogo per fare un favore al cantone, inoltre per evitare che la proprietà fosse inopinatamente lottizzata»[66]. Alla parte restante della collezione venne dunque meno il domicilio, che peraltro aveva adeguatamente decorato. Fu una felice coincidenza che in questo momento arrivassero due lettere da Ginevra e Basilea con delle richieste di prestiti. «Siccome è impossibile appendere tutti i quadri importanti al Mühlenberg, si decide, per quanto possibile, di soddisfare entrambe le domande» (verbale del 17 dicembre 1951). Sembrava quindi «conveniente» prestare 13 dipinti al «Musée d'Art et d'Histoire» di Ginevra e un numero pari – praticamente quasi tutte le lettere mancanti, da Cézanne a Renoir, dell'alfabeto della collezione di Staechelin – ancora una volta al «Kunstmuseum» di Basilea. Entusiasmata dalla risposta, la Commissione artistica propose di denominare una sala del «Kunstmuseum» come «Sala Rudolf Staechelin». «Dopo riflessioni approfondite ci sentiamo costretti, con vivo rammarico, a non accettare un simile onore, siamo infatti dell'opinione che un tale riconoscimento non si sarebbe attagliato al carattere, discreto, del fondatore.»

Ma, nel frattempo, da un altro grande riconoscimento pubblico la Fondazione non si difendeva più con la stessa determinazione, vale a dire dalla grande mostra progettata per celebrare le doti di collezionista di Rudolf Staechelin. L'iniziativa, che in un primo momento Georg Schmidt non era riuscito a concretizzare, doveva evidentemente attendere il momento in cui i consiglieri sopravvissuti della Fondazione fossero riusciti a trasformarla in

sive documentation from all the major shows!" Of the five main exhibition sectors – France, Switzerland, Drawings, East Asian Art and Antique Art – it was the French painters from Delacroix to Picasso who drew the most attention among critics. In front of the paintings of that sector in particular, Wolfgang Bessenich would once again draw up a subtle psychography of Rudolf Staechelin the collector: "With respect to the topics depicted, genre painting is lacking, the depiction of social life (as so often and so nobly captured by the Impressionist generation). Nudes (as well are missing), sublime eroticism in praise of the female body (in the case of Renoir, Matisse, Pascin, a selection of nudes would have been easy and not unusual to come up with). And as well, the spiritually poetic, idealization through emotion (this may very well be the reason why German contemporary equivalents to the great French masters are lacking). (…) The pictures were chosen out of comradery: They have no claims to assert against us and offer us no disappointments in our everyday life"[69]. Others, such as Maria Netter[70], complained that "the huge, even monumental impression left by the twenty-two paintings on permanent loan to the Basel museum (…) was strongly diluted and destroyed by the current exhibition". And thoughtless journalism would begin to spread the false assertion that "these outstanding possessions represent a gift made to the Museum of Fine Arts after the collector's death"[71]. The rather loose interpretation of the facts, which would soon take hold in the minds of Basel's citizens, was to have fatal consequences when the Foundation board would be forced to put part of its "outstanding possessions" up for sale in the sixties.

Eight years later, the Foundation board was able to note another exhibition highpoint in the collection's annals. Maurice Bérard, president of the "Friends of the Museum of Modern Art" association, sparked off the idea of for once showing the collection in Paris, in as much as possible of its entirety rather than with a selection of works. In April 1964, Franz Meyer, the new director of the Basel Museum of Fine Arts, travelled to Paris for the show's inauguration, which was turned into one of the season's social events by the presence of the French Minister of Art and Culture, André Malraux. The size and contents of the Foundation possessions had changed slightly since the 1956 memorial exhibition in Basel. Daumier's "Don Quijote and Sancho Pansa", which in the meantime had turned out to be a fake, was no longer included. On the other hand, a still life by Toulouse-Lautrec had been added to the collection in 1957 by the Foundation. All in all, the collection was noticeably more selective. Some more second-rate items such as works by van Dongen, Signac or Forain were not even taken to Paris. Renoir was represented by only one of the two "Gabrielle" portraits, and no longer by either "Maison blanche" or "Por-

un loro progetto: «I signori Im Obersteg e Saxer suggeriscono di organizzare una mostra commemorativa per il decimo anniversario della morte di Rudolf Staechelin. Entrambi sono disposti a mettersi in contatto con il ‹Kunstmuseum›[67].» In ogni caso, si vuole cogliere l'occasione per protestare con la direzione, visto che l'esposizione «Donazioni, fondazioni e acquisti d'arte moderna al ‹Kunstmuseum› di Basilea 1928–1953» ha sottolineato unilateralmente i meriti della Fondazione Hoffmann: «Tutto il deposito della Fondazione di Famiglia Rudolf Staechelin, che assomma a 25 dipinti, non è stato infatti menzionato adeguatamente, quasi fosse complementare a quello della Fondazione Hoffmann. È stata questa una situazione veramente molto imbarazzante.»

Il progetto della mostra al «Kunstmuseum» di Basilea dal 13 maggio al 17 giugno del 1956 (poi prolungata fino al 24 giugno), prevedeva una presentazione completa della Fondazione Staechelin. «La frequenza massima di 2000 persone nell'ultima giornata», scrissero Georg Schmidt ed August Simonius ai membri del Consiglio della Fondazione, «ha concluso grandiosamente questa mostra che consideriamo riuscita in ogni senso.» Per la prima volta è stato fatto un inventario – complice il museo – di una parte essenziale dei beni della Fondazione, e si sono potuti vendere più di mille esemplari del catalogo che riproduce in bianco e nero tutti i pezzi esposti, mentre le opere principali sono riprodotte a colori. «Cosa si darebbe», sentenziò Manuel Gasser nella «Weltwoche»[68], «se si potesse avere una simile documentazione per ogni esposizione!» Tra i cinque settori principali in cui era stata divisa la mostra – Francia, Svizzera, Disegni, Oggetti d'Arte dell'Asia orientale a Antichità – la critica del tempo fu attratta soprattutto dai pittori francesi, da Delacroix a Picasso. Come sottofondo alla raccolta dei quadri di questo settore, Wolfgang Bessenich disegnò una sottile analisi psicologica di Rudolf Staechelin collezionista: «Per quanto riguarda i soggetti, mancano i quadri di genere, le scene della vita sociale (che la generazione degli impressionisti ha rappresentato molto spesso e con grande talento), sono assenti anche la rappresentazione di nudi, il sublime erotismo del corpo femminile (una selezione sarebbe stata facile e naturale con i dipinti di Renoir, Matisse e di Pascin) e la liricità intellettuale, il sentimento idealizzante (sarà il motivo per il quale si cercano invano i contemporanei tedeschi dei grandi pittori francesi). […] Il criterio di fondo che sorregge una simile varietà è la loro vicinanza, che non vale la pena commentare e che non ci delude nella nostra quotidianità[69].» Altri, come ad esempio Maria Netter[70], trovarono da ridire sul «fatto che l'impressione magnifica, anzi monumentale, conferita dai 22 dipinti del deposito alla collezione permanente del Museo basilese […], sia stata devitalizzata e dispersa da questa mostra». Nel frattempo, dietro sconsiderate affermazioni della stampa, iniziò a diffondersi la voce che «il ‹Kunstmuseum› era entrato in possesso di questo patrimonio illustre dopo la morte del collezionista[71]». L'esito di questa assai disinvolta manipolazione dei fatti si sarebbe

trait de femme". Pissarro's gouache "Fenaison" was lacking, as well as Monet's "Portrait d'un vieillard à haute forme" and "Carrière Saint Denis" by Derain. In addition, Picasso's "Arlequin au loup" had to remain in Basel on the curator's say-so.

The plans sketched out for the exhibition layout, still extant in the archives, prove that – quite to the opposite of Basel's organization into different sectors – the organizers in France wanted to underscore the stronger, more autonomous and more assertive individual works of the Staechelin Collection. Auberjonois' "Niska et sa mère" gazed upon Picasso's "Deux frères"; "Arlequin assis" was framed by Hodler's two paintings of the deathly ill Valentine Godé-Darel; André Derain's view of "Cadaquès" had to assert itself against Valminck's "La route", and the small "Olevano" painting by Corot fell under the surveillance of both Manet and Monet. Perhaps never before, nor ever thereafter, had an exhibition so clearly represented Rudolf Staechelin's trademark features as a collector. Fifty paintings, all of which were chosen for the lasting profit to be gained from the joy of living with them, of revelling in their intimacy, the critic Claude Roger-Marx was to specify, and not for speculation's sake or to be vaunted[72]. In the April 28, 1964 edition of the New York Herald Tribune, John Ashbery would add that even to visitors who had never yet heard of the Staechelin Collection, many of the works must have seemed very familiar. For they would certainly recognize several of the most famous modern paintings in the world from having seen them in countless reproductions.

Nonetheless, several of the better-known – at least in Basel – modern paintings would soon be eliminated from the collection. There is something quite tragic about the fact that during the very decade the collection's reputation was spreading farther than ever before, the first chapter of a painful story of loss was to open. On April 20th, 1967, a Bristol Britannia aircraft of the Basel charter airline company Globe Air crashed on approaching Nicosia. One hundred twenty-six people died in the crash. The accident deprived the company – already in financial straits – of its last chance for survival. As Globe Air's major shareholder, Peter G. Staechelin was suddenly confronted with obligations reaching eight digits. "When Globe Air AG collapsed despite all my financial efforts, all of a sudden I had substantial obligations to face. Now, it is somewhat of a truism that there is a very high risk factor to seeking short-term gains in industrial investment. In that sense, it can be said my losses put me in 'financial difficulty', of which I proceeded to inform the Foundation board. The latter decided on the sale of two Picassos and several additional works of art[73]". Monet's "Le petit port de mer", Sisley's "Le village des Sablons", Cézanne's "Por-

ben presto stagliato nella mente dei basilesi e, negli anni sessanta, avrebbe avuto conseguenze amare per il Consiglio della Fondazione, nel momento in cui essa sarebbe stata costretta a vendere parte di questo «illustre patrimonio».

Otto anni più tardi, il Consiglio della Fondazione poteva registrare un altro grandissimo successo espositivo: Maurice Bérard, Presidente della «Società degli amici del Musée National d'Art Moderne», aveva suggerito di presentare la collezione a Parigi, e di esporre non solo una parte dei quadri ma possibilmente l'insieme della collezione. All'inaugurazione, nell'aprile 1964, prese parte anche Franz Meyer, nuovo direttore del «Kunstmuseum» di Basilea, mentre la presenza del ministro della cultura francese, André Malraux, dette all'evento parigino un tono mondano. Rispetto alla mostra commemorativa del 1956 a Basilea, le dimensioni e la struttura del patrimonio della Fondazione avevano subito lievi modificazioni: la rassegna non comprendeva infatti «Don Quijote et Sancho Pansa» di Daumier, che si era rivelato nel frattempo un falso; in compenso era presente una «Nature morte» di Toulouse-Lautrec, la cui acquisizione risaliva al 1957. Complessivamente si poteva osservare una selezione più rigorosa, che aveva portato alla esclusione delle opere secondarie – come quelle di van Dongen, Signac o Forain. Di Renoir, ad esempio, fu esposto solo uno dei due ritratti di «Gabrielle», mentre erano assenti la «Maison blanche» e il «Portrait de femme». Mancavano inoltre il guazzo di Pissarro «Fenaison», il «Portrait d'un vieillard à haute forme» di Monet e «Carrière. Saint Denis» di Derain. «L'Arlequin au loup» di Picasso restò invece per motivi precauzionali a Basilea.

Uno schizzo buttato giù in vista dell'allestimento della mostra, e conservato tra i documenti dell'archivio, illustra che gli organizzatori francesi – contrariamente alla disposizione adottata a Basilea che prevedeva la suddivisione della collezione Staechelin in sezioni diverse – intendevano fermarsi sulle opere più forti, su quelle autonome, insomma sul singolo capolavoro. «Niska et sa mère» di Auberjonois guardava i «Deux frères» di Picasso; l'«Arlequin assis» era incorniciato dai due dipinti di Hodler che raffiguravano Valentine Godé-Darel vicina alla morte; la veduta di «Cadaquès» di Derain era messa di fronte a «La route» di Vlaminck; infine, il piccolo quadro «Olevano» di Corot era accompagnato dalle tele di Manet e di Monet. Forse il carattere proprio del collezionista non è mai stato delineato in maniera così adeguata. Claude Roger-Marx riconobbe in modo molto giusto che erano state scelte singolarmente una cinquantina di tele, solo allo scopo di mostrare quanto possa essere grande il piacere duraturo di poter convivere nell'intimità con questo patrimonio. Sicuramente il collezionista non aveva infatti acquistato neppure una di queste opere per fini speculativi o per vanagloria[72]. John Ashbery fece eco a Roger Marx sul «New York Herald Tribune» (28 aprile 1964), affermando che la collezione di Rudolf Staechelin doveva apparire familiare anche ai visitatori che non ne

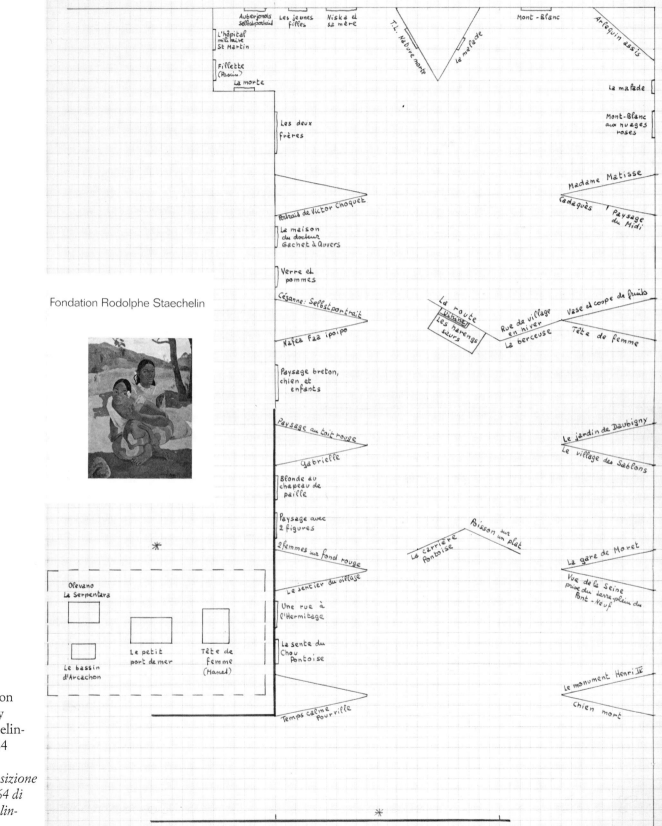

Fondation Rodolphe Staechelin

Paris Exhibition
Layout Plan by
Denise Staechelin-
Berkessel, 1964

*Piano dell'esposizione
a Parigi del 1964 di
Denise Staechelin-
Berkessel*

trait de l'artiste" and van Gogh's "Berceuse" were put on the art market, where the prices quoted must have seemed – to the ears of a public not yet accustomed to the ever-renewed record-breaking auction prices – quite outrageous. For instance, "La Berceuse" fetched over four million on its way from Paris to the United States (today it belongs to the collection of Mr. and Mrs. Walter H. Annenberg), a sum that made people aware, all of a sudden, of what exactly was entailed by the loss of such a highly-valued painting, with which moreover the Basel museum public had created warm ties over the years. In the light of such feelings, it becomes easier to understand the likes of Wolfgang Bessenich who, in the "National-Zeitung", took to defending the public rights in the matter. If, admittedly, the public had no right to interfere in the Foundation's board's administration of Rudolf Staechelin's paintings, obliged as they were to take current needs into consideration, that public did feel entitled to emphasize the intimate link that had been forged with the collector's beautiful and – to the public – important legacy. (. . .) "Difficulties such as Globe Air is suffering at the moment are – as we say in business – part of the game. An accomplishment such as Rudolf Staechelin's collection belongs in an altogether different category. Building up such a collection represents a creative endeavor that hardly lends itself to being measured in terms of investment and yield. Such a collection testifies to a person's cultural personality: it is unique and irreplaceable. And it comprises objects on which the public as well, in accordance with the collector's wishes, is entitled to stake a claim[74]."

It was only when the two Picassos – "Les deux frères" and "Arlequin assis" – were put up for sale that a wider circle amongst the Basel public began to react, ceaselessly marshaling discussions over the matter in a manner heretofore unheard of in that city. Somewhat pressured by the increasingly aggressive mood amongst the city's citizens, Peter G. Staechelin ended up by offering the two paintings to the Canton of Basel-City for 8.4 million francs. It was a thoroughly generous gesture, considering that the bids coming in from abroad exceeded that sum by several millions. The gesture was an indication as well that the Foundation founder's son hoped to have the paintings remain where they had come to "belong" so to speak. In another section of this book, Franz Meyer, the museum's former curator, provides the full story on the role of government subsidization and private donations, on the incomparable "Beggars' Party". (. . .) Picasso's joy over the results of the Basel campaign (. . .) his gift of paintings to the Basel Museum of Fine Arts. Cooperation between the Rudolf Staechelin Family Foundation and the Fine Arts Museum was to continue under the favorable auspices of a loan agreement. Upon the sale of the two Picasso paintings to the museum, the Foundation drew

avevano mai sentito parlare, poiché essa comprendeva alcuni quadri che si erano conquistati la fama grazie alle innumerevoli riproduzioni.

Non sarebbe passato molto tempo e un paio dei quadri, tra i più noti a Basilea, non avrebbero più fatto parte della collezione. Infatti, un tragico destino doveva far sì che la grande notorietà della rassegna e l'inizio delle perdite più dolorose dovessero cadere nello stesso decennio. Il 20 aprile 1967, un aereo «Bristol Britannia» della compagnia aerea charter basilese «Globe Air SA», precipitò durante l'atterraggio a Nicosia causando la morte di 126 persone. La sciagura privò la società, che già si trovava in difficoltà finanziarie, delle residue possibilità di imporsi sul mercato. Peter G. Staechelin, azionista principale della «Globe Air», si vide così improvvisamente assediato da debiti che in poco tempo raggiunsero decine di milioni: «Quando la ‹Globe Air› sprofondò, nonostante i miei sforzi finanziari, dovetti immediatamente affrontare notevoli debiti. È dire una cosa banale che è quasi impossibile in breve tempo trasformare il patrimonio in liquidità senza subire considerevoli perdite. Mi trovai così in una condizione di necessità di cui informai il Consiglio della Fondazione, il quale decise di vendere i due dipinti di Picasso e alcuni altri quadri[73].» «Le petit port de mer» di Monet, «Le village des Sablons» di Sisley, il «Portrait de l'artiste» di Cézanne e la «Berceuse» di van Gogh furono messi sul mercato, raggiungendo prezzi che dovevano stupire un pubblico non ancora abituato ad aste record. Ad esempio la «Berceuse», partita per gli Stati Uniti via Parigi (oggi si trova nella collezione Mr. and Mrs. Walter H. Annenberg), fruttò più di quattro milioni di franchi svizzeri, una somma che rese subito molto cosciente l'opinione pubblica basilese, la quale da tempo aveva stretto una forte familiarità con il quadro, della grande perdita. Si capisce dunque come Wolfgang Bessenich, sulla «National-Zeitung», si sia proclamato l'avvocato del pubblico: pur non negando alla Fondazione il diritto di amministrare i propri quadri secondo le esigenze, egli intese comunque ribadire con fermezza che i basilesi si sentivano profondamente legati a questa meravigliosa e significativa eredità: «Le difficoltà, incontrate in questo momento dalla ‹Globe Air›, appartengono, come si suol dire, ai rischi dell'iniziativa privata, mentre un'opera come la collezione di Rudolf Staechelin rientra in un'altra categoria di valori. Una tale raccolta riflette un atto creativo che non può essere misurato in cifre, visto che testimonia la cultura di una persona in questo senso unica e insostituibile. La collezione, proprio perché rispecchia le intenzioni di colui che l'ha costituita, consiste in oggetti sui quali anche il pubblico ha un diritto[74].»

Ma solo quando le due tele di Picasso («Les deux frères» e «Arlequin assis») vennero destinate alla vendita, gran parte dell'ambiente basilese cominciò a reagire, sollevando un dibattito artistico che fu alimentato da una campagna pubblica senza precedenti nella città. Alla fine, in una situazione sempre più aggres-

Vincent van Gogh
La Berceuse, Portrait de Madame Roulin
Today in the Mr. and Mrs. Walter H. Annenberg collection

Vincent van Gogh
La Berceuse, ritratto di Madame Roulin
Oggi nella Collezione Mr. e Mrs. Walter H. Annenberg

up a fifteen-year loan agreement with them, concerning an important number of the collection's works: "NAFEA" and "Entre les Lys" [Amongst the Irises] by Gauguin, "Le jardin de Daubigny" [Daubigny Garden] and "Tête de Femme" [Woman's Head] by van Gogh, "Verre et pommes" [Glass and Apples] and "La maison du docteur Gachet" [Dr. Gachet's House] by van Gogh, "Tête de femme" [Woman's Head] by Manet, "Olevano" by Corot, "La carrière" [The Quarry] and "Une rue à l'Hermitage" [Street in L'Hermitage] by Pissarro, "Madame Matisse au châle de Manille" [Mme. Matisse with Mantilla] by Matisse, and "Femme à sa toilette" [Woman Washing] by Degas. Yet, undeniably, the formerly neighborly, at times quite warm relations between the collector/Foundation founder and his inheritors on the one hand, and the museum on the other had suffered a strain. The museum itself had perhaps been less affected than the progressively ever more art-hungry public, who had come to think of Rudolf Staechelin's loans almost as belonging to them. Recent events had suddenly made them painfully aware of how precarious the relationship between the Foundation and the city was, notwithstanding the best intentions of the Foundation's director. Nor could they in the future take the Foundation loans into longterm consideration in evaluating the museum's assets.

siva, Peter G. Staechelin offrì i due quadri al cantone della città per 8,4 milioni franchi. Era questa una proposta generosa, se si pensa che le offerte dall'estero erano molto superiori, che del resto rifletteva anche la preoccupazione del figlio del fondatore di lasciare i quadri in un ambito ormai divenuto consueto. Franz Meyer, direttore del Museo, ha descritto in altra sede la discussione che il credito dello stato provocò, rendendo conto dei contributi dei privati e dell'impareggiabile «Bettlerfest» (la festa il cui ricavato contribuì all'acquisto dei due Picasso), ricordando anche la gioia di Picasso per la «colletta» e la sua donazione al «Kunstmuseum».

Significativa per la futura cooperazione, fu la stipulazione di un primo contratto di prestito tra la Fondazione Rudolf Staechelin e il «Kunstmuseum». Questo accordo diventò valido con l'acquisizione dei due Picasso e mise per 15 anni una parte cospicua della collezione a disposizione del museo: «NAFEA» e «Entre les lys» di Gauguin, «Le jardin de Daubigny» e «Tête de femme» di van Gogh, «Verre et pommes» e «La maison du docteur Gachet» di Cézanne, «Tête de femme» di Manet, «Olevano» di Corot, «La carrière» e «Une rue à l'Hermitage» di Pissarro, «Madame Matisse au châle de Manille» de Matisse e «Femme à sa toilette» di Degas. Malgrado ciò, i rapporti di una volta, quasi amichevoli, o almeno di buon vicinato tra il collezionista e fon-

On the other side of the picture, it must be said that the Staechelin family as well had its share of wounds to lick, as a result of the Basel public's vehement and to some extent aggressive reactions. To this day the collector's grandson, Ruedi Staechelin, can recall the long and painfully traumatic period of his youth when the city's intransigent mood forced him and his brother to finish their schooling outside the city. It was particularly hard to understand why no one seemed willing to give their father credit for all his efforts to save whatever could be saved of the artistic legacy. For instance, his willingness to put other paintings up for sale not only to honor the obligations inflicted by the accident and the firm's collapse, but to replace at least several of the pieces missing in the family fortune.

In the early seventies, Peter G. Staechelin started out all over again by going into the tourist business in Kenya. To make up for past failure, he created the new company in association with his former Globe Air partners, rather than reinstating himself as the company's major shareholder. The success of his new business venture – within but a few years, they became the unrivaled leaders in the field of tourism in East Africa as well as Kenya's most important source of foreign currency – was a source not only of financial, but indeed moral satisfaction to all its participants. "African Safari Clubs" had just consolidated its implantation when Peter G. Staechelin's new entrepreneurial career came to an abrupt end: he crashed to his death on a flight from Munich to Switzerland. His younger son Martin died in the same accident.

During his lifetime, Peter G. Staechelin had rounded out the collection (i.e. a still life by Toulouse-Lautrec or the "separated (by the artist himself) part" of Vallotton's "Moscow" painting), without however affecting its historical configuration to any great extent. Rather, he applied his artistic connoisseurship to becoming an incomparable patron on behalf of Luigi Pericle, a graphic artist and painter born in 1916. The artist, who lives and works in Ascona, first gained recognition with humorous drawings and essays, before adopting what was to become his true means of artistic expression. "We began working together", the artist recalls[75], "on August 15th, 1959, when, with all the strength of his experience, my benefactor became impassioned of my barely created work." At that point in time, Pericle, who had destroyed all his artistic production from the thirties, was in the process of creating from scratch: "At first, my benefactor was but an observer, whose attention had been captured by the novelty of creation. But thanks to an innate talent of his – a marvelous and promising artistic sense – he soon began providing spiritual post-creative support and, as such, actually became a spiritual partner in the creative act itself. His skill was to enable him

datore, gli eredi della Fondazione da una parte e il «Kunstmuseum» dall'altra, si offuscarono. In verità, soprattutto il pubblico basilese, forse in misura minore il Museo, si erano abituati a considerare i quadri di Rudolf Staechelin come un patrimonio della città. Improvvisamente ci si rese conto invece che, nonostante la buona volontà della Fondazione, il rapporto tra la collezione privata e il museo era fragile e che il museo non poteva contare per sempre sul deposito.

L'esperienza riguardo alle eccessive e irritate reazioni del pubblico basilese lasciò delle ferite anche in seno alla famiglia Staechelin. Ruedi Staechelin, nipote del collezionista, si ricorda di un periodo estremamente traumatico della sua gioventù, del clima pesante che costrinse perfino lui e suo fratello a frequentare la scuola fuori Basilea. E anche adesso gli sembra incomprensibile che tutti i tentativi fatti dal padre per salvaguardare il più possibile la collezione non siano mai stati veramente apprezzati. Tanto è vero che il padre di Ruedi non ha mai approfittato della possibilità di saldare, grazie a ulteriori vendite di quadri, non solo i debiti causati dalla sciagura aerea e dal tracollo della società, ma anche di sopperire almeno in parte al patrimonio familiare perduto.

Nei primi anni settanta, Peter G. Staechelin cominiciò da capo l'attività lanciando un progetto turistico nel Kenia e, malgrado gli insuccessi del passato, costituì con i vecchi soci della «Globe Air» una nuova società ove adesso, diversamente da prima, deteneva la maggioranza. Il fatto che nell'arco di pochi anni questa compagnia sia riuscita a dominare il mercato turistico dell'Africa orientale e a diventare il più importante strumento di raccolta di valuta pregiata per il Kenia, fu una soddisfazione non solo economica ma anche morale per tutti coloro che ne erano coinvolti. Ma, destino voleva, che anche questa nuova intrapresa avesse una fine repentina, proprio nel momento in cui la prima fase di realizzazione del suo «African Safari Club» stava per concludersi. Peter G. Staechelin e suo figlio minore, Martin, morirono infatti in un disastro aereo, durante un volo da Monaco alla volta della Svizzera.

Anche se Peter G. Staechelin arricchì la collezione che era rimasta, grazie ad alcune acquisizioni (come la natura morta di Toulouse-Lautrec o la «parte separata» del quadro di Mosca di Vallotton), tuttavia non riuscì a completarla nelle sue parti storiche. Capovolse semmai la sua sensibilità artistica, attraverso una concentrazione senza pari delle opere del grafico e pittore Luigi Pericle, nato nel 1916. L'artista, che tuttora vive e lavora ad Ascona, aveva scoperto un proprio linguaggio artistico solo dopo una fortunata carriera di disegnatore umoristico e di letterato. «La nostra collaborazione iniziò il 15 agosto 1959», ha ricordato l'artista[75], «dopo che Peter G. Staechelin si era entusiasmato, aveva dato sfogo a tutte le sue emozioni per l'opera che era in procinto di nascere.» Pericle, che aveva distrutto le sue creazioni

to 'read' the most complex of graphic lines, meaning he was capable of seeing and understanding correctly." The artist described the art patron as a "virtuoso of seeing". Today's Staechelin collection still includes almost all of the characteristically un-formalistic artistic works produced by Pericle during the sixties and seventies. On the other hand, the Staechelin Foundation was to divest itself – in retrospect, a rather unfortunate decision – of all its Schiele and Klimt works, in no small way pressured into doing so by the Viennese collector Rudolf Leopold.

After the accident that look his father's life, Ruedi Staechelin became chairman of the Foundation board. The fifteen-year loan agreement with the museum ran out in 1982: it was not to be renewed in the same legal form. Instead, the masterpieces continued out on loan to the public art collection on the same basis as prior to 1967, without any set time limit and open to termination by either Party without prior notice. A "suggestion list" was drawn up of those loans that the museum management felt deserved to remain on permanent display. Picasso's "Arlequin au Loup" – for the museum was a bit weak in examples of Picasso's work – and three of Hodler's paintings were made available to the museum. In June 1988, partially as a reaction as well to the stock market crash, a large contingent of works selected from storage and from the collection's engravings sector were auctioned off at Kornfeld's in Bern. The lot comprised, in addition to paintings by such French-Swiss artists as Auberjonois, Barraud and Vallet, works by their compatriot Hodler as well (a study for his "Blick in die Unendlichkeit" [A Glimpse of Eternity]), together with a watercolor by Gauguin, "Chien Mort" [Dead Dog] by Delacroix, "Gabrielle au collier" [Gabrielle with Necklace] by Renoir, and 4 drawings by Picasso, including his famous "Le berger" [The Shepherd] of 1903.

The publicity following upon the successful Bern auction did much to stimulate the art market's greed. It sharpened awareness amongst art dealers that not only were works available for sale, but that the owners of such works often were not in as strong a financial position as the value of their collections led one to surmise.

Yet the Foundation stood its ground at first, resisting some quite tempting bids to put the most significant collection pieces, if not the entire collection, on the high-priced market. But as time passed, the bids and all the internal discussion they engendered among members of the Foundation board, gradually had their effect on the board's initial stand. In order to establish a certain longterm autonomy for himself with respect to the family (Foundation) fortune, Ruedi Staechelin gave instructions that, while the collection's most significant paintings should remain untouched on the whole,

degli anni trenta, era infatti in procinto di ricominciare da capo. «In un primo momento, il mecenate divenne un osservatore interessato all'opera che stava per sorgere, quindi, grazie al suo meraviglioso senso innato per la pittura, ne divenne emulo spirituale, e dunque anch'esso co-creatore. Questa capacità gli consentiva di ‹leggere›, vale a dire di vedere e di comprendere, i segni più difficili.» Luigi Pericle ha descritto Peter G. Staechelin come un «virtuoso del vedere». A tutt'oggi la collezione di Rudolf Staechelin abbraccia quasi l'intera opera dell'artista, che negli anni sessanta e settanta ha assunto un orientamento informale. In cambio delle opere di Pericle, e su insistenza del collezionista viennese Rudolf Leopold, la Fondazione si separò dai suoi disegni di Schiele e Klimt, decisione questa che oggi non appare certo molto felice.

Dopo la tragica morte di suo padre, Ruedi Staechelin ha assunto la presidenza del Consiglio della Fondazione. Il contratto con il museo, valido per quindici anni, è scaduto nel 1982 e da allora non è stato più rinnovato in questa forma, ma è stata adottata la soluzione precedente il 1967: le opere principali sono state ancora messe a disposizione della «Öffentliche Kunstsammlung», ma senza che sia stata stabilita la durata del prestito ed è stata prevista la possibilità di disdire l'accordo in qualsiasi momento da entrambi le parti. Inoltre, in una «lista preferenziale», la Direzione del «Kunstmuseum» ha elencato i quadri che desiderava assegnare alla mostra permanente, mentre l'«Arlequin au loup» di Picasso e tre tele di Hodler sono stati invece concessi in deposito al «Kunsthaus» di Zurigo, che non era particolarmente ricco di opere dell'artista spagnolo. Nel giugno 1988, anche a causa del tracollo della borsa, un cospicuo gruppo dei lavori, depositati fino allora al «Kupferstichkabinett», è stato messo all'asta da Kornfeld a Berna: accanto a quadri di pittori romandi come Auberjonois, Barraud e Vallet, sono stati venduti anche lo studio di Hodler «Sguardo verso l'infinità», l'acquerello di Gauguin, le «Chien mort» di Delacroix, la «Gabrielle au collier» di Renoir e quattro disegni di Picasso, tra cui l'importante «Le berger» del 1903.

La pubblicità fatta intorno all'asta di Berna, la quale ebbe successo, stimolò decisamente la cupidigia del mercato d'arte, perché ci si rese improvvisamente conto che, in primo luogo, i dipinti erano virtualmente accessibili e che, in secondo luogo, i proprietari non disponevano affatto di un appoggio finanziario corrispondente all'importanza della collezione.

La Fondazione aveva, in un primo momento, respinto tutte le offerte per alcune tra le opere principali o perfino per l'intera raccolta. Le intenzioni della Fondazione, anche in seguito alle discussioni successive nel Consiglio e a nuove offerte, hanno tuttavia subito una modifica: Ruedi Staechelin ha chiesto al Consiglio della Fondazione di non toccare le opere di primissimo rango, non prima però di aver venduto un altro importante quadro della collezione, proprio per rendersi per lungo tempo economi-

one more major work of art should go up for sale After a worldwide promotional tour, Gauguin's Breton landscape "Entre les lys" [Amongst the Irises] was sold by Sotheby's of New York on November 15th, 1989, to Japan, for the sum of eleven million dollars. The sale has left a gap in an already somewhat reduced collection. Yet, above all, it represents a posthumous triumph for the collector and founder of the Staechelin Family Foundation: a man whose flair and decisiveness two generations ago would bring together works for which today's collectors are obliged to pay out millions.

camente indipendente dal patrimonio della Fondazione. Il 15 novembre del 1989, dopo essere stato presentato in varie parti del mondo, il paesaggio bretone «Entre les lys» di Gauguin è stato così venduto dalla Sotheby's di New York a degli acquirenti giapponesi per undici milioni di dollari. Anche se questa perdita ha tolto un ulteriore elemento ad una collezione, peraltro già ridotta, la vendita ha in fondo significato un trionfo postumo per Rudolf Staechelin, che oltre mezzo secolo fa aveva riunito, con preveggenza e con determinazione, quei dipinti che oggi i collezionisti si contendono per milioni.

Notes

1 "Basler Nachrichten", "National-Zeitung" – Jan. 4, 1946

2 August Rüegg, "Vom Geist der Polis. Basler Lebensbilder", Basel 1965, p. 47

3 Biographical data stemming from Gustaf Adolf Wanner's article in the "Basler Nachrichten" – Dec. 2/3, 1967

4 Rüegg, op. cit., p. 47

5 Documented in handwritten "Catalog. Collection Rudolf Staechelin", Basel, no year, pp. 108, 110, 112 (archives, Rudolf Staechelin Family Foundation)

6 Cf. Florens Deuchler, "Die französischen Impressionisten und ihre Vorläufer. Stiftung 'Langmatt', Sidney and Jenny Brown", Baden 1990

7 Cf. Lukas Gloor, "Von Böcklin zu Cézanne. Die Rezeption des französischen Impressionismus in der Schweiz", Bern 1986, in: "Europäische Hochschulschriften" XXVIII/58

8 "National-Zeitung" – Jan. 4, 1946

9 Ernst Saxer, "Rudolf Staechelin zum Gedächtnis. 1881–1946", in: "Sammlung Rudolf Staechelin, Kunstmuseum Basel 1956" catalogue

10 Karl-Heinz Meissner, "Der Handel mit der Kunst in München", in: "Ohne Auftrag. Zur Geschichte des Kunsthandels in München", Munich 1989, pp. 50 ff.

11 Cf. "Die Geschichte des Basler Kunstvereins und der Kunsthalle Basel 1939–1988", published by the Basel Kunsthalle, Basel 1989, p. 64

12 Quoted according to the exhibition catalogue "Max Beckmann. Frankfurt 1915–1933", Frankfurt 1983/84, p. 48

13 Thieme/Becker, "Allgemeines Lexicon der Schweiz XX. Jahrhundert". Leipzig 1925

14 Eduard Plüss, "Künstler Lexikon der Schweiz XX. Jahrhundert", Frauenfeld 1958–60

15 Meissner, op. cit., p. 48

16 Ibid, p. 51, 52

Note

1 «Basler Nachrichten»; «National-Zeitung», 4 gennaio 1946

2 August Rüegg, «Vom Geist der Polis. Basler Lebensbilder», Basel 1965, p. 47

3 I dati biografici sono di Gustaf Adolf Wanner pubblicati nelle «Basler Nachrichten» del 2/3 dicembre 1967

4 Rüegg, op. cit., p. 47

5 Cfr. «Catalog. Collection Rudolf Staechelin», Basilea s.a., p. 108/110/112 (Archivio della Fondazione di Famiglia Rudolf Staechelin)

6 Cfr. Florens Deuchler, «Die französischen Impressionisten und ihre Vorläufer. Stiftung ‹Langmatt›, Sidney und Jenny Brown», Baden 1990

7 Cfr. Lukas Gloor, «Von Böcklin zu Cézanne. Die Rezeption des französischen Impressionismus in der Schweiz», in «Europäische Hochschulschriften», Bern 1986, XXVIII/58

8 «National-Zeitung», 4 gennaio 1946

9 Ernst Saxer, «Rudolf Staechelin zum Gedächtnis. 1881–1946», in «Sammlung Rudolf Staechelin», Kunstmuseum Basel 1956, s.p.

10 Karl-Heinz Meissner, «Der Handel mit der Kunst in München», in «Ohne Auftrag. Zur Geschichte des Kunsthandels in München», München 1989, p. 50 ss.

11 Cfr. «Die Geschichte des Basler Kunstvereins und der Kunsthalle Basel 1839–1988», Kunsthalle Basel 1989, p. 64

12 Cfr. «Max Beckmann. Frankfurt 1915–1933», Frankfurt 1983/84, p. 48

13 Thieme/Becker, «Allgemeines Lexikon der Bildenden Künstler», Leipzig 1925

14 Eduard Plüss, «Künstler-Lexikon der Schweiz XX. Jahrhundert», Frauenfeld 1958–60

15 Meissner, op. cit., p. 48

16 Meissner, op. cit., p. 51/52

17 Meissner, op. cit., p. 78

18 Nota nel «Catalog», cfr. nota 5, «ripreso da M. Arbini»

19 Wilhelm Barth, «Gauguin», Basel 1929, p. 107

20 Deuchler, op. cit., p. 76

17 Ibid, p. 78
18 Entry in the handwritten "Catalog", op. cit.: "Acquired from M. Arbini"
19 Wilhelm Barth, "Gauguin", Basel 1929, p. 107
20 Deuchler, op. cit. p. 76
21 Rainer Maria Rilke, "Briefe über Cézanne", Frankfurt 1983, p. 59
22 Werner Spies, "Picasso. Pastelle, Zeichnungen, Aquarelle." Stuttgart 1986, p. 31
23 Georg Schmidt in the "National-Zeitung" – Jan. 7, 1946
24 Idem
25 Ploetz, "Auszug aus der Geschichte", Freiburg 1986, p. 1007
26 "Geschichte der Schweiz und der Schweizer", Basel 1983, Vol. III, p. 143
27 Johannes Huber, "die wirtschaftliche Rettung der Schweiz aus der heranrückenden grossen Wirtschafts-krise", Basel 1920, p. 9
28 Deuchler, op. cit. p. 16
29 "Geschichte der Schweiz und der Schweizer", op. cit.
30 Letter by Wilhelm Barth – Aug. 25, 1950 (archives of the Rudolf Staechelin Family Foundation)
31 "Der Bund" – Nov. 17, 1920
32 "National-Zeitung" – Sept. 14, 1920
33 Ibid – Sept. 18, 1920
34 "Basler Vorwärts" – Sept. 11, 1920
35 "Basler Nachrichten" – Sept. 14, 1920
36 Rudolf Kaufmann, op. cit., p. 257
37 Letter by Wilhelm Barth – Sept. 14, 1922 (archives of the Rudolf Staechelin Family Foundation)
38 "Reiter" – no further indication
39 Cf. commentary to picture p. 84.
40 John Rewald, "Von van Gogh bis Gauguin. Die Geschichte des Nachimpressionismus", Cologne 1987, p. 202
41 Vincent van Gogh, "Briefe an seinen Bruder", Frank-furt 1988, Vol. III, letter no. 495, p. 235
42 Gustaf Adolf Wanner in the "Basler Nachrichten" – Dec. 2/3, 1967
43 Georg Schmidt, "125 Jahre Basler Kunstverein (1939–1964)", in: Sunday supplement to "National-Zeitung" – June 21, 1964
44 Cf. "Die Geschichte des Basler Kunstvereins…", op. cit., p. 140
45 Catalogues nos. 73, 76, 77
46 "Basler Nachrichten" – Oct. 24/25, 1931
47 Typescript from the archives of the Rudolf Staechelin Family Foundation
48 Quoted according to the handwritten protocol records for the "Rudolf Staechelin Family Foundation" – Sept. 4, 1931 till Nov. 24, 1959

21 Rainer Maria Rilke, «Briefe über Cézanne», Frankfurt 1983, p. 59
22 Werner Spies, «Picasso. Pastelle, Zeichnungen, Aquarelle», Stuttgart 1986, p. 31
23 Georg Schmidt, in «National-Zeitung», 7 gennaio 1946
24 Schmidt, ibid.
25 Ploetz, «Auszug aus der Geschichte», Freiburg 1986, p. 1007
26 «Geschichte der Schweiz und der Schweizer», Basel 1983, III, p. 143
27 Johannes Huber, «Die wirtschaftliche Rettung der Schweiz aus der heranrückenden grossen Wirtschaftskrise», Basel 1920, p. 9
28 Deuchler, op. cit., p. 16
29 «Geschichte der Schweiz und der Schweizer», ibid.
30 Lettera di Wilhelm Barth del 25 agosto 1920 (Archivio della Fondazione di Famiglia Rudolf Staechelin)
31 «Der Bund», 17 novembre 1920
32 «National-Zeitung», 14 settembre 1920
33 «National-Zeitung», 18 settembre 1920
34 «Basler Vorwärts», 11 settembre 1920
35 «Basler Nachrichten», 14 settembre 1920
36 Rudolf Kaufmann, «Gregor Staechelin und seine Familie», Basel 1930, p. 257
37 Lettera di Wilhelm Barth del 14 settembre 1922 (Archivio della Fondazione di Famiglia Rudolf Staechelin)
38 «Reiter» – non meglio definito
39 Cfr. commento al quadro, p. 84
40 John Rewald, «Von van Gogh bis Gauguin. Die Geschichte des Nachimpressionismus», Köln 1987, p. 202
41 Vincent van Gogh, «Briefe an seinen Bruder», Frankfurt 1988, III, lettera no. 495, p. 235
42 Gustaf Adolf Wanner nelle «Basler Nachrichten», 2/3 dicembre 1967
43 Georg Schmidt, «125 Jahre Basler Kunstverein (1839–1964)», in «National-Zeitung» (inserto domenicale), 21 giugno 1964
44 Cfr. «Die Geschichte des Basler Kunstvereins [. . .]», op. cit., p. 140
45 Catalogo No. 73/76/77
46 «Basler Nachrichten», 24/25 ottobre 1931
47 Dattiloscritto (Archivio della Fondazione di Famiglia Rudolf Staechelin)
48 Cfr. «Registro della ‹Fondazione di Famiglia Rudolf Stae-chelin›, verbali dal 4 settembre 1931 al 24 novembre 1959»
49 Oggi presso l'Hiroshima Museum of Modern Art (Faille No. 776)
50 «Registro [. . .]», op. cit., p. 6
51 Cfr. il saggio di Christian Geelhaar in questo volume
52 Paul Ortwin Rave, «Kunstdiktatur im Dritten Reich», Berlin s.a. (riedito da Uwe M. Schneede), p. 18/19

49 Ibid, p. 6
50 Today in the Hiroshima Museum of Art (Faille no. 776)
51 Cf. Christian Geelhaar's contribution to this book
52 Paul Ortwin Rave, "Kunstdiktatur im Dritten Reich", Berlin, no year indicated (reedited by Uwe M. Schneede), pp. 18, 19
53 Rave, op. cit. p. 19
54 "Neue Zürcher Zeitung" – March 2, 1933
55 Alfred Rosenberg, "Der Mythus des 20. Jahrhunderts", Munich 1930
56 Rave, op. cit., p. 59
57 Ibid, p. 73
58 "Zeitschrift für Kunstgeschichte", IV/1934, pp. 45 ff.
59 Walter Ueberwasser, "Le jardin de Daubigny. Das letzte Hauptwerk van Goghs". Basel 1936
60 Rave, op. cit., pp. 118, 119
61 "National-Zeitung" – Aug. 6, 1936
62 Georg Kreis, " 'Entartete Kunst' für Basel", Basel 1990, pp. 54 ff.
63 "National-Zeitung" – Jan. 7, 1946
64 Letter by Georg Schmidt – April 8, 1947 (archives of the Rudolf Staechelin Family Foundation)
65 Idem – April 12, 1947 (Ibid)
66 Peter G. Staechelin, in a talk with Françoise Fisch – Sept. 30, 1969 (typescript in archives of the Rudolf Staechelin Family Foundation)
67 Protocol – Dec. 3, 1953
68 "Weltwoche" – May 25, 1956
69 "National-Zeitung" – May 27, 1956
70 "St. Galler Tagblatt" – May 26, 1956
71 "Basler Volksblatt" – May 26, 1956
72 "La Revue de Paris" – June 1964, p. 125
73 Peter G. Staechelin, in a talk with Françoise Fisch – op. cit. (Ibid)
74 Quoted by Bernhard Scherz/Kurt Wyss, "Die Basler Picasso-Story", Basel 1981, p. 13
75 Luigi Pericle "Dipinti e disegni", Novara (Text by author)

If you are interested in the book by Luigi Pericle please contact Ruedi Staechelin, Hirslandweg 16, CH-4144 Arlesheim
or Luigi Pericle Giovannetti, Casa San Tommaso, CH-6612 Ascona

53 Rave, op. cit., p. 19
54 «Neue Zürcher Zeitung», 2 marzo 1933
55 Alfred Rosenberg, «Der Mythus des 20. Jahrhunderts», München 1930
56 Rave, op. cit., p. 59
57 Rave, op. cit., p. 73
58 «Zeitschrift für Kunstgeschichte», IV/1934, p. 45 ss.
59 Walter Ueberwasser, «Le jardin de Daubigny. Das letzte Hauptwerk van Goghs», Basel 1936
60 Rave, op. cit., p. 118/119
61 «National-Zeitung», 6 agosto 1936
62 Georg Kreis, «‹Entartete› Kunst für Basel», Basel 1990, p. 54 ss.
63 «National-Zeitung», 7 gennaio 1946
64 Lettera di Georg Schmidt dell'8 aprile 1947 (Archivio della Fondazione di Famiglia Rudolf Staechelin)
65 Lettera di Georg Schmidt del 12 aprile 1947 (ibid.)
66 Peter G. Staechelin, colloquio con Françoise Fisch, 30 settembre 1969 (dattiloscritto, ibid.)
67 Verbale del 3 dicembre 1953
68 «Weltwoche», 25 maggio 1956
69 «National-Zeitung», 27 maggio 1956
70 «St. Galler Tagblatt», 26 maggio 1956
71 «Basler Volksblatt», 26 maggio 1956
72 «La Revue de Paris», giugno 1964, p. 125
73 Peter G. Staechelin, colloquio con Françoise Fisch, cfr. nota 66
74 Bernhard Scherz/Kurt Wyss, «Die Basler Picasso-Story», Basel 1981, p. 13
75 Luigi Pericle, «Dipinti e disegni», Novara s.a. (testo dell'artista inserito)

Per informazioni riguardanti il libro di Luigi Pericle rivolgersi a:
Ruedi Staechelin, Hirslandweg 16, CH-4144 Arlesheim
oppure a: Luigi P. Giovannetti, Casa San Tommaso, CH-6612 Ascona

Jean-Baptiste-Camille Corot (1796–1875)
Olevano, La Serpentara, 1827
Oil on canvas, 33.5 × 47 cm
On loan at the Basel Museum of Fine Arts since 1952

Olevano in the Sabine Mountains, a "rocky refuge"[1] known for its view into the plain of the Campagna, was an attraction point for artists by the beginning of the 19th century. On his excursions into the surroundings of Rome, Joseph Anton Koch had already discovered this picturesque site in 1803. His enthusiasm for this Arcadian landscape with its characteristic oak woods on the "Serpentara" ridge spread quickly among Roman artists. Olevano soon became the "painters' summer paradise"[2]. Corot, too, was a frequent guest there. In the autumn of 1825 he had moved to Rome, where he stayed until 1828. He came up with a wealth of small-sized landscapes and portraits from his excursions into the mountainous regions in the proximity of Rome, at times accompanied by his friend Théodore Caruelle d'Aligny. The works were genuine "wonders of topographical precision and tonality"[3]: oil studies painted directly in front of the subject or model, and later elaborated in his "Souvenirs d'Italie". Contacts with the German colony in Rome however had no effect on the painter's admiration for Poussin, inherited from his teacher Jean-Victor Bertin, and did not convert the artist to Romanticism. Heroic landscapes continued to furnish the subject matter of the work with which he rapidly achieved notable success in various "salons". However, his "studies" stemming from an intimate dialogue with nature meant quite as much to him personally, and he took care to distinguish them from his "compositions": "Then I was all of a sudden thrown back on myself, on nature, and there I was"[4]. The attraction of "Olevano, la Serpentara" derives from the fact that this painting shows both the controversially assertive and the patiently observing facets of the artist's work. Yet the landscape space – the way it is perceived – might well serve as a stage for a grand scene full of mythological figures. Nevertheless it presents a certain sober reticence, experienced with empathy and with no obligation to attain the sublime: a pictorial sketch, a projection where three horizontal waves crowned by central woods are fashioned – in the absence of any lines – exclusively out of colors and out of strong contrasts between light and shadow.

Jean-Baptiste Camille Corot (1796–1875)
Olevano, La Serpentara, 1827
Olio su tela, 33,5 × 47 cm
In deposito al Kunstmuseum di Basilea dal 1952

Olevano, un nido d'aquila situato sui monti Sabini[1], con una famosa vista sulla campagna romana, esercitò un'attrativa particolare sugli artisti fin dall'inizio del XIX secolo. Nel 1803 Joseph Anton Koch, facendo delle escursioni nei dintorni di Roma, scoprì questo posto pittoresco: il suo entusiasmo per il paesaggio arcadico con il caratteristico boschetto di querce sul dorso dell'altura (la serpentara) si diffuse velocemente negli ambienti artistici romani e Olevano divenne il «paradiso estivo dei pittori»[2]. Anche Corot vi fu visto spesso. Nell'autunno del 1825 si era trasferito a Roma, dove rimase fino al 1828. Frutto delle sue gite sulle colline romane – dove talvolta lo accompagnava il suo amico Théodore Caruelle d'Aligny – fu un gran numero di piccoli paesaggi e ritratti, «degli esempi straordinari di precisione topografica e senso del colore»[3], studi a olio dal vivo che gli servirono più tardi per realizzare i suoi «Souvenirs d'Italie». I contatti con gli artisti tedeschi di Roma non convertirono Corot al romanticismo e non sminuirono la sua ammirazione per Poussin, trasmessagli soprattutto dal suo maestro Jean-Victor Bertin. Il paesaggio eroico rimase uno dei pilastri della sua opera, grazie al quale ebbe rapidamente successo nei salotti. D'altra parte, lo «studio» risultante da un intimo dialogo con la natura, e per lui ben distinto dalla composizione, fu per lui sempre altrettanto importante: «In quel momento tutto dipendeva da me, dalla natura, e là ritrovavo me stesso»[4]. Il fascino di «Olevano, La Serpentara» deriva da come il dipinto riveli il Corot teorico efficace e al tempo stesso tranquillo osservatore. Il paesaggio, così come viene rappresentato, potrebbe fare da sfondo ad una grandiosa scena mitologica. La tela, piuttosto uno schizzo, le cui tre fasce orizzontali, coronate al centro da un boschetto, risultano più dal colore e dal contrasto luce/ombra che da contorni precisi, coinvolge silenziosamente lo spettatore, pur senza raggiungere il sublime.

Henri Fantin-Latour (1836–1904)
Le jugement de Pâris, 1903
Oil on canvas, 83.5 × 100.5 cm
On loan at the Basel Museum of Fine Arts since 1970

Although on friendly terms with the painters gathering around Manet at the Café Guerbois, Fantin-Latour never wanted to belong to the Impressionists. In "Un atelier aux Batignolles"[5], he reverentially shows Manet sitting in front of his easel, surrounded by literati and painters like-minded in criticizing academic theatrics, though he refrains from including himself. His painting represents classical artistic culture to such an extent, is so delicately nuanced, as if the artist did not yet wish to part with the overwhelming impressions received at the Louvre when copying Old Masters such as Veronese or Titian. Fantin-Latour's entire work is influenced by something characteristically timeless. His famous still lifes of flowers and fruit are in Chardin's tradition and, as a portrait painter, he clearly establishes himself as an objective chronicler who somewhat melancholically rigidifies his figures in an effort to distance them from the cultural upheavals of his times. "The Judgement of Paris" as well heralds back to the era of Boucher and Fragonard. The goddesses seem to float on frothy light clouds of colour – velvety derivations of the basic yellow-blue-red colour harmony – towards a classical beauty contest, gamboling around the Trojan prince on the mountain of Ida, like faces perceived in a dream. The scene is observed as if through a veil, conveying the painter's mistrust – standing as he does at the beginning of the 20th century – of mythology's capacity for self-preservation. It is as if this tale of beauty, of Eros and fateful choice, is remembered but as a long-lost spell. The flesh colours of these naked figures have a glow to them that illuminates their complacent entry onto the scene with a soft brightness. The painter forgoes any special light effects, just as in his still lifes, thus imbuing the pictorial elements with timeless stability. And even if the age-old play acted out here is made to overflow with dynamic fugacity, once again immortal archetypes are conceived. Somewhat later, the aged Renoir had the Judgement of Paris molded in bronze[6], but in his version the beauty court turns sour, into an official summons for the group and bodies to appear, while the same scene by Fantin-Latour is depicted in a discretely poetic manner as if from afar.

Henri Fantin-Latour (1836–1904)
Le jugement de Pâris, 1903
Olio su tela, 83,5 × 100,5 cm
In deposito al Kunstmuseum di Basilea dal 1970

Pur essendo legato da amicizia al gruppo di pittori raccolti intorno a Manet nel Café Guerbois, Fantin-Latour non volle mai far parte degli «impressionisti». Mosso da ammirazione, nel suo «Uno studio a Batignolles»[5] ritrasse Manet al cavalletto, circondato da tutti i pittori e letterati che, insieme al maestro, criticavano la teatralità accademica: ritrasse tutti eccetto se stesso. La sua tela testimonia una tale tradizione classica e una tale delicatezza cromatica, per cui l'artista sembra non voglia ancora liberarsi dalle potenti impressioni che gli si erano impresse, mentre copiava nel Louvre vecchi maestri come per esempio Veronese o Tiziano. Tutta l'opera di Fantin-Latour è caratterizzata da un certo anacronismo. Le sue famose nature morte di fiori e frutta si rifanno all'esempio di Chardin e come ritrattista egli si rivela un distanziato cronista, cui piace ritrarre i suoi personaggi isolati dal contesto della loro epoca, in una sorta di melancolica rigidezza. Anche «Il giudizio di Paride» lascia trasparire una certa nostalgia dei tempi di Boucher e Fragonard. Avvolte da soffici nuvole di colore, vellutata combinazione questa di giallo, blu e rosso, le dee fluttuano come creature di sogno intorno al principe troiano sul monte Ida per contendersi la mela. Sembra che il pittore osservi la scena attraverso un velo, come se, all'inizio del ventesimo secolo, dubitasse della credibilità del mito e come se ripensasse a questa storia di amore, bellezza e di elezione fatale come ad una lontana magia. Una luminescenza si irradia dall'incarnato delle figure svestite fino ad immergere la loro maestosa comparsa in una mite luminosità. Come nelle sue nature morte, anche qui l'artista rinuncia a particolari effetti di luce, il che conferisce alle figure ritratte una immobilità fuori dal tempo. Anche se qui la rappresentazione mitologica sembra pervasa da un effimero dinamismo, vengono in realtà riproposti tradizionali archetipi. Anche l'ormai vecchio Renoir farà fondere in bronzo un giudizio di Paride[6], anche se nelle sue mani il tribunale della bellezza si accaglierà in una corporeità del gruppo, mentre nel quadro di Fantin-Latour tutto è pervaso da una poesia discreta che sembra procedere da lontano.

Edouard Manet (1832–1883)
Tête de femme, 1870
Oil on canvas, 56.5 × 46.5 cm
On loan at the Basel Museum of Fine Arts since 1952

Heinrich Thannhauser sold the unfinished portrait in 1917 as "Portrait of Miss Demarsy". Actually actress Jeanne de Marsy was painted several times by Manet. As a portrait with a parasol and painted in profile, named "Spring"[7], or "en face" with a cape over her shoulders[8] for instance. Both paintings date 1881 and show no similarities whatsoever with "Tête de femme". The Venturi/Orienti designation as "Ritratto della Signora Bourdin" (dated 1870) is plausibly based on a letter the artist wrote in September 1870 to Théodore Duret, asking him to store thirteen paintings during the period he had to keep his studio closed, due to the Prussian advance upon Paris. His list indeed mentions a "Mlle B."[9]. Identification nevertheless proves quite difficult, not in the least because Mlle Bourdin is represented nowhere else in his work. 1870, less artistically productive but rich in events – even before war broke out Manet had fought a duel with art critic Duranty because of an exhibition review in Paris-Journal – counts a number of striking portraits[10]. "Tête de femme" is seen frontally, much as the 1866 portrait of Manet's wife Suzanne Leenhoff. A type of painting Manet was to prefer later on, when his colleague Berthe Morisot sat for him. Intimate proximity (between artist and model) lends tension to this portrait; small distances and immediate eye contact – which the woman in the portrait seeks to avoid by slightly turning and tilting her head – characterize the meeting between painter and model. Her almost black hair hardly emerges from the brown background: the light brushstrokes leave clearly concentrated traces nearest her head. This renders all the stronger the contrast her pale complexion offers in the midst of those shadowy zones. A colour mood that oscillates "between heavy darkness and pale light"[11]. The blue neck scarf adds an elegant accent to the lightly sketched painting. This touch turns the painting into an homage of the self-assured, modern Paris to which, throughout the seventies and eighties, Manet dedicated such a large number of characteristic portraits.

Edouard Manet (1832–1883)
Tête de femme, 1870
Olio su tela, 56,5 × 46,5 cm
In deposito al Kunstmuseum di Basilea dal 1952

Nel 1917 Heinrich Thannhauser vendette questo quadro incompiuto come «Ritratto della Signorina Demarsy». L'attrice Jeanne de Marsy fu spesso ritratta da Manet, di profilo e con un ombrellino da sole per la «Primavera»[7], oppure di fronte, con una mantella sulle spalle[8]. Questi due quadri furono realizzati nel 1881 e non presentano alcuna analogia con «Tête de femme». Marcello Venturi e Sandra Orienti ritengono che quest'ultima sia il «Ritratto della Signora Bourdin» e la datano 1870; teoria questa plausibile alle luce di una lettera che il pittore scrisse nel settembre del 1870 a Théodore Duret pregandolo di tenergli in deposito tredici quadri durante la forzata chiusura del suo atelier, causata dall'avanzare delle truppe tedesche. Tra quelle opere figurava anche una «Mlle B.»[9]. Si tratta comunque di un'identificazione molto difficile, in quanto questa Mlle Bourdin non appare in nessun altro quadro di Manet. Il 1870 era stato un anno non molto fecondo per l'artista, anche se denso di avvenimenti (prima dello scoppio della guerra, Manet si era battuto in duello con il critico Duranty a causa di un articolo poco benevolo su una mostra, apparso sul Paris-Journal). Sempre allo stesso anno risalgono comunque una seria di significativi ritratti[10]. «Tête de femme» mostra ad esempio la modella vista di fronte come la moglie di Manet, Suzanne Leenhoff, nel ritratto del 1866. Una posizione simile fu scelta dal pittore anche quando in seguito ritrasse la pittrice Berthe Morisot. La tensione che domina la «Tête de femme» è dovuta alla particolare vicinanza. Distanze ravvicinate e incroci di sguardi, che la modella cerca di evitare volgendo e anche inclinando leggermente la testa, caratterizzano questo incontro pittorico. La massa pressoché nera dei capelli contrasta impercettibilmente con il fondo marrone, steso a pennellate leggere, che si concentrano visibilmente in prossimità della testa, dando così particolare risalto al volto chiaro, emergente dalla zona d'ombra. Un'atmosfera cromatica che oscilla «tra profondi toni scuri e una luce pallida»[11]. Il foulard blu conferisce allo schizzo un tocco elegante, facendo del quadro un omaggio a quella Parigi orgogliosa e moderna cui Manet negli anni settanta e ottanta dedicò un gran numero di caratteristiche rappresentazioni di personaggi.

Camille Pissarro (1830–1903)
La Carrière, Pontoise, around 1874
Oil on canvas, 58 × 72.5 cm
On loan at the Basel Museum of Fine Arts since 1965

In June 1871, Pissarro returned from London, whereto he had escaped from the advancing German army – like many other Impressionists in the seventies' war[12]. Meanwhile his house in Louveciennes had been looted. The Prussian occupation troops had destroyed almost all of the works he had been obliged to leave behind. Once again Pissarro moved to Pontoise, to the northwest of Paris, where he had already spent some time from 1866 onwards. In the rural peace of the Oise Valley, his still quite compact and relatively continuous application of paint became more porous. Where colours had once quietly canalized pictorial forms, their veneer-like surface now tears, revealing brittle, porous structures. Comparable to paint-impregnated cotton swabs, the green hues of trees and meadows are echeloned around the scar the quarry cuts into the landscape, and the brush only touches the canvas ever so carefully, gently applying the paint colours. Pissarro himself considered his painting technique between 1872 and 1874 as his freest and most Impressionist[13]. In any case, the resulting serene pictorial moods hardly bespeak the so recently experienced frights; they are entirely based on the moods projected by the atmospheric density of the colouring. There is as yet no hint of the vibrating rhythm of the color dots soon to dominate pictorial development. Structurally, "La Carrière" is composed along horizontal/vertical lines of organization. This is accomplished most unobtrusively, gently lending support to the landscape scenery and in no way divulging its tectonic secrets. The softly curving path separates the heightened colours of the knoll in the background from the much more shadowy foreground, where the dark and dense overgrowth of trees and bushes forms a bridge of greenery spanning this section of the landscape. It crosses the path much like a vault to where the striking wedge-like cut of the quarry disappears, thus centering the picture in an imaginary way. It is a hidden centre, towards which the women carrying her basket seems to be heading.

Camille Pissarro (1830–1903)
La Carrière, Pontoise, circa 1874
Olio su tela, 58 × 72,5 cm
In deposito al Kunstmuseum di Basilea dal 1965

Nel giugno 1871 Pissarro tornò a Londra, dove si era rifugiato l'anno prima all'arrivo delle truppe tedesche, al pari di molti altri impressionisti nel corso della guerra del 1870[12]. Al suo rientro trovò la casa di Louveciennes saccheggiata dai soldati prussiani, i quali avevano distrutto quasi tutta la sua opera. Pissarro si trasferì nuovamente a Pontoise, a nordovest di Parigi, dove aveva già vissuto per un certo periodo a partire dall'1866. Nel tranquillo paesaggio della Valle dell'Oise, l'applicazione del colore, ancora compatta e serrata prima della guerra, si alleggerì. Mentre una volta il colore modellava le forme con un movimento pacato, ora la superficie pressoché verniciata si spezza, lasciando trasparire strutture friabili, porose. I toni verdi degli alberi e dei prati si dispongono intorno alla fascia pietrosa come batuffoli di cotone imbevuti di colore, mentre il pennello, nel dare il colore, sembra appena sfiorare la tela. Pissarro stesso considerò il suo modo di dipingere tra il 1872 ed il 1874 come quello più libero e maggiormente ispirato all'impressionismo[13]. In ogni caso, l'atmosfera serena dei quadri di questo periodo, che non sembrano affatto risentire degli orrori della guerra appena passati, è data dalla concentrazione del colore che non conosce ancora il ritmo vibrante del punteggiato, che presto diverrà la sua nuova tecnica pittorica. In maniera piuttosto discreta, la composizione di «La Carrière» segue le regole della ripartizione verticale e orizzontale dello spazio, sostenendo la scena paesaggistica cautamente, senza per questo misurare tutta la sua segreta dimensione tettonica. La curva leggera del sentiero separa la collinetta più chiara sullo sfondo dalla macchia scura in primo piano. Da questa zona ombrosa di alberi e cespugli si inarca un ponte di verde che solca il paesaggio e che incrocia il sentiero là dove il cuneo della fascia pietrosa scompare, creando in tal modo nel quadro un centro immaginario e nascosto verso cui la donna con il cesto sembra dirigersi.

Camille Pissarro (1830–1903)
Le Sentier du Village, 1875
Oil on canvas, 39 × 55.5 cm
On loan at the Basel Museum of Fine Arts since 1948

The "Village Path" can be rather precisely located: Rudolf Staechelin's purchase deeds of 1917 define the painting as "La route près Auvers". Cézanne had retired to Auvers[14] in the beginning of 1873, after painting side by side with Pissarro in Pontoise for several months. "We were constantly together", Pissarro recalled later, "but each of us nevertheless kept what really counted: our own perception"[15]. The house of physician Paul Gachet became the actual meeting-place for the painters in Auvers. Gachet had already treated Pissarro's mother in 1865. As they had done for Cézanne, the villages and the surroundings of Auvers and neighbouring Pontoise repeatedly served to inspire Pissarro throughout the second half of the seventies[16]. Surrounded by abundant meadows and luxuriant bushes, the silhouette of the village seems to disappear into green clouds. Only a small piece of the path is left open before it turns into a mere aisle, a line that separates the meadow and hill of the foreground into a broad semicircle. The very same bend of the path and thus the same segmentation of the painting as seen in the painting of a quarry in Pontoise[17]. Here, as in that painting, it is the darkly shaded tree limiting the painting to the right, that stands in front of the point where the diagonally rising and falling lines, as well as the horizontal lines, seem to unite. Paint is applied in flake-like marks, short brush strokes that simply add layers of greens without mixing them on the canvas; through our retina, these blend into shimmering chords. This painting was preceded by the first "impressionist" exhibition of 1874, which Pissarro had substantially helped to organize. Sales were so poor and the reviews so bad however, that the painter somewhat bitterly complained: "Critics tear us apart and tell us that we learn nothing. I am returning to my work; that's much better than reading (their reports), from which nothing at all is to be learned"[18].

Camille Pissarro (1830–1903)
Le Sentier du Village, 1875
Olio su tela, 39 × 55,5 cm
In deposito al Kunstmuseum di Basilea dal 1948

«Le sentier du village» può essere identificato con maggiore precisione grazie ai documenti, che Rudolf Staechelin ricevette all'acquisto del quadro nel 1917, e in cui il dipinto viene denominato «La route près Auvers». Auvers era il paese in cui si era ritirato Cézanne[14] all'inizio del 1873, dopo aver lavorato alcuni mesi a Pontoise a fianco di Pissarro. «Eravamo sempre insieme» – raccontò più tardi Pissarro – «ma cionostante ciascuno di noi mantenne quello che conta più di tutto: il proprio modo di sentire»[15]. Il luogo d'incontro dei pittori a Auvers fu la casa del dottor Paul Gachet, che aveva curato la madre di Pissarro nel 1865. Come già per Cézanne, i villaggi e i dintorni di Auvers e Pontoise divennero un soggetto ricorrente anche nelle opere realizzate da Pissarro nella seconda metà degli anni settanta[16]. Immersa tra lussureggianti prati e cespugli folti, la sagoma del paese sembra scomparire in un banco di nuvole verdi. Resta visibile solo un piccolo tratto del viottolo che, diventato sentiero tagliato, segmenta con il suo percorso la verde cupola pratia del primo piano. Lo snodarsi del sentiero, e per conseguenza anche l'effetto compositivo, sono uguali a quelli che ritroviamo nella rappresentazione della fascia di pietra di Pontoise[17]. E come in quel quadro, è l'albero in ombra che delimita il dipinto al lato destro, dietro il quale sembrano convergere le diagonali ascendenti, quelle discendenti e le linee orizzontali. Per quanto riguarda l'applicazione del colore, vi è una maggiore tendenza a stenderlo a tocchi e le brevi pennellate stratificano soltanto la ricca gamma di verdi, senza mischiare sulla tela quello che l'occhio ricompone in vibranti accordi. Questo quadro seguì la prima mostra degli impressionisti (1874), al cui allestimento Pissarro aveva contribuito in maniera determinante. Il successo in fatto di vendite e critica fu però così limitato che il pittore commentò con amarezza: «I critici ci riducono a pezzi e ci rimproverano di non imparare nulla. Io torno al mio lavoro e ciò è senz'altro meglio che leggere i loro commenti, da cui peraltro nulla s'impara»[18].

Camillo Pissarro (1830–1903)
Une Rue à l'Hermitage, around 1877
Oil on canvas, 46 × 56 cm
On loan at the Basel Museum of Fine Arts since 1952

A label glued to the interior frame describes the village street as "une rue à Eragny", for Pissarro had settled in Eragny (Département Eure) in 1884. It was there that he discovered Seurat's divisionist colour theories for his own use – a result of his dissatisfaction with his personal development as a painter ("My crude and course manner of painting upsets me. I would like to evolve a smooth technique without loosing my customary verve"[19].) The application of dots and small dashes of paint in "Rue à l'Hermitage" however make it highly unlikely that it was painted in the eighties. No doubt correctly, Pissarro/Venturi assume it belongs to the Pontoise period. A technically similar garden scene painted in the Pontoise period, showing Madame Pissarro cleaning vegetables, uses the same kind of yellow-blue-ochre hues for earth colours[20]. Several times in the seventies, the Pontoise suburb of "L'Hermitage" served as the subject of a painting[21]. The observer's line of sight is channelled by the garden wall and the houses. The steep street seems to flow towards the vanishing point, with the "repoussoir" figures in the foreground underscoring the impression of depth. In this harmonious composition, none of the details seek to dominate the scene, and none of the various parts of the painting claim more attention than any of the others. The balance of the pictorial elements, their atmospheric equilibrium, belongs to the credo implicit in this type of painting. Pissarro's experience again and again attracted colleagues (in 1877 Cézanne spent additional time with Pissarro, a little later Gauguin also accepted an invitation to Pontoise). He advised a young painter to cover the entire canvas already at the first sitting: "The eye should not concentrate on a specific point, should in fact rather perceive everything at once and in doing so, pay attention to the way the colours reflect on their surroundings. Work on the sky, the water, the branches and the ground all at the same time and improve them over and over until you get everything just right"[22].

Camille Pissarro (1830–1903)
Une Rue à l'Hermitage, circa 1877
Olio su tela, 46 × 56 cm
In deposito al Kunstmuseum di Basilea dal 1952

Un'etichetta all'interno della cornice indica questa strada di paese come «une rue à Eragny». Pissarro si stabilì a Eragny, nel dipartemento Eure, nel 1884. E lì, insoddisfatto dell'evoluzione della sua pittura («il mio modo di dipingere grezzo e primitivo mi preoccupa seriamente. Vorrei poter sviluppare una tecnica equilibrata che mi permettesse tuttavia di conservare lo slancio avuto finora»)[19], scoprì il metodo divisionista di Seurat. La tecnica a punti e a brevi pennellate impedisce tuttavia a «Une Rue à l'Hermitage» di essere collocato negli anni ottanta. Come suppongono probabilmente a ragione Pissarro/Venturi, il dipinto venne realizzato a Pontoise. In una tela, simile tecnicamente, che risale ai tempi di Pontoise e che ritrae Madame Pissarro in giardino mentre pulisce della verdura, si nota per il terreno lo stesso accordo di toni gialli, blu e ocra[20]. Negli anni settanta, il sobborgo di Pontoise, l'Hermitage, venne spesso scelto come soggetto pittorico[21]. Qui lo sguardo è guidato dai muri del giardino e delle case. La strada sale ripida fino al punto di fuga, mentre le figure in primo piano contribuiscono a conferire alla scena maggior profondità. In questa composizione, perfettamente equilibrata, nessun dettaglio domina sugli altri, nessun punto del dipinto attira l'attenzione più o meno di un altro. L'armonia degli elementi, il loro equilibrio, fanno parte dei principi irrinunciabili di questo modo di dipingere. Pissarro, la cui esperienza attirava sempre nuovi colleghi (nel 1877 Cézanne trascorse ancora un periodo di lavoro con lui ed in seguito anche Gauguin rispose all'invito di Pissarro di recarsi a Pontoise), suggerì ad un giovane pittore di riempire fin dalla prima seduta tutta la tela: «L'occhio non deve concentrarsi su un punto determinato, ma deve abbracciare l'insieme e osservare i riflessi dei colori sull'ambiente. Bisogna ritrarre contemporaneamente il cielo, l'acqua, il verde, la terra e continuare a lavorarci su finché l'insieme non risulti armonico»[22].

Camille Pissarro (1830–1903)
Fenaison, 1889
Distemper and gouache on paper, 64.5 × 54 cm
On loan at the Musée d'art et d'histoire Geneva since 1952

Had adopting the colour-dissecting experiments of his fellow painter Seurat truly been worthwile in furthering Pissarro's own development? In September 1888, Pissarro candidly admitted to his son Lucien that he had not as yet solved the "question of naturally definable pure colour value", adding: "What can be done in order to preserve the purity of colour and the simplicity of a dot as well as the substance, pliancy, freedom, immediacy and subjective spontaneity of our Impressionist art[23]"? Obviously he was quite preoccupied by this question, all the more so upon becoming aware that a dot is next to nothing, has no consistency, is transparent and more uniform than simple of form. Indeed Camille Pissarro had placed high hopes in the dot throughout an entire chapter of his work. Influenced by Seurat's and Signac's methodic painting technique, he had been fully won over to pointillism. He believed the planified setting down of dot-shaped units of colour offered a possibility to physically objectify his "rough", "untidy"[24] impressionist style of painting and to provide it with a constructive basis. But this proved too great a burden on his artistic instincts. In 1889, the year "Fenaison" was painted, Pissarro once again began taking his old impressionist liberties, without however fully abandoning the principles of divisionist colour application. The gouache rendering of the "Hay Harvest", a motif of the early seventies ("La Meule", 1873), characterizes the painter's new style of synthesis. Here, the individual dots of colour have developed into short brush strokes resembling commas, which however are no longer applied spontaneously or impulsively, but are directed and channeled in a manner still revealing the rigor of pointillist composition. By then Pissarro was creating volumes and space merely out of various paint densities applied in short dashes of the brush. One notes that while the field workers appear modelled out of compact blue and brown strokes, the network of greens from the foreground to the steeply sloping horizon becomes increasingly transparent, thus lending width and depth to this harvest landscape.

Camille Pissarro (1830–1903)
Fenaison, 1889
Tempera e gouache su carta, 64,5 × 54 cm
In deposito al Musée d'art et d'histoire di Ginevra dal 1952

C'è da chiedersi fino a che punto per l'educazione artistica di Pissarro sia stato significativo e fruttuoso l'esperimento del collega Seurat. Nel settembre 1888 Pissarro confessò al figlio Lucien di non avere ancora le idee chiare a proposito del «problema del colore puro, senza delimitazioni violente» e si chiese ancora: «Cosa si può fare per conservare sia la purezza del colore e la semplicità del divisionismo che la sostanza, la duttilità, la libertà, l'immediatezza e la freschezza dell'impressionismo[23]?» Questo problema non gli dava pace, anche perché si era accorto che il punto era misero, senza stabilità, trasparente e piuttosto monotono. Per un'intera fase della sua attività Pissarro aveva riposto le sue speranze nel divisionismo. Sotto l'influenza della pittura metodica di Seurat e Signac, era diventato un divisionista convinto, che nell'applicazione sistematica di unità puntiformi cromatiche credeva di aver trovato il rimedio alla sua pittura impressionista «disordinata e primitiva»[24] dando così a quest'ultima una base più costruttiva. Tuttavia questa tecnica frenò troppo la sua istintività. Nel 1889, anno a cui risale «Fenaison», Pissarro tornò a concedersi le antiche libertà dell'impressionismo, pur non ripudiando completamente i principi divisionistici circa applicazione del colore. «Fenaison», che riprende un motivo dell'inizio degli anni settanta («La Meule» 1873), testimonia la sintesi stilistica realizzata dal pittore. I tocchi puntiformi di colore, trasformati in brevi tratti simili a virgole, sono applicati tuttavia non in modo spontaneo o impulsivo, ma rispettando invece, per quanto riguarda la direzione e il ductus, i severi criteri divisionistici. Ed è soltanto attraverso la diversa concentrazione di brevi tratti di pennello che Pissarro riesce adesso a rendere spazi e volumi, mentre le mietitrici sono rese da tratti compatti di blu e marrone e i toni verdi in primo piano vanno sempre di più assottigliandosi, man mano che ci si sposta verso l'orizzonte. Tutto ciò conferisce alla scena campestre ampiezza e profondità.

Camille Pissarro (1830–1903)
Vue de La Seine, prise du terre-plein du Pont Neuf, 1901
Oil on canvas, 46.5 × 55.5 cm
On loan at the Basel Museum of Fine Arts since 1952

Unlike Renoir, Camille Pissarro never was an Impressionist painter of urban subjects. Large parts of his painted work are defined by his rural scenes. It was only during his last phase of work that the painter began to show an interest in urban scenes. The series of paintings of Rouen and Paris, created late in his life, were far from serial investigations in painted form, such as Monet made, yet do show a conceptual curiosity no longer content with what alone the eye discovers. At various times of the day and at night, Pissarro painted urban scenes from the windows of the hotels where he stayed. The Seine, seen here from the Pont Neuf, seems opalescent in the early light of a "sunny morning"[25]. The Louvre is seen still hazy in the distance, and the trees along the banks of the Seine seem intergrown with the somewhat schematic architecture. There is nothing that might conceivably disturb the peace of a new day. Indeed, this painting represents a kind of windup and summary of the artist's unswervingly optimistic work. The river, as well as the line of sight that carries over the boat from the belvedere, on the one hand, and the landing piers and the Louvre cupolas on the other form two opposed diagonals that are horizontally intersected by the line of the bridge. The well-finished color background testifies to an experienced Impressionist who no longer has any question with regard to his technical means; his preoccupation is rather with imbuing the pictorial elements with atmosphere, so as to enhance the visual charm of his painting. Since his retrospective at Durand-Ruel's in 1892, Pissarro had become known beyond the circle of his own painter colleagues, though eye trouble kept him from working in the open any longer[26]. Thus the cityscapes became the legacy of this fervent 'plein-air' painter who – without retiring completely to his studio towards the end – continued to enjoy the stimulation afforded by beauty, which is what painting had come to mean to him. He did so at that point with undiminished force, even if only from his position at the window.

Camille Pissarro (1830–1903)
Vue de la Seine, prise du terre-plein du Pont Neuf, 1901
Olio su tela, 46,5 × 55,5 cm
In deposito al Kunstmuseum di Basilea dal 1952

A differenza per esempio di Renoir, tra i soggetti di Camille Pissarro non rientrarono mai le città. Le scene di campagna avevano costituito per lunghi periodi il suo cànone figurativo. Soltanto negli ultimi tempi egli cominciò ad interessarsi alla città. La serie di viste di Rouen e di Parigi, realizzate nella tarda fase della sua opera, non furono affatto, come per Monet ricerche pittoriche; esse rivelano invece una curiosità concettuale che non si accontentò più semplicemente di «vedere». Pissarro dipinse viste di città dalle finestre del suo albergo in ore diverse della notte e del giorno. Vista dal «Pont Neuf», la Senna assume qui dei riflessi opalescenti nella luce di «un mattino pieno di sole»[25]. Il Louvre è ancora avvolto nelle brume e gli alberi prospicienti il fiume sembrano confondersi con l'architettura che pare dileguarsi. Non c'è nulla che potrebbe turbare la pace dell'incipiente giorno. Questa tela è quasi la conclusione e la sintesi dell'opera di Pissarro segnata da un imperturbabile ottimismo. Il fiume e la direzione dello sguardo, che si estende dal belvedere al battello, al pontile e fino alle cupole del Louvre, formano due diagonali, opposte tra di loro, il cui punto d'incontro è tagliato orizzontalmente dalla linea del ponte. E il colore unito dello sfondo rivela la sicurezza dell'impressionista che non ha bisogno di mettere in discussione i suoi mezzi tecnici, ma può permettersi di caricare delicatamente i suoi soggetti per rendere in questo modo ancora più raffinato il fascino visivo che la sua pittura suscita. Fu dopo la mostra retrospettiva da Durand-Ruel nel 1892 che la notorietà di Pissarro valicò la ristretta cerchia dei suoi amici pittori. Una malattia agli occhi gli impedì tuttavia di continuare a dipingere all'aperto[26]. Così i suoi quadri in cui ritrasse le città divennero la testimonianza della sua passione per la pittura «en plein air»; sicché egli, pur senza ritirarsi completamente nel suo atelier, dovette accontentarsi adesso di vivere lo spettacolo della bellezza dipingendolo con forza certamente intatta anche se solo da una finestra.

Claude Monet (1840–1926)
Temps calme, Pourville, 1881
Oil on canvas, 60 × 73.5 cm
On loan at the Basel Museum of Fine Arts since 1952

Monet, who grew up in Le Havre, again and again retraced his steps to the Atlantic seaboard: "The coastal landscape, designated as ‹heroic› up until the beginning of the 19th century, and the open sea, are the strongest influences of my youth: constantly changing vistas, shifting silhouettes, ceaseless reflections"[27]. His early work was above all characterized by seascapes and beach scenes in the manner of Courbet and Boudin, which the painter captured between Trouville and Honfleur. Paintings whose fashionable charm seemed precursors of the mood evoked by "Balbec-Plage", where Marcel Proust's[28] narrator meets a group of small girls with whom he will later visit the painter Elstir (a pseudonym later identified as standing for Claude Monet)[29]. A decade later, at a time of crisis and depression, the sea and its Norman cliffs are to mirror as well the painter's internal moods. After the death of his wife Camille and a long series of winter paintings depicting the threatening ice floes on the Seine, Monet spent his time restlessly wandering between several places on the channel coast in March of 1881. All through the eighties, he was to visit his Norman home again and again for weeks of painting sojourns. Depending on the mood prevailing each time, he would prefer either the high seas at the cliffs of Etretat or the less dramatic region around Dieppe. The village of Pourville, projecting into the sea, with its steep rock wall emerging almost entirely from the sea at high tide, seemed to offer special inspiration. Like a giant bracket, the steep and overgrown coastal cliffs act as a bound that turns the receding sea into a large bay. The point of view is taken from above, the curve of the beach is shaped of staggered layers in horizontal threads and strokes of colour; their blue-gray, whitish green and reddish brown hues seem to melt into an opaque and hazy background. The year thereafter Monet was to spend the month of June in Pourville, along with his children and his girlfriend Alice Hoschedé – "as always between euphoria and despair (…) and dissatisfied with his artistic endeavours"[30]. In his studio in Poissy, he later elaborated the entire number of summer-mood paintings from Pourville – however excluding "Temps calme, Pourville" painted the year before, which heads the series with its stupendous and well-mastered 'plein-air' technique, much like a pilot picture.

Claude Monet (1840–1926)
Temps calme, Pourville, 1881
Olio su tela, 60 × 73,5 cm
In deposito al Kunstmuseum di Basilea dal 1952

Cresciuto a Le Havre, Monet trasferì anche nella sua pittura la natura aspra della costa atlantica: «Il paesaggio della costa, che ancora al principio del XIX secolo si sarebbe definito «eroico», e lo spettacolo del mare aperto hanno lasciato un'impronta indelebile nella mia infanzia: immagini in continuo mutamento, rincorrersi di silhouettes, giochi ininterrotti di riflessi»[27]. I suoi primi lavori rappresentavano soprattutto paesaggi marini e scene sulla spiaggia, alla maniera di Courbet e di Boudin, che il pittore coglieva dal vivo nel tratto da Trouville a Honfleur. Dipinti il cui charme mondano sembra riproporre l'atmosfera di «Balbec-Plage» dove il narratore, che Marcel Proust[28] mette in scena, incontra un «piccolo stuolo» di fanciulle con le quali vuole visitare il pittore Elstir, che viene identificato con Claude Monet[29]. Una decina d'anni più tardi, il mare e le scogliere normanne rifletteranno gli stati d'animo del pittore in un periodo dominato da crisi. Dopo la morte di sua moglie Camille ed una lunga serie di rappresentazioni invernali della Senna, ricoperta da pericolose lastre di ghiaccio, Monet soggiorna, a partire dal 1881, in diverse località della Manica. E negli anni ottanta ritornerà più volte in Normandia, sua terra natia, rimanendovi a dipingere per lunghi periodi. Secondo l'umore, così sembra, dipinge alle volte il mare che si infrange alto sulle scogliere di Etretat, altre ritrae i meno drammatici dintorni di Dieppe. Qui il villaggio antistante di Pourville, i cui scogli durante la marea si ergono dall'acqua come una parete, sembra lo abbia particolarmente ispirato. La muraglia a strapiombo ricoperta di vegetazione abbraccia come in un'ampia parentesi il mare calmo che si ritira nella grande baia. Il pittore guarda dall'alto la curva della riva che si compone di una successione di tratti e di tocchi di colore orizzontali, i cui blu-grigi, i verdi acqua e i bruno-rossicci si confondono in un insieme opaco sullo sfondo caliginoso. L'anno seguente Monet avrebbe passato il mese di giugno a Pourville con i suoi figli e la sua compagna Alice Hoschedé «come sempre tra euforia e disperazione, (…) insoddisfatto delle mete raggiunte»[30]. Successivamente, nel suo atelier di Poissy il pittore avrebbe rivisto l'insieme delle sue opere estive di Pourville; tutte eccetto «Temps calme, Pourville», che aveva dipinto l'anno precedente e che con il suo stupendo effetto «plein air» si può considerare la più rappresentativa di quella serie di tele.

Auguste Renoir (1841–1919)
Gabrielle, around 1910
Oil on canvas, 40.5 × 32.5 cm
On loan at the Basel Museum of Fine Arts since 1952

Gabrielle Renard of Essoyes, cousin to Renoir's wife Aline Charigot, joined the painter's Parisian household in 1894 as a nanny. Renoir's son Jean was later to recall the girlish "bonne" from the countryside: "At age ten, she could recognize a year's vintage wine, catch trout by hand without being caught by the gamekeeper, herd cows and help slaughter pigs"[31]. She remained the children's governess for 20 years – and one of her master's favourite models, too – until she married American artist Conrad Hensler Slade. This rather plump, well-developed model was quite to the liking of the painter, and by her black hair Gabrielle can be recognized in the intimate nymph's paradise, which was to characterize the rapturous mood prevailing in Renoir's late pictorial world. At times she is seen demurely supervising the children, at other times undressing completely, or putting a flower in her hair, or sitting with half-opened blouse, or engrossed in a book, or even as a goddess in a representation of the "Judgement of Pâris", or languishing on a studio cushion from which her full body seems to overflow into the picture: "A delight to paint", Renoir described his experience of painting at a late stage in life "for there is a teasing, ungraspable quality to the overbearing presence of these bodies which continue to expand until it seems as if they alone fill out the entire universe"[32]. Gabrielle's portrait in profile – compared with other, similar portraits[33] it can be dated around 1910 – shows an already experienced model, long formed according to the artist's wishes. The pink complexion of the young woman, her dress – a shimmering cloud of pink loosely flowing around her body, and the silky lustre of her hair combine into an entirely transparent harmony of colours typical of Renoir's later years. The various shades of colour seem to create shapes out of glimmering movement. This most finely shaded painting gives no hint of Renoir's rheumatic handicap, which forced him, at age 57, to hold his brush in his left hand. Unmistakably however, the metaphor of yearning, so intensified throughout the entire last chapter of his work, shines through. Indeed, that chapter focusses repeatedly on Gabrielle, the very image of eternal youth, who kept enticing the painter to create ever new works, translating desire into the theme of the female and colour into light.

Auguste Renoir (1841–1919)
Gabrielle, circa 1910
Olio su tela, 40,5 × 32,5 cm
In deposito al Kunstmuseum di Basilea dal 1952

Gabrielle Renard di Essoyes, una cugina di Aline Charigot, moglie di Renoir, nel 1894 andò ad abitare nella casa parigina del pittore come bambinaia. Jean Renoir doveva ricordarsi in seguito di lei, «Bonne», fanciulla di campagna che a dieci anni sapeva già riconoscere l'annata di un vino, che riusciva a pescare le trote con le mani senza essere scoperta dal guardiacaccia, che accudiva le mucche e che era di aiuto quando si uccidevano i maiali»[31]. Gabrielle trascorse vent'anni nella casa di Renoir come educatrice ed anche come modella preferita del pittore prima di sposare l'artista americano Conrad Hensler Slade. Le sue forme opulente corrispondevano all'ideale del pittore e, grazie alla la sua magnifica capigliatura scura, Gabrielle attirava l'attenzione sovente nel paradiso intimo delle ninfe. Soggetto questo che doveva felicemente determinare il tardo mondo figurativo di Renoir. Egli ritrae Gabrielle sia mentre sorveglia assennata i bambini sia mentre si spoglia; una volta si mette un fiore tra i capelli ed un'altra volta posa con la camicetta semiaperta; Gabrielle è via via assorta nella lettura, dea in un «giudizio di Paride», distesa con nonchalance sui cuscini dell'atelier e la pienezza del suo corpo sembra quasi propagarsi attorno. Renoir descrive così l'esperienza dei suoi anni maturi: «Dipingere è una voluttà. Eppure c'è qualcosa di tormentoso, di incontenibile, nella schiacciante presenza di questi corpi che si espandono sempre di più fino al punto che, sembrano dover occupare da soli l'universo»[32]. Il profilo di Gabrielle[33] che paragonato con altri si presume risalga al 1910, mostra una modella già «esperta», cui il pittore ha insegnato come assecondare i suoi desideri. L'incarnato roseo della giovane donna, il suo vestito di un rosa luccicante che le avvolge il corpo in una nuvola ed il setoso brillare della capigliatura scura si stemperano in una luminosa sinfonia di colori tipica dell'opera tarda di Renoir. I colori sembrano modellare le forme in movimenti fluttuanti. Niente in questa pittura delicatamente sfumata tradisce i dolori reumatici che costringono Renoir, già a 57 anni, ad imparare ad usare il pennello con la mano sinistra. Inconfondibile invece, è la metafora del desiderio che affiora sempre più spesso nell'ultimo capitolo dell'opera di Renoir. Un capitolo nel quale Gabrielle, incarnazione dell'eterna giovinezza, seppe ispirare una pittura, nella quale il desiderio era indiscindibile sia dal soggetto femminile che dall'esperienza della trasformazione della luce in colore.

Edgar Degas (1834–1917)
Femme à sa toilette, around 1892
Pastel on paper on cardboard, 56 × 65 cm
On loan at the Basel Museum of Fine Arts since 1952

At the "Eighth Exhibition of Paintings" of the impressionists, in the early summer of 1886, Degas participated with a "series of female nudes bathing, washing, drying, rubbing themselves dry, combing their hair or afterwards"[34]. This topic occupies a predominant position in the painter's late works. In a letter in the early nineties – the period to which Lemoisne dates the pastel sketch "Femme à sa toilette" – Degas announced new "undertakings" in spite of his increasingly weak sight: "I intend to do a series of lithographs, a first cycle of female nudes dressing, a second one of female nudes dancing. Thus I shall continue up to the very last day, expressing myself through paintings"[35]. The intimate stage scene – Degas had had an entire bathroom assembled in his studio – seems completely free of any pictorial boudoir conventions. The painter's view does not reveal, divulge secrets, flatter or celebrate, keeping at just the right distance so the models neither have to present nor hide themselves. No other paintings to date – thus critic Félix Fénéon already noted on viewing Degas' pastels in the last Impressionist exhibition – "less evoke the embarassing impression of modelling than his do"[36]. Here, nudity is unlike a mere pose, and the situation is not burdened by coquetry. The nude, seen with chaste sympathy, seems equally unburdened of any erotic imagery and quietly self-occupied. The model leans over the table with its washstand set. She turns her head with the very same movement used by the right hand to hold the sponge under the lifted left arm. Her hair falls forward, creating a dark counterpoint to the dominantly blue colour scheme of jug, basin, table and background, within which the body with its much lighter colour scheme inserts itself like a wedge. Additional significance is created by Degas' frontal approach. Normally, he positioned himself behind his models to paint his unspectacular records, but here he even sketched in facial details, without however the slightest indiscretion. "To date, nudity had always been reproduced in poses requiring a public", the painter noted describing his own daring though still restrained concept: "My women, however, are of the simple, honourable sort, with nothing else on their minds but their grooming"[37].

Edgar Degas (1834–1917)
Femme à sa toilette, circa 1892
Pastello su carta su cartone, 56 × 65 cm
In deposito al Kunstmuseum di Basilea dal 1952

All'inizio dell'estate 1886, Degas partecipò all'«Ottava esposizione di pittura» degli impressionisti con una «serie di nudi femminili ritratti nel fare il bagno, nel lavarsi, asciugarsi, frizionarsi, pettinarsi oppure dopo la toilette»[34]. Questo soggetto occupa un posto privilegiato nella tarda opera del pittore. In una lettera dei primi anni novanta – del periodo quindi, in cui Lemoisne colloca il pastello «Femme à sa toilette» – Degas, nonostante un crescente indebolimento della vista, annuncia nuovi progetti: «Ho intenzione di realizzare una serie di litografie, una prima parte con nudi di donne, occupate nella loro toilette, e una seconda con nudi femminili danzanti. È così che ci si avvia verso la fine, esprimendosi attraverso la pittura. Che grande fortuna che possa essere così»[35]. Questa scena intima – Degas aveva fatto arredare il suo atelier come una stanza da bagno – appare completamente libera dalle convenzioni figurative legate al boudoir. Lo sguardo dell'artista non vuole essere rivelatore, non tradisce e tanto meno lusinga o esalta, ma mantiene una distanza tale che le modelle non devono né esibirsi né nascondersi. «Non ho mai visto dei ritratti come i suoi – notò il critico Félix Fénéon osservando i pastelli di Degas all'ultima mostra degli impressionisti – che esprimono così poco l'imbarazzo della modella nuda»[36]. La nudità non è ostentata e la scena è assolutamente priva di civetteria: il corpo nudo, guardato con partecipazione casta, non sprigiona alcuna carica erotica ma appare piuttosto concentrato su se stesso. La modella si protende in avanti, sul tavolo, dove sono appoggiati il catino e la brocca. Asseconda con il capo il movimento della mano destra che porta la spugna sotto il braccio sinistro alzato, mentre i capelli cadono in avanti formando una macchia scura sul predominante accordo dei blu della brocca, del catino, del tavolo e dello sfondo, su cui l'incarnato chiaro del corpo disegna una forma a cuneo. Ciò che aggiunge maggiore importanza all'opera è che Degas ritrae la modella di fronte. Il più delle volte per realizzare i suoi schizzi, per altro privi di spettacolarità, il pittore si pone dietro le modelle; qui invece abbozza persino qualche dettaglio del viso senza disturbare le discrezione. Degas stesso spiega questo suo concetto ardito e riservato al tempo stesso: «Finora il nudo è stato sempre rappresentato in pose che presupponevano un pubblico. Le donne che io ritraggo sono semplici, degne di rispetto e non si occupano d'altro, se non di ciò che è nella loro natura[37]».

Paul Cézanne (1839–1906)
La maison du docteur Gachet à Auvers, 1873
Oil on canvas, 56 × 47 cm
On loan at the Basel Museum of Fine Arts since 1948

In the autumn of 1872, Cézanne moved from Pontoise to the Oise Valley, where Pissarro had assembled a small group of his painter friends. "Pissarro influenced me enormously. He was like a father to me. Here was a man able to give advice much like God"[38]. And "God" he had to be, if he hoped to free the irritable and lonely struggling from the "emotional interior images" and the "configurations of his libido"[39], that were the trademarks of Cézanne's early work. Pissaro gave impetus to what the paintings created in the war year of 1870 in Estaque had already prepared: a brightening of the atmosphere evoked by the colours and a denser texture of colours achieved through his working directly in front of the actual theme, viewing it as part of the natural scenery. Cézanne's paintings achieved a new spontaneity no longer burdened by their subject matter. At the beginning of 1873, the painter, who would never again present himself in such a truly impressionist mood as he did in those few months, moved to the Oise Valley, to a place a few kilometres outside of Auvers, where physician Paul Gachet had established a reputation for being unusually open-minded towards the fine arts. Gachet had formerly treated Pissarro's mother and, in 1890, was to take care of van Gogh during his illness. Though his surgery was in Paris, he returned to Pontoise several days a week, living in a "beautiful house" complete with his own etching studio and a "view far into the distance of the Oise Valley"[40]. An enthusiastic admirer of modern painting, he is said to have urged Cézanne to move into the neighbourhood and work at his place[41]. Cézanne repeatedly pianted the valley, the village and above all doctor Gachet's house. Contrary to his Paris painting (Venturi 145), the Basel version does not show the narrow properties from its access way but from some distance, seen from the hill opposite. In the compactly arrayed "ton-sur-ton" greens, the reddish chimney pots and a pair of red shutters are strikingly evident. An island of almost bare trees in the centre of the painting seems to press the individual houses towards the edges, limiting the broad scope of green in the foreground. A pictorial concept that anticipates the natural stages extending in front of "Montagne Sainte-Victoire". A painting which, moreover, shows no sign of an impressionist "plein-air" ease in its rather severely structured tectonics. Nor was the often desperate struggle to discover the suitably expressive creative means abetted by the idyllic surroundings of Auvers. Paul Gachet later recalled that Cézanne sometimes struggled to such an extent with a specific painting, that a painting originally meant to depict a springtime mood, might in the end very well turn into a wintry snow scene[42].

Paul Cézanne (1839–1906)
La maison du docteur Gachet à Auvers, 1873
Olio su tela, 56 × 47 cm
In deposito al Kunstmuseum di Basilea dal 1948

Nell'autunno del 1872, Cézanne si trasferì a Pontoise nella valle dell'Oise, dove Pissarro aveva riunito intorno a sé un piccolo gruppo di pittori amici. «Pissarro ha avuto su di me una enorme influenza ed è stato un vero padre per me. Era un uomo che sapeva dare consigli, simile al «buon Dio»[38]. In effetti bisognava proprio essere simile al «buon Dio» per poter liberare Cézanne, solitario ricercatore dal temperamento irruente, dalle «espressioni affettive» e dalle «configuarzioni della sua libido»[39] caratteristiche queste dei primi suoi lavori. Gli stimoli di Pissarro confermarono quello che i quadri realizzati da Cézanne a Estaque nell'anno di guerra 1870 lasciavano già presagire: il clima cromatico si illumina, il contatto diretto con i soggetti ritratti, l'osservazione diretta della natura rendono più densa la struttura del colore. I dipinti di Cézanne perdono così la loro pesantezza tematica ed acquistano una nuova naturalezza. All'inizio del 1873 Cézanne, che non sarebbe stato mai più impressionista come in quei pochi mesi, andò ad abitare alcuni chilometri più lontano, ad Auvers nella valle dell'Oise, dove viveva il medico Paul Gachet che godeva fama di essere di una straordinaria apertura mentale. Egli aveva curato la madre di Pissarro ed in seguito, nel 1890, si occupò anche della malattia di van Gogh. Il suo ambulatorio era a Parigi, ma si recava regolarmente per alcuni giorni la settimana a Pontoise, dove aveva una «bella casa» con un atelier per acqueforti e con «una splendida vista sulla valle dell'Oise»[40]. Grande ammiratore della pittura moderna, pare avesse fatto di tutto per convincere Cézanne a trasferirsi nelle sue vicinanze e a lavorare a casa sua[41]. La valle dell'Oise, il villaggio e soprattutto «La casa del Dr. Gachet» furono per Cézanne temi ricorrenti. A differenza della versione parigina (Venturi 145), il quadro che è a Basilea non ritrae lo stretto edificio dall'entrata principale, ma dalla vicina collina di fronte. Nel succedersi di verdi compatti e di tonalità perfettamente accordate tra di loro, spicca il rosso del tettuccio dei comignoli e quello delle due imposte della finestra. Al centro del quadro un'isola di alcuni alberi quasi spogli respinge le singole case verso i lati e delimita un ampio spazio verde in primo piano: una concezione dello spazio questa, che verrà ripresa nella «Montagne Sainte-Victoire» e una tettonica rigorosa da cui non traspare più nulla della leggerezza dei dipinti impressionistici «en plein air». Neppure l'ambiente idilliaco di Auvers poté sedare in Cézanne l'affannata e spesso disperata ricerca di mezzi espressivi adeguati. A volte, egli entrava talmente in conflitto con la tela che gli era davanti, ricordò più tardi Paul Gachet, fino al punto che finiva per trasformare una scena primaverile in una scena invernale[42].

Paul Cézanne (1839–1906)
Verre et pommes, 1879/82
Oil on canvas, 31.5 × 40 cm
On loan at the Basel Museum of Fine Arts since 1952

In the second half of the 1870's, still life topics increasingly began to dominate Cézanne's work. By then, the painter had started to shape and position objects within his paintings, providing the objects with a volume of their own, and dealing with the problem inherent in their relation to the spatial dimension of the painting by applying paints more regulary and in a tectonically structured manner. "Verre et pommes" belongs to a series of similar compositions: fruits that are placed on a table or plate, accompanied by a crumpled cloth, a branch projecting over the table, a glass, decanter or jug. Among the various versions of this same topic, some with a denser thematic structure (e.g. the still life of the Reinhart Collection in Winterthur, Venturi 344) and some showing conciser formulations (e.g. the "Apples" of the Langmatt Foundation in Baden, Venturi 355), the Basel version, characterized by a well-balanced, almost classically serene composition, occupies a middle position. The fruits on their table-stage are distributed severely, almost symmetrically. Two triads frame an apple isolated – among other factors by its bright green colour – in the centre of the painting, positioned slightly towards the front of the stage. From this point, a steep line of sight is established, leading from the shadow thrown by the apple to the glass, continuing to the leaves above. The glass, which perhaps had its precursor in a drawing today exhibited in the Basel Kupferstichkabinett[43], serves mainly to establish a spatial impression. It gathers the horizontal as well as vertical elements and represents the starting point of a diagonal line framed by the adjacent folds of the tablecloth, leading to the solitary apple to the fore. The spatiality of the painting is thus sufficiently defined, though only insofar as the suggestion of a spatial dimension does not suppress the basically two-dimensional appearance of the objects shown. Contrary to similar still lifes of the late seventies and early eighties, the table/space relationship is defined only by the separating line created by two contrasting colours. Thus the fruits – though they may seem to be definite and stable volumes – can also be perceived as circles (the black contours emphasizing this radial impression), as elements of an array of objects still caught up in two-dimensional space. Indeed, the apples seem to roll towards the observer, because the composition has almost prevailed over the illusionary unequivocality of the pre-modern spatial structure. In Cézanne's still lifes, fruits cannot simply be defined as evocations of nature but rather turn into illustrations within our process of perception, props of enlightenment for perception that slowly grows aware of its conditionality and its susceptibility to human fallacy and sophisms.

Paul Cézanne (1839–1906)
Verre et pommes, 1879/82
Olio su tela, 31,5 × 40 cm
In deposito al Kunstmuseum di Basilea dal 1952

Nella seconda metà degli anni settanta nell'opera di Cézanne compaiono sempre più spesso soggetti di nature morte. Usando il colore a tratti più regolari e in maniera tettonicamente costruttiva, il pittore dà ora agli oggetti forma, volume e equilibrio, problematizzando in questo modo il loro rapporto con lo spazio. «Verre et pommes» fa parte di una serie di dipinti tutti con una disposizione molto simile: i frutti sul tavolo o su un piatto, la tovaglia respinta ai bordi, un ramo che sovrasta la tavola, un bicchiere, una caraffa, una brocca. La versione basilese occupa una posizione intermedia tra certe interpretazioni più ricche di questo tema (come la natura morta della Collezione Reinhart di Winterthur, Venturi 344) ed altre quasi spoglie («Pommes» della Fondazione Langmatt di Baden, per esempio). Il quadro di Basilea è caratterizzato da una composizione armonica, addirittura classica; i frutti sono disposti sul tavolo con ordine rigoroso, quasi simmetrico. Due gruppi, ciascuno di tre mele, fiancheggiano un'altra mela isolata – sia per la sua posizione che per il suo colore, un verde luminoso – al centro del dipinto, che sembra essere leggermente rotolata in avanti alla ribalta. Da essa parte una linea visiva verticale che, attraversando il suo campo d'ombra ed il bicchiere, raggiunge le foglie che sfiorano il bordo del calice. Il bicchiere, di cui esiste un disegno nel Kupferstichkabinett[43] e che probabilmente servì da studio, ha soprattutto la funzione di creare lo spazio; ed è nel bicchiere che si incrociano gli elementi orizzontali e verticali ed è da esso che una diagonale, circoscritta dalle pieghe della tovaglia, conduce fino alla mela solitaria. Lo spazio è così sufficientemente definito, ma solo a tal punto da non far dimenticare l'assenza di rilievo degli oggetti. A differenza di simili nature morte, realizzate alla fine degli anni settanta e al principio degli anni ottanta, qui la demarcazione dello spazio tra il tavolo e lo sfondo è data esclusivamente dai due campi cromatici. I frutti, nella stessa misura in cui possiedono un loro volume ed una loro stabilità, possono essere visti sia come cherchi – la linea scura che li delimita accentua la loro somiglianza a delle ruote – sia come elementi i quali si avvicinano a una disposizione unidimensionale. In effetti, le mele dovrebbero rotolare verso lo spettatore, tanto la composizione ha ormai superato l'illusoria chiarezza della ripartizione dello spazio così come fu praticata dai premoderni. Nelle nature morte di Cézanne, i frutti non sono più simboli della sensualità della natura, bensì diventano forme didattiche e visive e servono a rivelare la limitatezza, predisponendo la percezione all'inganno.

Paul Gauguin (1848–1903)
Paysage au toit rouge, 1885
Oil on canvas, 81.5 × 66 cm
On loan at the Basel Museum of Fine Arts since 1962

In the spring of 1885 Gauguin wrote his friend and teacher Pissarro[44] that he felt justified in saying he had made great progress, that his work had become finer, brighter, and more radiating. Only a few months earlier he had been obliged to confess: "I have not yet found what I truly wish for in my manner of painting"[45]. The situation was cleared up in Copenhagen whereto the budding painter had followed his Danish wife and children, in order to once again try and make them understand that his future was no longer with the stock exchange but to be sought among Impressionist painters. In the meantime, devoid of money and of any hope of selling his paintings, Gauguin returned to Paris in June, began working there as a poster hanger for some weeks and then took up a friend's invitation to Dieppe. That is where he must have painted the "Paysage au toit rouge", some time between July and October. Stylistically and thematically this painting is close to some landscapes[46] depicting the dreadfully boggy up-country region of the Norman coast. In all comparable examples, the view is obstructed by clumps of trees, cutting off the foreground like a curtain of shadows and almost hiding the stage props – grazing animals or horses for instance – in the sunny landscape behind. Such pictorial arrangements in fact, as Pissarro and above all Cézanne had already used in their Pontoise paintings a mere decade before[47]. The manner in which it is painted also recalls the artist's Impressionist training in the compact layering of finely brushed-on colour imprints. Perhaps the painter had Pissarro's "Les toits rouges" in mind when creating the red roof shimmering through the leaves, – an incunabulum of Impressionist 'plein air' painting intonating a delicate red/green harmony – just when Gauguin first began to be artistically influenced by his much admired friend and master. In similar fashion, his "Blue Roofs of Rouen" 1884[48] clearly refers to Cézanne's "Vue d'Auvers-sur-Oise"[49]. In both cases however, Gauguin's search for more incisive colour effects is evident, preparing the way for later phases of his work. Thus the trenchant red of the roof soon would turn into a deeply symbolic red signal flooding the dream arena where Jacob and the angels carry out their duel[50]. Gauguin wrote from Denmark that he was more than ever convinced of the necessity to exaggerate in art, and that he had come to the conclusion salvation was only to be found in extremes, since taking the middle road always led to mediocrity[51].

Paul Gauguin (1848–1903)
Paysage au toit rouge, 1885
Olio su tela, 81,5 × 66 cm
In deposito al Kunstmuseum di Basilea dal 1962

Nella primavera del 1885 Gauguin scrisse al suo amico e maestro Pissarro che era convinto di poter dire di aver fatto notevoli progressi e che riteneva la sua pittura più fine, più leggera, più luminosa[44], anche se appena qualche mese prima gli aveva dovuto confessare: «Non ho ancora trovato nella pittura quello che voglio veramente[45]». La spiegazione avvenne a Copenhagen, dove egli aveva raggiunto la moglie danese ed i figli per chiedere a loro ancora una volta comprensione per la decisione di aver abbandonato il suo lavoro in borsa per potersi dedicare alla pittura impressionista. Rimasto nel frattempo senza mezzi e senza prospettive di vendere i suoi quadri, in giugno Gauguin tornò a Parigi, lavorò come attacchino per qualche settimana, dopodiché accettò un invito di un suo amico di andare a Dieppe. Là, tra luglio e ottobre, deve aver dipinto «Paysage au toit rouge». Lo stile e il soggetto di questo quadro ricordano quei paesaggi[46] che rappresentano l'entroterra fertile e paludoso della costa normanna. Come in tutte le tele simili la vista è ostacolata da gruppi di alberi che sbarrano il primo piano come se fossero una cortina d'ombra e che quasi nascondono le figure accessorie, come ad esempio animali al pascolo o gruppi di case, della scena campestre soleggiata nello sfondo. È questo un tipo di composizione che per primi Pissarro e soprattutto Cézanne avevano ideato quasi dieci anni prima a Pontoise[47]. Anche nella tecnica, un accostamento fitto di fini tocchi di colore, il quadro ricorda la scuola impressionista. Nel ritrarre il tetto rosso, che si intravede attraverso il fogliame, Gauguin deve aver avuto presente la tela di Pissarro «I tetti rossi», un incunabolo della pittura impressionista «en plein air», in cui egli aveva usato quello stesso delicato accordo verde/rosso tipico dell'epoca, in cui Gauguin aveva cominciato a seguire l'insegnamento del venerato amico e maestro. Lo stesso si può dire dei suoi «Tetti blu di Rouen» dell'anno precedente[48] che senza dubbio si ispirano alla «Vue d'Auvers-sur-Oise»[49] di Cézanne. In entrambi i casi, è già percepibile la fatica per trovare quell'effetto cromatico pregnante, che sembra preannunciare la successiva fase creativa. Così il rosso violento del tetto si caricherà presto di significati simbolici che riempiono l'arena immaginaria, nella quale Giacobbe e l'angelo[50] disputano il loro duello. Della necessità dell'eccesso nell'arte, scrive Gauguin dalla Danimarca, sono più che mai convinto e credo persino che la salvezza risieda negli estremi, giacché ogni via mediana è sempre destinata alla mediocrità[51].

Paul Gauguin (1848–1903)
NAFEA faaipoipo (When will you marry?), 1892
Oil on canvas, 101.5 × 77.5 cm
On loan at the Basel Museum of Fine Arts since 1947

One of the major paintings dating from the time of Gauguin's first stay in Tahiti. Durand-Ruel took it on a commission basis upon the painter's return in the summer of 1893 for FF 1500[52], a price underscoring the high esteem in which Gauguin held this particular painting. And in his 1929 monograph on the artist, Barth describes it as "the most significant exotic painting by Gauguin in the private possession of a resident of Basel." The meaning of the Maori words themselves carries little weight since any possible literary appeal is in fact outweighed by all the work has to offer on a purely pictorial scale. One is aware of a "powerful exotic vision" that … "forges everything together into the shape of the two women in the glaring midday sun and that casts a spell on us." Nevertheless, the composition in bright complementary colors has indeed been subjected to a variety of interpretations[53]. Who is actually being asked the title question by the painter? What is the relationship between the two protagonists who, although crouching so closely one behind the other, stare out at separate focal points beyond the painting? It is the very fact that the picture translates back into a different interpretative version that offers a visual explanation of how Gauguin projected his European preconceptions onto a Polynesian paradise fragilized in times of yore under French colonial rule. Using scenic props captured from the idyllic landscape, the artist sets up a stage where the two women – whose faces have a "mask-like quality" to them, in the words of Wilhelm Barth – play out their relationship. They are stage-directed by the painter who, within a field of tension created between desire and reality, fashions his exotic pictorial motifs along lines dictated by his own cultural traditions. The arduous position taken up by the foremost figure is repeated several times in work done between 1891 and 1893. In addition to a pastel painting[54], a study in oil of 1891 laid the way for the complicated squatting position[55]. But a comparison with both versions of "E Haere oer i hia [Where are you going?]" of 1892 and 1893, respectively,[56] seems to offer a better explanation. In those works the figures are positioned in reverse: the figure sitting on the ground with her fully extended supporting arm is relegated to a group of figures in the background, and the group's attention is directed to the dominant semi-nude figure in the foreground. Once painted with a dog, once with a large fruit in her arms, this foreground figure shows the facial traits of the Maori woman who constantly reappeared in the mysteriously exotic scenarios depicted, with European psychology, by Gauguin after his first trip to Tahiti. "All of her traits showed a Raphaelesque harmony in the encounter

Paul Gauguin (1848–1903)
NAFEA faaipoipo (Quando ti sposi?) 1892
Olio su tela, 101,5 × 77,5 cm
In deposito al Kunstmuseum di Basilea dal 1947

NAFEA è uno dei quadri più importanti che Gauguin dipinse durante il suo primo soggiorno a Tahiti. Nell'estate 1893, al ritorno del pittore, Durand-Ruel lo prese in commissione per 1500 franchi francesi[52], cifra questa che sottolinea il particolare valore attribuito dallo stesso Gauguin a questo dipinto. Wilhelm Barth, nella sua monografia di Gauguin pubblicata nel 1929, ha descritto NAFEA come «l'opera esotica più importante di Gauguin che si trovi a Basilea in possesso di privati». Il significato del titolo in lingua maori può risultarci indifferente, dato che la suggestione pittorica è incomparabilmente più forte di una qualsiasi letteraria: «Da queste donne accovacciate, con alle spalle un paesaggio arroventato dal sole di mezzogiorno, emana un enorme suggestione esotica che attira irresistibilmente nella sua magia». Questa composizione, per cui sono stati usati toni complementari chiari, è stata oggetto delle interpretazioni più disparate[54]. A chi il pittore affida la domanda che costituisce il titolo del dipinto?. Qual'è il rapporto tra le due protagoniste, che sono accovacciate vicine l'una dietro l'altra, ma il cui sguardo si dirige verso punti differenti, esterni al quadro? Il linguaggio stesso dell'opera, probabilmente reversibile, fa capire fino a qual punto Gauguin avesse proiettato il suo pregiudizio europeo in quel paradiso polinesiano che già da tempo, sotto il dominio coloniale francese, aveva perso la sua incontaminatezza. Con la coreografia presa in prestito dal paesaggio idilliaco, egli allestisce una scena in cui le due donne – Wilhelm Barth sottolinea come i loro visi siano simili a maschere – recitano il rapporto che le lega secondo la regia di un pittore che, in bilico tra desiderio e realtà, costruisce i suoi temi esotici sulle proprie tradizioni culturali. La posizione affaticata della figura in primo piano viene riproposta tra il 1891 ed il 1893 varie volte: oltre ad un pastello, esiste della complessa posizione accovacciata della donna anche uno studio a olio del 1891. Ma più interessante appare il confronto con le due versioni di «E Haere oe i hia» (dove stai andando?), rispettivamente del 1892 e del 1893[55]. Lì la posizione delle figure è ribaltata. La donna seduta a terra e appoggiata sul suo braccio teso è situata più indietro, tra gruppi di altre figure, la cui attenzione si dirige sulla figura seminuda in primo piano. Talvolta in compagnia di un cane, talvolta con un grosso frutto tra le braccia, la figura vista di fronte, in primo piano, ha i lineamenti di quella donna maori ricorrente nelle misteriose scene esotiche, viste da Gauguin con ottica europea, le quali egli si portò dietro dal suo primo viaggio a Tahiti. «I suoi lineamenti possedevano un'armonia raffaellesca per il succedersi delle linee curve, per il disegno scolpito della bocca, che conosceva tutti i modi di parlare e di baciare, della gioia e della sofferenza …»[57], è così che il pittore l'ha descritta. In NAFEA ella siede al centro di un paesaggio assolato, con un vestito chiuso al collo, circon-

of curved lines, a mouth modelled as if by a sculptor and that speaks in all languages of speech and of kissing, of joy and of suffering (...)"[57], thus the painter himself described her. In the "NAFEA" painting, that figure sits in the centre of a sunny landscape – in a high-necked dress with a fringe of white leaves as a collar[58] – in a grouped "Buddhist" position, chiefly brought to our attention by her pointing, uplifted right hand. In the poetic description of his travels, entitled "Noa Noa", Gauguin asserts that confronting Tahitian beauty unfailingly brings to mind "contemplating Buddha". The flower worn in the hair, and the red, flowered wrap-around, known as a pareo, these then are the exotic insignia she takes with her when, pursued by village taunts of "Where are you going?", she penetrates a foreign – in this case the painter's – sphere of life. And these are the insignia she is forced to surrender unto the rival whose body, crouched to the fore, half conceals her own in this painting. This configuration that sets the figure to the rear as a partner she continues to dominate like a goddess, represents the artist's creative solution to the conflict. As an allegory of earthly and heavenly love[59] the two women remain dialectically dependent on each other. And the rhetorical question "When are you marrying?" gains a subject, since it adopts the figure to the fore. The gesture of pointing to herself, pictorially transforms the question into: "When are you marrying *me?*"

dato da un «colletto» di petali[58], e assume un atteggiamento «buddistico», evocato soprattutto dalla posizione sollevata della mano destra. Nel suo poetico resoconto di viaggio «Noa Noa» Gauguin rivela che lo spettacolo della bellezza tahitiana lo riconduce a un'immagine di Budda. La donna seminascosta ha dunque dovuto abbandonare alla sua rivale, accovacciata davanti a lei, il fiore tra i capelli ed il «pareo», rosso a grandi fiori, cioè i simboli erotici che le erano appartenuti finchè, accompagnata dalla domanda diffidente del villagio «Dove vai?», non entrò nella vita del pittore straniero. La rappresentazione pittorica risolve il conflitto conferendo una sorta di divinità alla figura in secondo piano attribuendogli una superiorità sulla sua rivale. Nell'allegoria dell'amore terreno e dell'amore divino[59], le due donne restano legate l'una all'altra. E la domanda retorica «Quando ti sposi?» acquista concretezza dal momento in cui la donna in primo piano se ne appropria. Con il gesto della mano rivolto a se stessa sembra completare la domanda in: «Quando MI sposi?».

Vincent van Gogh (1853–1890)
Les Harengs saurs, 1886
Oil on canvas, 21.5 × 42 cm
On loan at the Basel Museum of Fine Arts since 1970

"What if it were my intention to linger a while longer in this bustling city, and then maybe to do some work in a studio in Paris as well, would you try to keep me from doing so?"[60] Actually Theo did not want to prevent anything of the kind, but would perhaps have wished to postpone Vincent's arrival somewhat. For, during the winter of 1885/86, the painter had insisted with increasing urgency in his letters from Antwerp that he was planning to move in with his brother as soon as possible, in order to take advantage of the enormous stimulation Paris as an art center could provide for his studies. "In Paris I would certainly get more work done than here, for instance, a drawing a day or every two days. And we know, or rather you know, enough good poeple who would not hesitate to look my work over and give some advice"[61]. Already before the winter term at Antwerp Academy was over[62], and without waiting for his brother's definitive assent, towards the end of February Vincent van Gogh arrived in Paris. In the studio of the academician and painter Cormon he met such self-assured painter colleagues as Toulouse-Lautrec, Louis Anquetin or Emile Bernard, but his high expectations were not to materialize quite as quickly as he had hoped: "That may however be my own fault, but whatever the case, I left there, much as I left Antwerp; since then I have been working on my own and I think I have become all the more aware of my own self"[63]. Van Gogh's search for a mode of expression entirely his own is impressively documented by a series of still lifes with vegetables, bread, meat or fish, created in the early summer in Paris[64]. They do not as yet show the bright colours of the Impressionists, whose work the painter was to get to know through his visits to galleries, and whose style he would soon appropriate as his own in a series of flower still lifes[65]. The rather dark range of colours of those early works are linked to the style characterizing his Dutch beginnings, though the French influence is already visible in the compositional change which his still lifes underwent in Paris. Contrary to the clearly defined table-stage and the space-shaping echeloning of knife, jug, tomatoes, fish and lemons in the painting created around the same time displayed in the Oskar Reinhart Collection in Winterthur[66], the red-brown-white colour concentrations of "Les Harengs saurs" do not have a fixed spatial relationship to the flat blue-grey background behind. Much like the well-worn shoes which the artist was to place as close as possible to the front of his easel that year as well. But it is the very isolation of the objects, their lack of spatial references or of other connections, that turns them into symbols of the "fateful drama of life"[67]. They lend evidence to an artistic

Vincent van Gogh (1853–1890)
Les Harengs saurs, 1886
Olio su tela, 21,5 × 42 cm
In deposito al Kunstmuseum di Basilea dal 1970

«E se avessi intenzione di rimanere ancora un po' qui nell'animazione della città, e poi magari di frequentare un atelier a Parigi, cercheresti di impedirmelo?»[60] Teo non voleva ostacolare la venuta di Vincent, voleva forse semplicemente rimandarla. Nelle lettere scritte da Anversa nell'inverno 1885/1886, il pittore aveva manifestato con crescente insistenza il desiderio di raggiungere presto il fratello per poter godere degli stimoli della metropoli. «A Parigi lavorerei sicuramente più che qui, farei per esempio un disegno ogni giorno o anche ogni due. E poi conosciamo, o meglio tu conosci, molta gente importante che non si rifiuterebbe di guardarli e magari di darmi qualche consiglio»[61]. Alla fine di febbraio, prima ancora che all'accademia di Anversa[62] fosse terminato il semestre invernale e senza aspettare il consenso definitivo di suo fratello, Vincent van Gogh arrivò a Parigi. Nell'atelier del pittore accademico Cormon incontrò colleghi affermati come Toulouse-Lautrec, Louis Anquetin ed Emile Bernard, ma in un primo tempo le sue grandi aspettative furono deluse. «Può darsi che sia stata colpa mia, comunque me ne sono andato, come pure me ne ero andato via da Anversa; da allora ho lavorato solo per me ed ho l'impressione che la mia personalità si sia rafforzata[63]». La ricerca di van Gogh di una propria forma espressiva è documentata in maniera impressionante da una serie di nature morte di legumi, pane, carne e pesci, dipinte a Parigi all'inizio dell'estate[64]. Esse non hanno ancora i colori chiari degli impressionisti che l'artista, visitando le gallerie, ben presto doveva scoprire e adottare a sua volta in una serie di nature morte di fiori[65]. Con i loro toni scuri esse si avvicinano ai primi lavori olandesi, nella composizione invece sono già evidenti gli influssi francesi, cui van Gogh non aveva saputo resistere. Al contrario del quadro della Collezione Oskar Reinhart di Winterthur[66], dipinto nella stessa epoca, nel quale la superficie del tavolo mostra chiaramente un piano d'appoggio e la disposizione del coltello, della caraffa, dei pomodori, dei pesci e dei limoni crea volumi nello spazio, «Les harengs saurs» dai toni rosso/bianco/bruno sembrano essere sospese sullo sfondo nero/blu. Questo effetto si ripete anche nel dipinto che ritrae nello stesso anno (1887) un paio di scarponi sformati, che van Gogh, per ritrarli, sembra aver spinto vicinissimi al cavalletto. Ed è proprio in questo isolamento, in questa assenza di rapporti e di spazialità, che gli oggetti diventano segno di «una fatale drammaturgia della vita»[67]. Un orientamento pittorico che, insieme all'ordine estetico delle cose, vorrebbe eliminare anche l'illusionismo che propone l'oggetto pesce sufficiente da solo a fornire una costruzione ottica[68]. Da un raffronto tra la natura morta «Les harengs saurs» con i cavalli morti del dipinto di Delacroix, «Le soir d'une bataille» del 1824[69], risulta chiaro a quali stimoli figurativi van Gogh si sia richiamato nell'accentuare il pensiero della

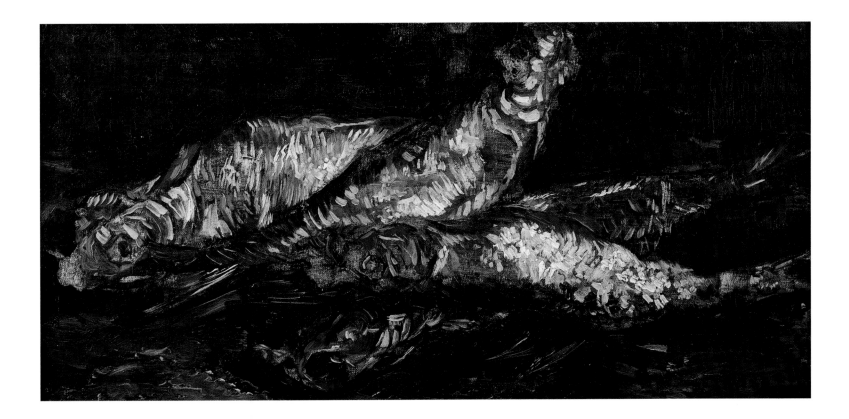

attitude availing itself of the aesthetic order of things to attempt to foil illusionism that would "offer the self-sufficiency of the object fish as a visual delight"[68]. Comparing this still life to the dead horses on Delacroix's painting "Le soir d'une bataille" [On the Eve of a Battle] of 1824[69], it is quite obvious to what pictorial stimuli van Gogh could be referring in emphasizing his "nature morte" concept. "As to Delacroix, I think what is so great is that he makes the life of things come through, their expression and movement; his approach goes beyond a choice of colours"[70].

Vincent van Gogh (1853–1890)
Tête de femme, 1886
Oil on canvas, 40.5 × 32.5 cm
On loan at the Basel Museum of Fine Arts since 1947

The rapid imprint Vincent van Gogh had hoped Paris, the city of the arts, would make on him did not make itself immediately manifest. "I have an enormous longing for the Louvre, the Luxembourg etc., where everything will be so new to me"[71], is what the painter, so impatient to force his artistic development, wrote to his brother from Antwerp. "Rest assured, that I would be truly glad to be able to work at Cormon's for a year or so. (...) Of course, I also long for the French paintings"[72]. Nothing came of the "year or so", but the desire to see the French paintings gained full satisfaction. Van Gogh held it out at Felix Cormon's studio for apprentices for only three or four months, wanting to learn about "sketching nudes and drawing plaster casts of antique statues"[73]. When his brother moved to a larger flat at Rue Lepic in June 1886, Vincent was offered a small live-in studio there; he soon lost all interest in academic instruction and corrections. He attached more importance to pictures painted by the Impressionists whom he got to know at his brother Theo's gallery branch or at Durand-Ruel's[74]. Meetings with Camille Pissarro, Paul Signac and Emile Bernard were to prove crucial to the gradual brightening of the "dark earth colours"[75] the painter had brought with him to Paris. They met at Tanguy's, a Parisian paint supplier's place. Julien Tanguy, jokingly called "père" by artists and bohemians, had supported Cézanne already early on and tried to sell his paintings in the small but well-visited shop for painters' supplies at Rue Clauzel. In the winter of 1886, the merchant modelled for van Gogh[76]. The painter's application of paints, till then in broad strokes and mostly in nervously changing directions, had become finer. Narrow brushstrokes attempted to convey a mass of information from the edges of the paintings towards their centre. A method of painting that gives "Tête de femme" as well its particular charm. This portrait,

natura morta. «Ciò che trovo bello in Delacroix, è che dalle cose che rappresenta traspare una vitalità, una forza espressiva ed un movimento, che non è solo abilità tecnica»[70].

Vincent van Gogh (1853–1890)
Tête de femme, 1886
Olio su tela, 40,5 × 32,5 cm
In deposito al Kunstmuseum di Basilea dal 1947

L'influenza che un grande centro d'arte come Parigi avrebbe prodotto sulla sua pittura non si fece sentire così rapidamente come van Gogh aveva sperato. «Ho una bramosia infinita di andare al Louvre, al Luxembourg ecc., dove tutto sarà nuovo per me»[71], aveva scritto Vincent a suo fratello da Anversa, dove con impazienza si sforzava di fare dei progressi: «Puoi star certo che mi farebbe piacere poter lavorare per un annetto da Cormon (...) naturalmente pretendo di vedere i quadri francesi...»[72]. Ma dell'annetto nell'atelier di Cormon non se ne fece niente, poiché ci resistette solo tre o quattro mesi qui, dove aveva voluto imparare la tecnica del nudo ed il disegno da antichi calchi di gesso[73]. Quando nel giugno 1886 suo fratello si trasferì in un appartamento più grande nella Rue Lepic e Vincent vi ebbe a sua disposizione un piccolo atelier, perse ben presto l'interesse negli insegnamenti accademici e nelle correzioni. Molto più importante gli sembrò la pittura degli impressionisti, che egli conobbe nella galleria di Theo o da Durand-Ruel[74]. Decisivo fu l'incontro con Camille Pissarro, Paul Signac ed Emil Bernard conosciuti nel negozio di colori di Tanguy, che lentamente lo portò a schiarire i «pesanti toni terra»[75] caratteristici della pittura olandese. Julien Tanguy, «Père Tanguy» come lo avevano affettuosamente soprannominato gli artisti, aveva molto presto preso a cuore Cézanne e faceva del tutto per vendere i suoi quadri, che esponeva nel piccolo ma ben frequentato negozio di Rue Clauzel, dove abitualmente i pittori si rifornivano. Nell'inverno del 1886, Tanguy posò per van Gogh[76]. Le pennellate, fino a quel momento larghe, spesso nervose e irregolari, si fanno più delicate. Sembra quasi che raggruppamenti di pennellate sottili tendano a spostarsi dai bordi verso il centro della tela, un procedere pittorico questo, che conferisce anche a «Tête de femme» il suo charme acre singolare. Questo ritratto, dipinto probabilmente nello stesso periodo di «Père Tanguy», è tutto costruito sull'intreccio di flussi di pennellate cromatici qualche volta densi, altre

probably painted around the same time as "Père Tanguy", is composed entirely of now denser, now more loosely combined strokes of colour: moss greens that rotate around shoulders and neck, orange-red and violet-red flames that flicker around the brightly lit half of the face – repeating the circular movement of the spherical cap of hair – then, reds and greens modelling the other, shadowed cheek and aiming at a point located between eyes and bridge of nose, where most of van Gogh's self-portraits in particular have their imaginary centres. There are only a few clues as to the identity of the model in this portrait. The reclining, female nude, rendered in three versions dated the beginning of 1887[77], could be the same model. Especially in the ovally framed picture at the Barnes Foundation, one finds similarities, if one compares hairdos and the somewhat rugged facial traits. If this should be true, "Tête de femme" could however hardly be Madame Tanguy, as some people have assumed[78]. For she is said to have shown a "definite aversion" towards the painter, who "according to her opinion, used up much too much canvas and paint for unsellable paintings"[79]. It is in fact much more probable that this not all too attractive woman was one of the habituées of the Café Tambourin, where van Gogh was a frequent visitor and where he was even allowed, upon invitation by its owner, Agostina Segatori, to exhibit some of his paintings for a while[80].

volte più fluidi. Il verde muschio ruota intorno alle spalle e al collo della donna lambendo come fiamme rosso/arancio e rosso/violetto all'intorno della parte illuminata del viso. Esse assumono poi il movimento circolare della crocchia di capelli, modellano – il rosso ora accoppiato al verde – la guancia in ombra e vanno a fermarsi in un punto tra occhio e radice del naso dove, soprattutto negli autoritratti di van Gogh, viene marcato il centro immaginario della tela. Sull'identità della modella non esistono indicazioni precise, anche se il nudo femminile allungato, le cui tre versioni sono datate inizio 1887[77], potrebbe ritrarre la stessa persona. Ma, se si raffrontano le pettinature e i tratti aspri del viso, è soprattutto il ritratto ovale della Fondazione Barnes a mostrare affinità con «Tête de femme». In tal caso, però, può difficilmente trattarsi di Madame Tanguy, com e si è qualche volta supposto[78]. Per di più si dice che ella avesse «decisamente in antipatia» van Gogh, al quale rimproverava di consumare una quantità enorme di tela e colori per quadri che non si vendevano[79]. È molto più verosimile che la signora non propriamente attraente sia una habituée del Caffé Tambourin, dove van Gogh fu visto spesso e dove gli fu anche permesso, su invito della proprietaria, Agostina Segatori, di esporre per qualche tempo alcune sue tele.

Vincent van Gogh (1853–1890)
Le jardin de Daubigny, July 1890
Oil on canvas, 56 × 101.5 cm
On loan at the Basel Museum of Fine Arts since 1947

"The roof with its bluish tiles, a bench and three chairs, a black figure with a yellow hat, a black cat in the foreground, and the sky is light green"[81]: Four days before his death, Vincent van Gogh described a specific picture in a very detailed manner to his brother: "Daubigny's Garden". He courageously added that he deemed it one of his most powerful works yet. It belongs among a last group of pictures described by the painter as a kind of legacy: "There are boundlessly stretched out fields under a cloudy sky, and I have no trouble expressing my entire sadness in them, my absolute solitude (...). The third picture is Daubigny's garden, a picture in my mind's fantasy ever since being here"[82]. Contrary to the allowed melancholy of "Wheat Fields"[83], all the gloom of "Daubigny's Garden" seems once again to be balanced by the good order of the idyllic scene. The painter places himself as well as the observer right in the midst of the garden's abundant summer growth. A few steps are all it takes, so it seems, and we are past the flower beds in the fore-

Vincent van Gogh (1853–1890)
Le jardin de Daubigny, luglio 1890
Olio su tela, 56 × 101,5 cm
In deposito al Kunstmuseum di Basilea dal 1947

«Il tetto dalle tegole azzurrognole, una panchina e tre sedie, una figura nera con un cappello giallo, un gatto nero in primo piano, il cielo è verde pallido...»[81]. Quattro giorni prima di morire, Vincent van Gogh descrisse in modo estremamente dettagliato a suo fratello un quadro: era «Il giardino di Daubigny». Aggiunse con coraggiosa consapevolezza che si trattava di uno dei suoi lavori migliori. L'opera fa parte di un ultimo gruppo di quadri che il pittore descrive come un suo lascito: «Sono campi che si estendono all'infinito sotto il cielo nuvoloso e non mi riesce difficile esprimere in essi tutta la mia tristezza, la mia estrema solitudine. (...) Il terzo quadro è «Il giardino di Daubigny», un lavoro che ho avuto davanti agli occhi fin dal momento in cui sono arrivato»[82].
Contrariamente ai «Campi di grano»[83], pervasi da una confessata malinconia, nel «Giardino di Daubigny» la depressione di van Gogh sembra ancora una volta trovare sollievo in quel perfetto ordine idillico. Il pittore porta con sé lo spettatore nel mezzo di una vegetazione rigogliosa di piena estate. Sembra che bastino

le jardin de Daubigny

ground where the cat slinks about, to where we might sit down beside the painter on the blue-green bench that – under the cool shadow of a tree – invites us to submit to the temptation of taking a look about and dreaming. Behind are dense underbush and leaves and, in front of us, flowers, trees and the closed gate in a lushly overgrown hedge separating the intimate gardenscape from the public space of the village. We can still see the bright facade of Daubigny's country home through the trees, a kind of protective wall. Anything beyond that wall would have to stretch up quite high to offer a glimpse of the garden paradise to its fore. Actually, this "hortus conclusus" is conceived spaciously; there is nothing narrow or confining about it, though our gaze and our soul could not lose themselves in it like they can in the dark blue sky spanning "Wheat Fields". Contrary to the seemingly infinite landscape stage of the "Wheat Fields", with paralyzing suggestions of exposure, the "Garden" – closed to the rear and open to the front – offers welcome, support, security. It is indubitably a metaphor for yearning, much like the "Wheat Field" paintings of the months of July appeared to the painter himself as signs of his utter certitude of imminent loss. Yet, the motif of the painting had obviously been planned some time before. Already on June 17th, scarcely a month after his arrival in Auvers-sur-Oise, van Gogh informed his brother:

"I am planning to paint an even larger picture of Daubigny's house and garden, for which I already made a study"[84]. Charles-François Daubigny's property apparently held great fascination for the painter in his last stage of work. Daubigny, the Impressionist's companion during the final stages of his life, moved to the Oise Valley in the early sixties and had a country mansion at Auvers built; Corot and Daumier are said to be partially responsible for its decoration[85]. Starting from Auvers, he travelled along the river on his studio boat, painting all those riverside landscapes that repeatedly gave rise to discussions at the Salon. After Daubigny's death in 1878, the striking property at Auvers continued to be cared for and van Gogh must have discovered it right away on his last trip in search of themes. He wanted to paint both the house and the garden, but he painted mainly the garden – a dream place of measured, cultivated beauty that the painter had no need to force into a picture because the garden itself had turned into a picture.

solo pochi passi per raggiungere – oltre l'aiuola fiorita in primo piano e aggirata furtivamento da un gatto – la panchina verde/azzurra che invita a sedersi e a sognare, a prendervi posto insieme all'artista, nell'ombra fresca degli alberi. Alle spalle fitti cespugli e fogliame, davanti fiori, alberi ed un cancello chiuso e completamente ricoperto di verde che protegge l'intimità del giardino separandolo dal pubblico del paese. Attraverso gli alberi si intravedono, ultimo baluardo, i muri chiari della casa di campagna di Daubigny. E tutto ciò che si trova oltre, dovrebbe stendersi molto in alto per avere un'idea lontana di questo paradiso verde. È grande questo «hortus conclusus», non è né angusto né opprimente, però l'anima e lo sguardo non possono perdervisi come nel cielo azzurro intenso che sovrasta i «Campi di grano». Al contrario dei «Campi», la cui estensione sconfinata trasmette un senso di paralizzante abbandono, il «Giardino», chiuso di dietro e aperto di davanti, promette accoglienza, sostegno e protezione. Esso è evidentemente la metafora dello struggente desiderio di van Gogh, come i «Campi di grano» dipinti a luglio erano apparsi a lui stesso segno del suo irrimediabile smarrimento. Il soggetto di questo quadro era evidentemente stato scelto da molto tempo. Già il 17 giugno, appena un mese dopo il suo arrivo ad Auvers-sur-Oise, van Gogh annuncia al fratello: «Ho l'intenzione di dipingere ancora un grande quadro della casa e del giardino di Daubigny, di cui ho già preparato un piccolo studio»[84]. La proprietà di Charles-François Daubigny deve aver affascinato immediatamente il pittore in quell'ultima fase della sua vita. Daubigny, tardivo compagno degli impressionisti, si era stabilito nella valle dell'Oise all'inizio degli anni sessanta e ad Auvers si era fatto costruire una villa di campagna alla cui decorazione sembra abbiano contribuito anche Corot e Daumier[85]. Da Auvers van Gogh percorse il fiume con un battello-atelier ed i paesaggi delle rive dell'Oise, che ritrasse dall'imbarcazione, furono spesso al Salon oggetto di discussioni appassionate. Dopo la morte di Daubigny nel 1878, la grandiosa proprietà di Auvers continuò ad essere curata e van Gogh, nell'ultima ricerca dei suoi soggetti, non tardò a scoprirla. Desiderava ritrarre la casa e il giardino. Finì invece per dipingere soprattutto il giardino, luogo in cui si realizzava la sua aspirazione alla bellezza che egli non aveva più bisogno di costringere su una tela, in quanto divenuta essa stessa immagine.

Ferdinand Hodler (1853–1918)
Paysage de Montana, 1915
Oil on canvas, 65.5 × 80.5 cm

In 1915, a number of significant portraits were created, including the portraits of General Wille and Carl Spitteler or
the posthumous, as if transfigured en-face portrait of Valentine Godé-Darel. Hodler's interest in landscapes seemed at
that time to take second place. It wasn't until the fall of that
year that he was again inspired by the Valais mountains. This
briskly composed landscape study[86] was done during visits to
Montana, where his wife and his son Hector were sojourn-
ing[87]. The mountain ridges are superimposed like so many
stretched-out wedges, digging out a valley which spatially
represents the mountain panorama and the meadows lying to
the fore. The vanishing point that provides the landscape
space with depth, has been shifted to the very righthand
edge of the painting, where a valley disappears into the hilly
landscape, crossing a wayline that flatly climbs up from the
intercalated lakes. Hodler's usual landscape "stagings" involved axially symmetrical circular or angular shapes as well
as linear forms divided into parallel echelons[88]. Quite to the
contrary, this landscape painting of Montana retains the
naturally grown profile of the scenery, neither dignified nor
rendered sublime. Here the painter's pictorial means are
measured against obtaining suitable perception, with no
attempt at conveying or translating meaning. They are the
same submissive but decisive pictorial means that Hodler ap-
propriated at the foot of Valentine's bed of agony. The Montana painting's significance also has to do with the sensual
directness that was the trademark of Hodler's late pictorial
style from 1914 onwards, applied here to a landscape motif
for the first time. For it is in Nature indeed – be it life on the
wane or a bright, late summer Alpine idyll – that the painter
who observes, and who is no longer an observer who paints,
discovers the autonomy of his pictorial elements. Sky, clouds,
mountains, hills, meadows and lakes, whatever the painting
unites in the way of identifiable, definable and assignable
aspects are, in their pictorial concretization, blended into a
system of references made of autonomous colour chords and
rhythmic forms that are later fully liberated in the Lake of
Geneva paintings.

Ferdinand Hodler (1853–1918)
Paysage de Montana, 1915
Olio su tela, 65,5 × 80,5 cm

*Nel 1915 Hodler realizzò una serie di ritratti di notevole impor-
tanza, come quello del generale Wille, quello di Carl Spitteler o
quello postumo di Valentine Godé-Darel, la quale pare trasfigu-
rata. Per un certo tempo sembrò che l'interesse di Hodler per i
paesaggi fosse diminuito. Fu solo in autunno che egli si lasciò di
nuovo ispirare dalle montagne del Vallese. A Montana, dove vi-
sitava sua moglie e, poco distante, suo figlio Hector malato di tu-
bercolosi, Hodler elaborò questo agile studio del paesaggio[86]. I
crinali delle montagne si intersecano come cunei allungati, sca-
vando una valle che collega la catena montagnosa con i prati in
primo piano. La linea dell'orizzonte che conferisce profondità al
paesaggio, è spostata completamente sulla destra, dove l'intaglio
della valle si perde tra le colline della zona antistante ed incrocia
un sentiero che, dai laghi si dirige pian piano verso l'alto. Al
contrario dei grandi quadri di Hodler, che mettono in scena il
paesaggio in un modo un po' teatrale, usando normalmente forme circolari o angolari, simmetriche in rapporto all'asse della
tela o delle strutture lineari parallele[88], il pesaggio di Montana
ha conservato il profilo che la natura gli ha dato. Non si presenta
come formula di dignità trascendente e per una volta neppure
come segno della magnificenza. Qui il linguaggio pittorico si accontenta piuttosto di una percenzione essenziale, senza interpretare o tradurre. Sono gli stessi mezzi pittorici a cui Hodler ha fatto ricorso, con umiltà e risolutezza, davanti al letto di morte di
Valentine. L'importanza del quadro di Montana stà nell'immediatezza sensitiva che caratterizza il tardo stile di Hodler a partire dal 1914 e che qui per la prima volta viene provata nell'interpretazione di un paesaggio. Ed è proprio attraverso il contatto
con la natura – sia che si tratti di una vita che si spegne o, come
in questo caso, di un luminoso idillio alpestre nella luce di
una tarde estate – che il pittore osservatore, che non è più un osservatore che dipinge, scopre l'autonomia degli elementi del suo
quadro. Cielo, nubi, montagne, colline, prati, laghi, tutto quello
che il quadro tiene insieme per la vista, di identificabile, di
definibile e di localizzabile, si inserisce nella concrezione pittorica, fino a diventare un sistema di relazioni che si compone di
accordi cromatici e di ritmi di forme autonomi, che successivamente si emanciperanno pienamente nelle tarde tele del lago di
Ginevra.*

Ferdinand Hodler (1853–1918)
La malade, November 1914
Oil on canvas, 43 × 33 cm
On loan at the Kunsthaus Zurich since 1984

La morte, January 26th, 1915
Oil on canvas, 65 × 81 cm
On loan at the Kunsthaus Zurich since 1984

In the spring of 1908, Ferdinand Hodler met Valentine Godé-Darel, a Parisian woman twenty years his junior[89] who, after a divorce, had moved in with her mother in Switzerland. Her activities there were painting on china and working as an operetta singer. "At 55, the artist was to experience full-flamed passion, probably for the first time in his life, although it would remain subordinated to his creative activity and (…) in view of both painters' strong personalities, subject to differences of opinion"[90]. In Hodler's late works, Valentine's nude back, entitled "Linienherrlichkeit" (Linear Magnificence), marks the beginning of an intense relationship between painter and model, a relationship whose tragic climax is depicted in more than 200 drawings and paintings showing the illness and death of his beloved between 1913 and 1915. The cycle of paintings thus created is unique in the history of twentieth century art, and clearly forgoes any symbolic suggestions upon which the artist's fame and recognition had heretofore been based. If his 1908 nude still seems to depict an allegorical version of sensual happiness in flower-strewn eternity, the woman portrayed first on her sickbed and then on her deathbed no longer serves as a simile. The artist portrays the girl herself, at the moment of her death, at the same time as portraying her as the focus point of his own approach to her death, with his self-control expressed in hard lines that seem to seal off all emotion and pain. And, contrary to the series of paintings showing curiosity as to the sensations presented by a life about to be extinguished – which Hodler painted in 1909, chronicling the death of his occasional partner in life Augustine Dupon – there is nothing inquisitive about his artistic portrayal of Valentine's dying. It is more of a quiet leave-taking. After two operations in February and May 1914, the seriously ill woman visibly was wasting away. Hodler visited her once again in November, after a few months of separation, in her house in Vevey. The drawings and the two oil versions entitled "La malade" date from that visit. The nervously sketched drawing shows "a thin figure leaning against the headboard of a huge bed, much like a stranded person against the shores of destiny"[91]. In this painting of the already seriously ill woman, the artist once again seeks out the inner gaze that is starting to glaze over in her deep-set eyes[92]. The other portrait drawing, shown here, inspired Georg Schmidt and Hans Mühlestein to write a piece of expressionist prose in 1942: "Like the

Ferdinand Hodler (1853–1918)
La malade, novembre 1914
Olio su tela, 43 × 33 cm
In deposito alla Kunsthaus di Zurigo dal 1984

La morte, 26 gennaio 1915
Olio su tela, 65 × 81 cm
In deposito alla Kunsthaus di Zurigo dal 1984

Nella primavera del 1908, Ferdinand Hodler conobbe Valentine Godé-Darel, una parigina più giovane di lui di vent'anni[89]. Dopo il divorzio, Valentine si era trasferita con la madre in Svizzera, dove trovò lavoro come decoratrice di porcellane ed anche come cantante d'operetta. «A cinquantacinque anni, forse per la prima volta nella sua vita, al pittore fu concesso di abbandonarsi ad una passione autentica, anche se sempre subordinata alla sua attività creativa e (…), vista la forte personalità di entrambi i partner, non al riparo da dissidi[90]. Con il nudo di schiena di Valentine, intitolato «Linienherrlichkeit», ebbe inizio un intenso rapporto tra pittore e modella, che doveva trovare il suo tragico punto più alto tra il 1913 ed il 1915, negli oltre 200 disegni e quadri raffiguranti la malattia e la morte dell'amata. Si tratta di un ciclo unico nella storia dell'arte del XX secolo, nel corso del quale il pittore abbandonò completamente la suggestione simbolica, che nel frattempo gli aveva procurato fama e riconoscimenti. Se nel nudo del 1908 l'amica appare ancora come l'allegoria della gioia sensuale, che sembra camminare verso un'infinità cosparsa di fiori, così ella, durante la sua malattia e poi sul letto di morte, cessa di essere un simbolo per ridiventare se stessa, una donna morente, che è guardata e ritratta con partecipazione contenuta e i cui lineamenti spigolosi suggellano ogni sofferenza e ogni dolore. E al contrario della serie di quadri, che rivelano l'evidente interesse del pittore per la sensazione della vita che si spegne, gruppo che Hodler dipinse alla fine del 1909 alla morte della sua compagna di allora Augustine Dupin, non si riconosce più nessuna curiosità nella partecipazione figurativa della morte di Valentine. Qui è solo un muto commiato. Dopo due operazioni subite nel febbraio e nel maggio 1914, la malata deperisce a vista d'occhio. In novembre, dopo alcuni mesi di separazione, Hodler andò di nuovo a visitarla a Vevey ed è a quest'epoca che risalgono i disegni e le due versioni a olio de «La malade».
I tratti nervosi del disegno mostrano una «figura scarnita che si appoggia alla testata del suo vasto letto con lo stesso abbandono di un naufrago sulla spiaggia»[91]. In uno dei ritratti della malata fa un ultimo tentativo di cogliere nel suo sguardo, ormai sprofondato nell'incavo delle occhiaie, un'espressione calda[92]. L'altro ritratto riportato in questo libro, nel 1942 ha ispirato a Georg Schmidt e ad Hans Mühlestein una prosa espressionista: «Come bagliori all'orizzonte che annunciano l'imminente lotta con la morte, luci stridule e tratti appuntiti guizzano su tutta la tela. Gli occhi sono diventati troppo deboli persino per chiedere, lo

sheet lightning of imminent agony, bright lights and pointed lines flash through the picture. By now her eyes are too weak even to question anything; their gaze has fallen into the void. And this is the last time we are to see her eyes, for in all later representations they are closed. The wings of her nose are already dead, and her now perennially half-open mouth can no longer form words"[93]. From Christmas onwards, Valentine Godé-Darel awoke from her coma only intermittently, and on January 25th, 1915, she passed away. The chronicler himself interrupted his heart-rending records on the day of her death, painting the sundown on the Lake of Geneva as seen from the dead woman's room in Vevey. As if her exhausted soul had first sought solace in the basic forms and colours of Nature, before allowing the curtain to fall altogether. And to the extent that the painter chose to compress shore, lake, mountain silhouette and clouds into indistinguishable sky-lines that cross over and behind each other, the rushed lines depicting Valentine's agony are extended as well by the artist, into echelons of parallel rhythms that virtually draw the figure upwards.

sguardo si perde nel vuoto. È l'ultima volta che vedremo questi occhi: in tutti i ritratti che verranno, essi saranno chiusi! Le narici sono già prive di vita e la bocca, semiaperta, non può più pronunciare nessuna parola»[93]. Dopo Natale, Valentine Godé-Darel si sollevò della sua agonia solo per brevi momenti e morì il 25 gennaio 1915. Lo stesso giorno della morte, il cronista interruppe i suoi rapporti angoscianti e dispinse dalla camera di morte a Vevey il tramonto sul lago di Ginevra, come se la sua anima snervata si dovesse calmare attraverso le forme e i colori dello spettacolo naturale, prima di poter affrontare quello della morte. E nella stessa misura in cui il pittore comprime ora i bordi della riva, il lago, la silhouette delle montagne e le nuvole in strati orizzontali, che si intersecano e non sono più distinguibili tra loro, così anche le linee frettolose che testimoniano la lotta contro la morte di Valentine, si allungano, in piano, si dispongono in ritmi paralleli, nei quali la figura sembra disperdersi.

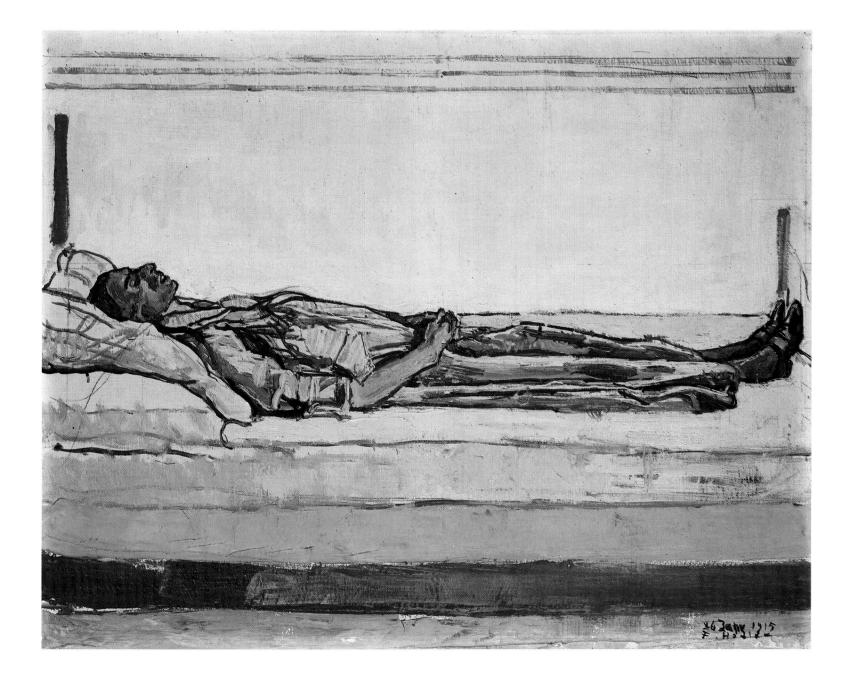

Ferdinand Hodler (1853–1918)
Le Mont-Blanc, January 1918
Oil on canvas, 60 × 85 cm

Genfersee mit Mont-Blanc und rosa Wolken, March 1918
Oil on canvas, 60 × 85 cm
On loan at the Kunsthaus Zurich since 1984

In the last few months of his life, between January and May of 1918, Hodler once again concentrated all his strength on a landscape theme. Morning after morning he painted the lake with the ring of mountains that was its trademark from his window on the Quai du Mont-Blanc[94]. Usually he worked in the early morning light just before sunrise, when the shadows of the night fade away on the surface of the water and the first brightening of the sky is reflected on a surface as yet unmarred by waves. In this way, he created a cycle of fifteen paintings belonging among the most important serial paintings of the history of art in our century. Like Cézanne's "Montagne Sainte-Victoire", Monet's "Nymphéas" or Jawlensky's "Head" meditations, Hodler's late "paysages flamboyants" as well are clearly free of only illustrative or narrative aspects. Hodler's work had long been based on conveying meaning by resorting to highly active imagery imbued with the pathetic; he only found a relationship more commensurate with the subject matter in his depiction of the dying and dead Valentine Godé-Darel. In the final chapter of the artist's work, the subject depicted is left to virtually disappear into the depiction itself. The landscape theme is turned into a pictorial formula, into the inspiration point for a ritually experienced pictorial search for his own self. There are no longer any homages paid to landscapes, no symbolic valorization of mountain and lakeside topographies. In a review on Hodler's later work, Dieter Honisch refers to paintings that appear "rigorously free of any transcendental illusions or intellectualizations. (...) Unable to desert reality or to set aside experience provided by the senses, these laconic works devoid of illusions stand firmly in the midst of time and of life, defying all trends in art history. For Hodler does not describe what could – or should – be: he purely and simply describes those aspects of reality that translate into pictorial reality"[95]. The totally becalmed and thus solemnified mood characterizing Hodler's last few paintings is gleaned entirely from the specific manner in which they are organized: from the horizontal echeloning of lightly floating fields of colour that are blended together into coloured spaces full of sublime charms. "Figures and landscape topics have been turned into pictorial figures and pictorial landscapes"[96]. The undeniable change in Hodler's work shows up in a comparison of the two Lake of Geneva landscapes. Details still appear in the painting created in January, for instance the fishing boat on the water, the barely hinted

Ferdinand Hodler (1853–1918)
Le Mont Blanc, gennaio 1918
Olio su tela, 60 × 85 cm

Le Mont Blanc aux nuages roses, marzo 1918
Olio su tela, 60 × 85 cm
In deposito alla Kunsthaus di Zurigo dal 1984

Negli ultimi mesi di vita, tra gennaio e maggio 1918, Hodler si concentrò ancora una volta con tutte le sue forze sulla rappresentazione di paesaggi. Giorno dopo giorno, egli dipinse dalla sua finestra sul quai du Mont Blanc il lago con la sua caratteristica catena di montagne[94], scegliendo soprattutto le prime luci del giorno, prima del sorgere del sole, quando le ombre della notte si ritirano dal lago ed il primo chiarore del cielo si specchia nella superficie liscia dell'acqua. È nato così un ciclo di 15 dipinti che è considerato una della serie più importanti nella storia dell'arte del secolo. Come la «Montagne Sainte-Victoire» di Cézanne, le «Nymphéas» di Monet o anche gli studi della testa, «Kopf», di Jawlensky, anche gli ultimi «paysages flamboyants» di Hodler si mostrano liberi da ogni intenzione illustrativa o narrativa. La sua opera, che si era così a lungo concentrata sui significati, su un segno fortemente espressivo e patetico, che soltanto al cospetto di Valentine morente e poi della sua morte si era stabilizzato in un giusto rapporto con il soggetto in quest'ultima fase esso diventa rappresentazione. Il paesaggio è adesso formulazione di un'immagine, il sotrato mobile di una apprensione dell'esperienza pittorica vissuta in modo rituale. Questi quadri non sono più esaltazioni del paesaggio, né rivalutazione simbolica della topografia del lago e delle montagne, bensì appaiono rigorosamente liberi da tutte le illusioni o le speculazioni trascendentali, come si esprime Dieter Hanisch nel suo saggio sulle ultime opere del pittore. «Nella loro incapacità di abbandonare la realtà e di rivelare l'esperienza sensuale queste opere laconiche e prive di illusioni appartengono completamente, a dispetto di tutte le tendenze artistiche, alla vita e al loro tempo. Hodler non descrive quello che potrebbe essere o che dovrebbe essere ma si limita a fissare la realtà che bisogna conservare nella realtà della tela. L'atmosfera perfettamente calma e solenne, che improma le ultime opere di Hodler, deriva unicamente dalla composizione degli elementi del dipinto, dallo scaglionamento orizzontale dei lievissimi piani cromatici che si dispongono in spazi coloristici pieni di sublime dignità. «Figure e paesaggi diventano rappresentazioni di figure e di paesaggi»[95]. Che l'ultima fase dell'opera di Hodler fosse concepita come un processo lo dimostra il confronto dei due paesaggi del lago di Ginevra. Il dipinto di gennaio annota ancora altri dettagli, la barca da pesca per esempio, la leggera increspatura dell'acqua in primo piano oppure, sull'altra sponda, tracce di vegetazione che come una cintura scura separa al centro della tela i freddi toni blu dell'acqua da quelli della montagna. Lo sguardo è attirato al di là del lago dal lontano Monte Bianco che, coperto di neve e rischiarato dal sole, troneggia all'orizzonte al centro

102

wave structure in the foreground or a few traces of vegetation on the far shore ... the latter a brownish belt dividing the middle of the painting into the cool blue of the water and that of the mountains. One's gaze is attracted, beyond the lake, to the far distant, brightly shining and snow-covered Mont-Blanc that crowns the mountainous horizon. In the March painting the mountains melt into the dark line of the mountain ridge, dividing the yellow background into respectively a sky and a water segment. The resulting symmetry transforms the landscape depth into a two-dimensional surface, where suggestions of proximity and distance are no longer the dominating factors and where all the individual pictorial elements are accorded equal weight within the overall design. The clouds have been transformed into arabesques, and the shadowy zone on the water into a field of colour that seems to anticipate the figure-ground abstractions of the likes of Mark Rothko or Barnett Newman[95].

delle montagne. Nel quadro dipinto in marzo, il massiccio si stempera in una scura cresta dentellata che, attraversando il quadro, separa lo sfondo giallo in un segmento d'acqua e di cielo. Questa simmetria trasforma il profondo spazio paesaggistico in una superficie, in cui non domina più la suggestione della vicinanza e lontananza, bensì l'equilibrio dei singoli elementi nel piano figurativo. Le nuvole si mutuano in arabeschi e la zona d'ombra sull'acqua diventa un campo di colore che sembra anticipare le astrazioni figure-sfondo di un Mark Rothko o di un Barnett Newman[96].

Edouard Vallet (1876–1929)
Marché à Sion, 1906
Oil on canvas, 50,5 × 116,5 cm

The year 1906 marks a break in Edouard Vallet's development as a painter. Recently turned thirty, the painter now chose Saconnex near Geneva as his domicile, after years of restless wanderings and periods of training and sojourns in Germany, France and Italy. Quieter years were to follow, in which the painter slowly began to liberate himself from his great idol Hodler[97], developing a more independent pictorial language through the gradual discovery of the natural life and culture the Valais offered. In 1910, he moved to the Valaisan village of Savièse, where Ernest Biéler had founded a painters' colony dedicated to the "Jugendstil" manner of transcending scenes of rural everyday life[98]. In Vallet's paintings as well landscapes and figures are firmed into timeless panoramas – beginning in 1906 – where even folkloric details translate into symbols of a closed, largely intact and originally experienced unity of life and nature. "Much like Ernest Biéler, Vallet enhances and transcends the accidental events of human life, turning them into way-stations on the path of a symbolically burdened intermediate world within which nature is omnipresent"[99]. Thus "Market in Sion" is not a genre scene, but a measured celebration of a provincial rural community perceiving barter as a binding, socially stabilizing event. As a counterpoint to the men's society depicted in the market, three years later Vallet was to paint his sunny "Sunday Morning" scene, celebrating the peasant woman with her rosary, prayerbook and a view of the mountains, symbolizing the perfect harmony of man, nature and cosmos[100]. Thus what Tahiti meant to Gauguin, the Valais was to Vallet: the expression of a "search for an original approach to life, where inhabitants create a harmonious whole between their rituals and their surroundings"[101].

Eduard Vallet (1876–1929)
Marché à Sion, 1906
Olio su tela, 50,5 × 116,5 cm

L'anno 1906 costituì indubbiamente una svolta nella evoluzione pittorica di Edouard Vallet. Dopo un alternarsi di periodi di formazione e soggiorni in Germania, Francia e Italia, l'artista, appena trentenne, si stabilì a Saconnex, nei dintorni di Ginevra. Seguirono anni più tranquilli, durante i quali il pittore riuscì a liberarsi dal sovrastante modello di Hodler[97] e, nella lenta scoperta della semplicità della vita e della cultura valligiane, andò costruendosi un proprio linguaggio pittorico sempre più indipendente. Nel 1910 si trasferì a Savièse, villaggio del Vallese, dove Ernest Biéler aveva fondato una comunità di pittori che si dedicava a un trascendimento «Jugendstil» della quotidianità campagnola[98]. A partire dal 1906 si nota anche nella pittura di Vallet, come il paesaggio e le figure si consolidino in scenari atemporali, nei quali persino i dettagli folkloristici diventano segni, e assurgono a simboli di una vita chiusa, incontaminata, vissuta spontaneamente in unisono con la natura. Come Ernest Biéler, Vallet innalza gli eventi fortuiti della vita umana a stazioni di un mondo intermedio carico di simboli, in cui anche la natura è costantemente presente[99]. In tal senso il «Mercato a Sion» deve intendersi non come un quadro di genere, ma come la rappresentazione di una festa solenne di una piccola comunità di campagna, per la quale lo scambio di merci è un avvenimento con un profondo significato sociale e fattore di unità e di stabilità. Tre anni dopo farà da contrappunto alla società maschile del «mercato» la soleggiata «Domenica mattina», ove la contadina con rosario, messale e sguardo rivolto alle montagne, assurge al tono di una commossa celebrazione della profonda intesa tra l'uomo, la natura ed il cosmo[100]. Questi luoghi divennero per Vallet quello che Tahiti fu per Gauguin: espressione di una ricerca della naturalezza in cui gli abitanti con i loro riti di vita e con il loro ambiente (...) sono in perfetta armonia[101].

Félix Vallotton (1865–1925)
Moscou, 1913
Oil on canvas, 88,5 × 56,5 cm

In the spring of 1913, Félix Vallotton travelled to Russia[102] for some time, on the invitation of a friend of his brother's, Georges Hasen, who lived in St. Petersburg as a business representative. With some success, Hasen worked at promoting of Vallotton's work, which had already been somewhat acknowledged by Russian avantgarde circles since the turn of the century. "Through Hasen's mediation (...), more and more paintings by Vallotton now found their way into Russian exhibitions and the hands of private citizens". In 1918, even a Vallotton monograph was published in Russia, however selectively featuring mainly work that attracted attention due to its understated realism. Even today, a fairly significant number of paintings by this Swiss-born painter with a French passport are on display in Russian museums. Moreover, during his stay in St. Petersburg and Moscow, Vallotton made a number of sketches that he later transformed into paintings at home. His view of the Kremlin was originally intended as broader[103], but he finally decided in favor of narrow, high formats[104], so he removed the original bend on the red building front and lengthened it on the left side by adding a window – all of which gave the staggered architectonic elements an additional dramatic dimension. Almost threateningly, the Kremlin Cathedral towers rise steeply from the center of the picture, to which they have thus been shifted; their spires struggle for the top position. "The Kremlin", the artist jotted into his sketchbook, "is an amazing thing, quite barbarian, savage and a bit comic too"[105].

Félix Vallotton (1865–1925)
Moscou, 1913
Olio su tela, 88,5 × 56,5 cm

Nella primavera del 1913 Félix Vallotton si recò per qualche tempo in Russia[102]. Ad invitarlo era stato Georges Hasen, amico di suo fratello e rappresentante di una ditta a Pietroburgo, che era riuscito fin dall'inizio del secolo ad introdurre l'opera di Vallotton negli ambienti dell'avanguardia russa. In ogni caso, i dipinti di Vallotton dovevano, grazie all'interessamento di Hasen (...), pervenire sempre più spesso in esposizioni russe o in proprietà private. Nel 1918 in Russia venne persino pubblicata una monografia dedicata a Vallotton, in cui veniva illustrata la sua grafica, discussa soprattutto a causa del suo gelido realismo. Ancora oggi un numero non irrilevante di quadri di questo artista, svizzero di nascita ma con passaporto francese, si trova nei musei russi. Durante il suo soggiorno a Mosca e a Pietroburgo, Vallotton realizzò un certo numero di schizzi che traspose al suo ritorno in dipinti. Come disegno, il Cremlino nacque con una prospettiva più ampia, ma poi il pittore scelse un formato lungo e stretto, eliminò la curvatura originale della facciata rossa e la allungò sul lato sinistro inserendovi una finestra, cosa che dette alla giustapposizione delle parti architettoniche una maggiore drammaticità. Le torri della cattedrale del Cremlino, spostate nel centro, si ergono quasi in modo minaccioso e le loro punte gareggiano tra di loro per il primo posto. «Il Cremlino», annotò Vallotton nel suo album di schizzi, «è una cosa che lascia di stucco, barbara, selvaggia e anche un pò bizzarra.»[105]

Maurice de Vlaminck (1876–1958)
Maison au bord de l'eau
Oil on canvas, 65 × 81 cm
On loan at the Musée d'art et d'histoire Geneva since 1952

Vlaminck's work during the years following World War I is characterized by a distinct caesura. At that time, the painter gave up his early Fauvist style, in favor of an expressive realism once again recalling his great idol van Gogh, who had already gained him over as a young painter. In 1901, Vlaminck is said to have confessed his boundless admiration at a van Gogh exhibition in the Parisian Galerie Bernheim Jeune: "Van Gogh means more to me than my own father or mother"[106]. The painting entitled "Maison au bord de l'eau" belongs among his early works. The riverside landscape, a sparkling bright piece of scenery in lights and darks, is impetuously organized into colours in a manner typical of Vlaminck's paintings during the first ten years of this century. The self-portrait of 1910 (formerly part of the Kahnweiler Collection) modulates the same shades of green, darkening them into singularly shimmering black as they progress from the water to the trees on the bank of the river. And while the painter later was to press "large blotches of colour in red cinnabar, green, yellow, and white (…) directly from the tube onto the canvas"[107], the various colours he used for "Maison au bord de l'eau" at times seem almost to have the transparency of watercolours; there is something liquid about them, lending a certain dynamism as well to the statuary subject. The observer's gaze, almost magically drawn into the dark zone delimiting the painting, skims over the water's skin-like surface, which reflects the entire colour enchantment of the river bank. And even the radiatingly white house seems stirred up by a sparkling and scintillating light – that now cools things down, now heats them up – and that transforms it into a pulsating, coloured organism.

Maurice de Vlaminck (1876–1958)
Maison au bord de l'eau
Olio su tela, 65 × 81 cm
In deposito al Musée d'Art et d'Histoire di Ginevra dal 1952

L'opera di de Vlaminck è segnata da una cesura netta, risalente agli anni che seguirono la prima guerra mondiale. Fu allora che il pittore abbandonò il fauvismo dei primi tempi e sviluppò un realismo espressivo, che comunque ricorda il grande modello van Gogh, da cui egli era sempre stato affascinato. Pare che nel 1901 durante una mostra di van Gogh nella galleria parigina Bernheim Jeune, de Vlaminck avesse resa pubblica la sua sconfinata ammirazione per l'artista olandese dichiarando: «Van Gogh significa per me più di mio padre e di mia madre»[106]. «Maison au bord de l'eau» appartiene alla prima fase dell'attività di de Vlaminck. La composizione irruente di questo paesaggio di riva – uno scenario di forti contrasti di luce ombra che si riflette nell'acqua – rivela ancora quella disciplina coloristica, in cui de Vlaminck aveva compreso la sua pittura negli anni dieci. L'autoritratto del 1910 (una volta nella Collezione Kahnweiler) modella gli stessi toni di verde che qui si incupiscono in un particolare nero lucido, man mano che passano dall'acqua agli alberi della riva. Mentre più tardi il pittore «spremé grosse macchie di colore – rosso cinabro, verde, giallo e bianco – dal tubo direttamente sulla tela»[107], il colore all'epoca della «Maison au bord de l'eau» sembra talvolta avere la trasparenza dell'acquarello, pare che abbia qualcosa di liquido, il che conferisce al soggetto, di per se statuario una certa dinamica. Lo sguardo si lascia condurre come per incanto nella zona scura che delimita la tela e scivola sulla superficie quasi cutanea dell'acqua che riflette l'intera magia cromatica della riva. E persino la stessa casa bianca raggiante sembra animarsi sotto la luce scintillante e luccicante che, ora illuminandole, ora spegnendole, trasforma le cose in un organismo pulsante di colore.

Maurice Utrillo (1883–1955)
L'hôpital militaire St. Martin, around 1912
Oil on canvas, 53,5 × 72,5 cm
On loan at the Musée d'art et d'histoire Geneva since 1952

The self-destructive bohemian life of Maurice Utrillo, illegitimate son of Suzanne Valadons (the adoptive daughter of Spanish painter and art critic Miguel Utrillo) contributed a great deal to the popular legend of the artist as a "peintre maudit", whose incurable decline finally ends with success and public acknowledgement. An alcoholic already at seventeen, he was persuaded by his sensitive mother, who was equally successful as a model, muse and painter, to embark upon an artist's career. "Even though Utrillo (...) began to paint already in 1903, he only managed to develop a personal mode of expression between 1906 and 1908, so slowly in fact that – except for innkeepers and some small dealers on the Butte who bought his paintings for a mere five or ten francs – it would take many years for Paris to begin to take notice"[108]. Indeed it is the artist's creative period from 1907 till 1914 that is generally considered most significant, the so-called "époque blanche", within which the painting showing the military hospital in St. Martin is to be dated. Utrillo's painting of this period – almost always views of Parisian neighbourhoods and suburbs devoid of people – consisted in many shades of grey and white, at first still in search of a link to late Impressionist moods such as those characterizing the townscapes painted by Pissarro or Sisley. Gradually this led to work using firmly structured lines. These were paintings in a barely ruffled quiet mood revealing almost nothing of the hallucinations of the painter-turned-vagrant: "Never, looking at the firm structure of these paintings, would you suspect the painter to be anything but mentally sound. You would rather imagine him to be a man with a strong will who, with the teetotalism of a functionary, dutifully avoids all disorder (...)"[109]. In the spring of 1912, this strong-willed man once again had to subject himself to a detox cure. "But even though I am no longer drinking wine", he wrote on April 30th to Suzanne Valadon, "I have done several paintings I am quite satisfied with (...). I asked permission to paint, accompanied by a male nurse (...), directly from nature"[110]. Surely a new experience for Utrillo, whose Parisian "vedutas" were mostly painted from memory or postcards. Possibly the as sparingly as severely composed work "L'hôpital militaire" was also painted as a direct transcription. Contrary to van Gogh's interiors of the hospital of Arles, clearly signalling security, the sanatorium in Utrillo's perception gives off a rather repelling authoritative aura, not least because of the stone walls surrounding it.

Maurice Utrillo (1883–1955)
L'hôpital militaire St-Martin, circa 1912
Olio su cartone, 53,5 × 72,5 cm
In deposito al Musée d'Art et d'Histoire di Ginevra dal 1952

Maurice Utrillo – figlio illegittimo di Suzanne Valadon, adottato poi dal pittore e critico d'arte spagnolo Miguel Utrillo – ha contribuito con la sua autodistruttiva vita da «bohémien» a consolidare il mito del «pittore maledetto», la cui decadenza irrimediabile sfocia alla fine nella gloria e nel riconoscimento. Alcolizzato già a 17 anni, si era lasciato convincere da sua madre, donna sensibile, che aveva successo sia come modella, che come musa ispiratrice e come pittrice, ad intraprendere la carriera artistica. «Anche se Utrillo (...) aveva incominicato a dipingere già nel 1903, fu soltanto tra il 1906 e il 1908 che acquistò pian piano una sua fisionomia artistica, così lentamente che dovettero passare parecchi anni prima che, ad eccezione di piccoli osti e commercianti della Butte che gli compravano qualche tela per cinque o dieci franchi, Parigi si accorgesse finalmente di lui»[108]. Realmente significativa è considerata la fase creativa tra il 1907 e il 1914, la cosiddetta «époque blanche», alla quale appartiene anche «L'hôpital militaire St-Martin». La pittura di Utrillo, molto spesso viste di quartieri e di sobborghi deserti, vive in questi anni quasi esclusivamente di tutte le sfumature del bianco e del grigio. In un primo tempo, questi dipinti rievocano stati d'animo come li esprime il tardo impressionismo e come appaiono nelle vedute di città di Pissarro e di Sisley. In seguito, la pittura di Utrillo si sottomette a una solida struttura lineare e ne nascono tele, la cui ruvida tranquillità non tradisce affatto i deliri del pittore-clochard: «Nessuno, osservando la fissa struttura di questi quadri, potrebbe dubitare del suo equilibrio mentale. Ci si immagina piuttosto un uomo volitivo, che evita accuratamente, con pedanteria da funzionario, ogni forma di disordine (...)»[109]. Nella primavera del 1912 «quest'uomo volitivo» dovette ancora una volta sottoporsi ad una cura di disassuefazione. «Sebbene abbia smesso di bere», scriveva il 30 aprile a Suzanne Valadon, «ho già dipinto parecchi quadri di cui sono soddisfatto (...) Ho chiesto il permesso, accompagnato da un infermiere, di poter dipingere la natura dal vivo»[110]. Questa era certamente una esperienza nuova per Utrillo, abituato di solito a dipingere le sue vedute di Parigi dalle cartoline oppure a memoria. È probabile che il quadro «L'hôpital militaire», composto in maniera tanto sobria quanto severa, sia il risultato di una intuizione immediata e diretta.
Contrariamente agli interni che van Gogh dipinse nell'ospedale di Arles, da cui emana un senso di protezione e di sicurezza, la casa di cura di Utrillo, trincerata dietro i suoi massicci muri di pietra, si presenta piuttosto nella sua fredda autorità.

Henri Matisse (1869–1954)
Madame Matisse au châle de Manille, 1911
Oil on canvas, 118 × 75,5 cm
On loan at the Basel Museum of Fine Arts since 1962

In April of 1911, this painting was exhibited at the "Salon des Indépendants" in Paris under the title "L'Espagnole". After spending a winter in Sevilla[111], Matisse had begun the year with a series of "Spanish" themes: predominantly interiors with still lifes that further explored the newly discovered possibilities of the two-dimensional style with its "extraordinarily differentiated sensibility for the demands of the decorative relationship within the ensemble"[112]. They were preceded by two closely related portraits, "L'Algérienne" and "L'Espagnole au tambourin" (both 1900)[113], whose folklorist gesture recalls the painting entitled "Madame Matisse au châle de Manille". However, contrary to the two semi-portraits of the Algerian and the Spanish woman, Amelie Matisse poses as if on a flamenco stage. The spatial dimension is clearly rendered and given depth by the shadowy zone to the rear of the figure, in a manner rather unusual for artistic developments in that period. The abundant flower decor of the shawl is not taken up in the carpet and the wallpaper, but remains the centrally defined ornamental aspect contrasting with the much quieter blues and reds of the wall and floor. In the large "family portrait" of the very same year[114], colour and space relations are reversed. There, the monochrome figures dressed in red or black contrast like silhouettes with the patterns covering the floor and the wall in an all-over structure. The very picture of Spanish grandezza, Madame Matisse puts her left leg out as if commencing a dance step, hands on her hips and head thrown back in a gesture of challenging pride. A great actress indeed. Again and again, she assumed various parts, modelling for the painter, in seated or standing positions. Once in the role of "Japanese lady"[115], then again as a fashion plate, in a small hat and light suit[116].

Henri Matisse (1869–1954)
Madame Matisse au châle de Manille, 1911
Olio su tela, 118 × 75,5 cm
In deposito al Kunstmuseum di Basilea dal 1962

Nell'aprile 1911, questo quadro venne esposto al «Salon des Indépendants» di Parigi con il titolo «L'Espagnole». Dopo un inverno trascorso a Siviglia[111], Matisse aveva iniziato l'anno con una serie di soggetti «spagnoli». Si trattava soprattutto di interni con nature morte che, con la loro «differenziata sensibilità per le esigenze della coesione decorativa dell'insieme»[112], sviluppavano le nuove possibilità d'espressione dello stile a superfice. In precedenza egli aveva dipinto due figure simili, «L'Algérienne» e «L'Espagnole au tambourin» (entrambe nel 1909)[113], la cui nota folkloristica venne poi ripresa nel quadro «Madame Matisse au châle de Manille». A differenza dei due ritratti a mezzo busto dell'algerina e della spagnola, Amelie Matisse posa come se fosse su una pista da flamenco. Lo spazio è chiaramente definito e, grazie alla zona d'ombra dietro la figura, acquista una profondità insolita rispetto alle altre opere della stessa fase artistica. L'opulento motivo a fiori dello scialle non si estende né al tappeto, né alla tappezzeria, ma rimane un chiaro elemento decorativo al centro del quadro, emergente tra il pacato contrasto tra il blu della parete ed il rosso del pavimento. Nel grande «Ritratto di famiglia» dello stesso anno[114], il rapporto tra superfici e colori è esattamente opposto visto che le figure monocrome rosse e nere spiccano come découpages sui motivi ornamentali, che rivestono uniformemente pareti e pavimento. In un atteggiamento tipicamente spagnolo, Madame Matisse accenna un passo di danza con il piede sinistro, mette le mani sui fianchi e getta il capo leggermente indietro assumendo un'orgogliosa espressione di sfida. Un'ottima attrice che recita i ruoli più diversi e posa per il pittore, seduta o in piedi, una volta come «giapponese»[115], un'altra come signora del bel mondo, con tanto di cappellino e abito attillato[116].

Pablo Picasso (1881–1973)
Arlequin au loup, 1918
Oil on canvas, 116 × 89 cm
On loan at the Kunsthaus Zurich since 1984

The "re-developed naturalism"[117] providing Picasso's work with new impetus in the war year 1916, was no "retour à l'ordre"[118], no revision of Cubist style. The drawings in his "cahier no. 59" emphasized the fact that the artist once again, and quite with pleasure, was revitalizing a possibility he had never entirely rejected during his artistic forays into Cubism. Picasso, now triumphing with a "gentle, rounded, Ingres-like naturalism"[119], appears on stage to the right, but in the other roll, in the other costume. And Harlequin, brandishing his mask with theatrical grace, in turn serves as mask to a virtuoso player-artist, both of whom continue to be portrayed in Picasso's work in various disguises, yet appear again and again on his pictorial stages as the same figures. Harlequin, the "protagonist"[120] of the 1916 sketch book is presented with the greatest linear precision on one page, only to appear a page later divided into geometrically decorative parts and cubistically pressed flat, then yet again changed back into a flawlessly figural contour. This parallelism of styles also characterizes Picasso's artistic collaboration in the "Parade" ballet, which Dhiagilev's "Compagnie" was rehearsing in Rome at the time. The fact that – ten years after the "Saltimbanques" of the pink period – figures of the Commedia dell'arte continue to turn up in Picasso's work, as elegiac and mysterious as before, no doubt has to do with the theater world under whose spell the artist had for a time fallen. In April 1916, Jean Cocteau had urged him to participate in Dhiagilev's project, and by fall the painter had revised the text. As of February 1917, he stayed on for a while with the "Ballets Russes" in Rome, in order to realize his designs for the stage curtain. "Arlequin au loup", painted after his return to Rome in his studio in Montrouge, probably in the spring of 1918, combines his experience with theatre life and Italy into a grandiose whole. The figure's frontality, the slightly inclined head under a broad, sickel-shaped hat, makes it the very personification of the type developed in drawing sequences over the previous years. And with his stagy hand gesturees, Harlequin heartily calls attention to the impressions left by 1917 and which had imbued Picasso's pictorial figures with the poetry of gestures reflecting the preciosity of classicism.

Pablo Picasso (1881–1973)
Arlequin au loup, 1918
Olio su legno, 116 × 89 cm
In deposito alla Kunsthaus di Zurigo dal 1984

La «riscoperta del naturalismo»[117], che nell'anno di guerra 1916 introdusse una nuova fase nell'opera di Picasso, non fu un «retour à l'ordre»[118], e nemmeno fu una revisione dello stile cubista. I disegni del «cahier no. 59» mostrano piuttosto che l'artista riattivò, con notevole piacere, una possibilità che non aveva mai rigettata, neanche quando aveva abbandonato il precedente linguaggio figurativo per dedicarsi al cubismo. In effetti, quando trionfa nel rinnovato «naturalismo, dolce, dalle forme arrotondate, alla maniera di Ingres»[119], Picasso non fa altro che assumere un altro ruolo, presentandosi in un altro costume. E l'arlecchino, che presenta la sua maschera con grazia teatrale, è a sua volta la maschera dietro cui si cela il virtuoso artista/interprete, che nel corso della sua opera sperimenterà ancora nuovi travestimenti, finendo però sempre per «mettere in scena» le stesse figure. Nell'album di schizzi del 1916 il «protagonista»[120] Arlecchino appare prima rappresentato con grande bellezza e precisione di linee poi, subito nella pagina seguente, viene scomposto in decorative parti geometriche e riprodotto in piano secondo i principi cubisti, infine si trasforma di nuovo in una figura di profilo perfetta. La coesistenza di stili diversi caratterizza anche la collaborazione artistica di Picasso al balletto «Parade», allestito allora a Roma dalla compagnia di Diaghilev. Il fatto che, dieci anni dopo la creazione dei «Saltimbanques» del periodo rosa, nei lavori dell'artista siano ricomparse le figure della Commedia dell'arte, elegiache ed enigmatiche come quelle di una volta, si spiega indubbiamente con l'influsso che per un certo tempo il mondo del teatro esercitò su di lui. Nell'aprile del 1916 Jean Cocteau lo convinse a prendere parte al progetto di Diaghilev, in autunno egli ne rielaborò il testo e, a partire dal febbraio 1917, si unì alla troupe dei «Ballets Russes» a Roma per realizzare le sue idee per il sipario. «Arlequin au loup», eseguito nell'atelier di Montrouge probabilmente nella primavera del 1918, dopo il ritorno di Picasso da Roma, rappresenta la magnifica fusione dell'esperienza italiana con quella teatrale. Rappresentato frontalmente e con il capo leggermente chino sotto l'ampio cappello con falde a falce, questo Arlecchino realizza pienamente la figura che l'artista aveva sviluppato nella serie di disegni degli anni precedenti. La posizione declamatoria delle mani accenna intensamente alle impressioni del 1917, che avevano conferito alle figure di Picasso la poesia dei preziosi gesti classicistici.

Maurice Barraud (1889–1954)
Les canicules
Oil on canvas, 97 × 130 cm

This airily hot scene is to be counted – according to the purchase deeds – among Barraud's early works. Unlike so many of his contemporaries, Barraud was not trained in Paris, the very hub of the avant-garde, but at his hometown at the Ecole des Beaux-Arts. He nevertheless became one of the leading lights among the young painters of his native town. In 1914, along with his brother and friends Eugène Martin, Emile Bressler and Gustave Buchet, he founded the "Le Falot"[121] group of artists, who drew attention to the works of such French painters as Degas, Matisse, Picasso and Modigliani in their magazine "L'Eventail". Barraud, who originally wanted to establish himself as an art designer, soon turned to portrait painting, which was to become the predominant topic of his entire work. Degas is unmistakably the inspiration for the altogether liberated works at the time they first blossomed, despite the war's onset and quite in contrast to the more criptic outlook adopted early on by the somewhat older Auberjonois. "Les Canicules" belongs among a series of nudes about to undress, to dress or totally absorbed by their personal toilet, often describing spatial dimensions through gestures such as washing and bathing, with their slim, long limbs, and thus seemingly adopting much more artificial poses than the women in Degas' studio boudoir[122]. And "the range of bright colours and the spirited, indeed virtuoso brush strokes are similar to those by French painters on the order of a Raoul Dufy"[123]. "Nu au bas noir" [Nude with Black Stockings], a pastel study dated 1913[124], shows a similar position as the nude standing on the right in "Canicules", who props up one leg and bends her upper body towards the foreground. With the fan on the floor and the parasol, the undressing and the already nude figure, this open-air scene encompasses several modernized yet recognizably nymph-like elements.

Maurice Barraud (1889–1954)
Les canicules
Olio su tela, 97 × 130 cm

In base alla documentazione dell'acquisto si può dire che questa scena dall'atmosfera calda e ariosa rientra tra le prime opere di Barraud. A differenza di molti altri pittori della sua generazione, egli non si formò a Parigi, la capitale delle avanguardie artistiche, bensì all'Ecole des Beaux Arts della sua città natale, dove divenne ben presto l'animatore delle nuove leve della pittura. Nel 1914 fondò insieme al fratello e agli amici Eugène Martin, Emil Bressler e Gustave Buchet il gruppo «Le Falot»[121], il quale con la sua rivista «L'Eventail», attirò l'attenzione sull'opera di pittori quali Degas, Matisse, Picasso e Modigliani. Originariamente Barraud pensava di diventare grafico pubblicitario, ma in seguito si dedicò sempre più alla pittura, specie alla rappresentazione di figure, che poi divennero il motivo dominante della sua opera. Innegabile è l'influsso esercitato su Barraud da Degas soprattutto nel primo fiorire della sua attività artistica che non sembra risentire dell'inizio della guerra, mentre l'opera del suo compagno più grande, Auberjonois, si mostra presto enigmatica. «Les canicules» rientra in una serie di nudi, in cui le figure in atto di vestirsi e di svestirsi sono completamente concentrate sulla cura del corpo. Mentre si lavano e si dedicano al bagno, i loro arti lunghi e snelli disegnano ampi gesti nello spazio e così raffigurate, suscitano l'impressione di essere più finte e più affettate rispetto alle donne nel boudoir/atelier di Degas[122]. La «gamma di colori chiari e la pennellata piena di slancio da virtuoso sono al livello dei pittori francesi di rango al pari di un Raoul Dufy»[123]. Nel disegno a pastello «Nu au bas noir»[124] del 1913 si nota una posizione simile a quella della figura a destra di «Les canicules»: una gamba sollevata ed il busto tutto proteso in avanti. Il ventaglio e l'ombrellino da sole appoggiati per terra, la figura in procinto di spogliarsi e quella già nuda conferiscono a questa scena all'aperto gli elementi di una moderna versione di ninfe.

René Auberjonois (1872–1957)
Les jeunes filles, 1920
Oil on canvas, 60 × 73 cm
On loan at the Musée d'art et d'histoire Geneva since 1952

Contrary to the more provisional nature of his sketches, depicting subjects in all manner of variations, Auberjonois' pictorial formulations more often translate into compositional patterns of organization that fall within a typological framework. Thus, for instance, early on in the artist's work, the female nude seen from the rear holds a firm position, in what is obviously a reversion to Ingres' famous nudes seen from the rear, such as the "Grande Odalisque" of 1814 or the "Bathing Woman of Valpicon" (1808)[125]. Above all, Auberjonois' work in the twenties ("Grand nu couché", of 1922 and "Nude Seen from the Rear" of 1929[126]), pays respectful tribute to French idols. Of course, such half-revealed, half-concealed body poses fit in with the painter's discretion, with a chaste approach that as a rule only carefully intimated certain charms. And despite his admiration for the older Vallotton, the latter's sensuous refinements and direct approach admittedly were a problem to him[127]. In a boudoir scene of 1920, the figures appear as seminudes observed with unobtrusive interest by a fully dressed observer in the background. The positioning of the three girls follows a compositional scheme of crossing diagonals used frequently by Auberjonois to create an impression of spatial depth. The painter's presence is kept at a suitable distance: his manner is elegantly reserved, uncompromising. A sketch for this painting[128] shows the bed and the figures far closer up: the emotional stirrings still recognizable in the drawing are objectified and rationalized in the painting process. And although hair combing, holding still and observing are somewhat "communicative dealings", the group emits a clearly alien aura. The effect is of the unrelatedness of the individual figures, a structurally characteristic feature of Auberjonois' work: "No matter that how strongly several figures in my paintings are compositionally drawn together, on a personal level there is absolutely no relationship between them; they merely coexist"[129].

René Auberjonois (1872–1957)
Les jeunes filles, 1920
Olio su tela, 60 × 73 cm
In deposito al Musée d'art et d'histoire di Ginevra dal 1952

A differenza dei disegni che offrono spesso aspetti multipli e provvisori di uno stesso soggetto, le formulazioni pittoriche di Auberjonois sono spesso concepite secondo una certa formula d'organizzazione e si evolvono conformemente ad un certo modello. Così, per esempio, il nudo femminile visto di schiena appare regolarmente fin dall'inizio nell'opera dell'artista. Quanto all'ispirazione, risulta evidente l'influsso dei famosi nudi di Ingres come «La grande odalisca» (1814) o «La bagnante di Valpincon» (1808)[125]. Soprattutto in certe opere degli anni venti («Grand nu couché» del 1922 e «Nudo di schiena» del 1929)[126] Auberjonois cita con grande ammirazione i modelli francesi anche se queste posizioni del corpo, in parte scoperte e in parte celate, corrispondevano perfettamente all'ottica discreta del pittore, che sopportava generalmente soltanto un timido accenno al fascino del nudo. Pur ammirando il più anziano Vallotton, Auberjonois ammise sempre di trovare problematica la sua sensuale raffinatezza ed estrema disinvoltura[127]. L'inquadratura della scena di boudoir (1920) mostra delle fanciulle seminude, osservate con discreta partecipazione, e una piccola spettatrice sullo sfondo, completamente vestita. La collocazione figurativa segue lo schema compositivo di diagonali incrociate, che Auberjonois adottò spesso per dare maggiore profondità alla tela. Il pittore pare mantenersi a debita distanza e la rappresentazione è caratterizzata da discrezione distinta che non sfiora l'impudicità. In uno schizzo preliminare[128] il letto e le figure sono viste molto più da vicino: nel corso del processo pittorico, poi, la componente emotiva che traspare ancora dal disegno, viene oggettivata e razionalizzata. Anche se il comportamento delle fanciulle, di cui una pettina, l'altra rimane ferma e la terza osserva, suggerisce l'idea di un comportamento comunicativo, dal gruppo si sprigiona uno strano senso di estraneità. La comparsa di non-affinità tra le persone doveva diventare in seguito strutturale nell'opera di Auberjonois: «Anche se la composizione riunisce le persone strettamente, esse rimangono personalmente senza rapporto tra di loro, restano giustapposte»[129].

Rene Auberjonois (1872–1957)
Autoportrait, 1941
Oil on canvas, 92 × 50 cm
On loan at the Musée d'art et d'histoire Geneva since 1952

Once again, the painter has taken to rather skeptically confronting himself in his studio. Indeed, this kind of pictorial self-analysis characterizes all stages of his rather quiet, restrained work. Towards the end of the twenties, Auberjonois was still observing himself at work – sitting, with brush and palette, critically glancing at the canvas (Lausanne, Musée cantonal des Beaux-Arts). Here, he is standing, somewhat obstructing the scarcely delineated room, concentrating his entire energy on the critical exchange of glances, with sloping shoulders, extremely long arms and heavy, massive, dangling hands. Body language that does not signal entry on the scene and posturing but readiness, devotion, and presence. The head is slightly lowered, fixing a focus point outside of the painting, a point which coincides with the observer's point of view. The artist is carrying on a silent dialogue with himself while, at the same time, angrily warding off an annoying importunity. Auberjonois' son described the cellular Lausanne studio – where the painter had retired much like a hermit after being forced by the war of 1914 to leave Paris for Switzerland – as an "eagle's eyrie"[130]. The hat, apron and heavy coat appearing in the painting are not only his work clothes, but add to the impression of an almost hermetically sealed atmosphere, screening and deterring whatever it was the artist wanted kept at a distance. Nor does the light illuminate anything; it does not divide up objects into body and shadow zones, but rather leaves them to give off their own discrete glow. The resulting stillness bathes in a precious, elusive radiance, casting a chilling spell on the painter and his habitat: a harmony of cold colours typical of the colour atmosphere in his paintings during the forties. Seven years later, Auberjonois once again adopts the feebly submissive gesture of self-confrontation: The enclosing space is widened, making the figure within appear all the more lost (Aargauer Kunsthaus).

René Auberjonois (1872–1957)
Autoritratto, 1941
Olio su tela, 92 × 50 cm
In deposito al Musée d'art et d'histoire di Ginevra dal 1952

L'artista incontra di nuovo se stesso nel proprio studio, pieno di scetticismo. Infatti l'autoanalisi pittorica tipica segna ogni fase della sua produzione. Alle fine degli anni venti, Auberjonois si osserva ancora durante il lavoro, seduto, con tanto di tavolozza e pennello e lo sguardo critico diretto verso la tela (Losanna, Musée Cantonal des Beaux-Arts). Ora invece è in piedi e occupa lo spazio appena accennato, assumendo un atteggiamento che concentra ogni energia sull'incrociare dello sguardo critico. Le spalle cadenti e le braccia troppo lunghe, quasi tirate in basso dalle mani grosse e pesanti, un linguaggio del corpo questo che non è né scena, né posa ma indica disponibilità, abbandono, presenza. Il capo è leggermente chinato e fissa un punto al di fuori del quadro, coincidente con il punto d'osservazione dello spettatore: un muto dialogo del pittore con sé stesso e nello stesso tempo una difesa irritata di ogni molesta invadenza. Secondo la descrizione del figlio di Auberjonois, il piccolo atelier di Losanna, era un «nido d'aquila»[130], dopo essere stato costretto a tornare da Parigi a causa della guerra, il pittore vi trascorse quarant'anni a partire dal 1914 vivendo in ritiro monacale. Il cappello, il grembiule e la giacca pesante sono sì la sua tenuta da lavoro, ma allo stesso tempo contribuiscono a rafforzare una certa impressione di ermeticità, respingendo ogni tentativo di avvicinamento. Quanto alla luce, essa non rischiara, non suddivide gli oggetti in corpi solidi e zone d'ombra, ma li lascia riposare nel loro discreto chiarore. Un certo splendore prezioso e impalpabile permea la scena silenziosa, avvolgendo il pittore e il suo spazio vitale come una cortina magica che respinge ogni intrusione. L'accordo di toni freddi è tipico del clima coloristico dei quadri degli anni quaranta. Sette anni più tardi Auberjonois si troverà nuovamente a tu per tu con se stesso, in un gesto abbandonato e debole: adesso lo spazio sarà di nuovo concepito più largo, anche se la figura qui apparirà ancora più persa (Aargauer Kunsthaus).

Rene Auberjonois (1872–1957)
Niska et sa mère, 1942
Oil on canvas, 128,5 × 91 cm

Narrative paintings in Auberjonois' work are rather rare. Usually, the situation subject of the work is translated into a simile. In particular, the figurative subjects achieve an existential significance quite early on. Thus, even portraits tend to feature a generalized rather than subjective expression. A creative effort that "restrains the individual form and turns it into a pictorial unity as to colours and moods"[131]. The composition of "Niska et sa mère" has, however, retained something of its anecdotal spontaneity, an interest in the concrete aspect of the subject figures. The pair is thus not reduced to a mere mother/child dyad, but is named and defined in its very own spatial dispositions. The green door and curtain stripings outline a dark area that translates into spatial depth, serving as background to a stage seatling the two foreground figures. On the chair, the seat of which is tilted away from the observer, the young mother has shifted to show a lateral profile, with her right arm slung over the back of the chair, turning her head turned towards the observer, her body twisted; all of which – combined with the child's wide-open eyes and almost frightened expression – implies a call from outside the scene thus framed. As if the intimate twosome had been disturbed at the very moment in time the painting was coming into existence. Though in this, the responsive attention of the girl clearly contrasts with the closed off gaze of the mother, who seems to observe whatever is happening without focussing in a specific direction on a specific subject, as if no other object or person were concerned. Two complementary diagonal axes linking the two figures are marked by the position of arms, feet and the bars of the folding chair, intersecting on the knees of the mother, where the four hands join without touching. A gesture of proximity and agreement, warmly ensconced in the velvety blue of the frock, the central and cautiously isolated colour placed within the surrounding symmetrically organized colour structure.

René Auberjonois (1872–1957)
Niska et sa mère, 1942
Olio su tela, 128,5 × 91 cm

I quadri a sfondo narrativo sono rari nell'opera di Auberjonois, poiché le situazioni descritte sono per lo più tradotte in un linguaggio pittorico analogico. Soprattutto le figure acquistano molto presto un valore di segno esistenziale, cosicché perfino i ritratti tendono a un'espressione universale. Si tratta di uno sforzo figurativo che «traspone la forma individuale in un'unità pittorica, sia dal punto di vista cromatico che suggestivo»[131]. Per contro, la composizione «Niska et sa mère» presenta ancora una certa spontaneità aneddotica e un interesse per la concretezza delle persone rappresentate. La coppia dipinta non è strutturata in una diade madre-figlio, ma viene definita nominalmente e descritta nella sua disposizione spaziale. Le zone verdi della porta e della tenda delimitano un'area più scura che dà maggiore profondità all'ambiente davanti al quale la donna e la bambina sono poste come su un palcoscenico. Sulla sedia, il cui sedile è voltato diagonalmente nei confronti dell'osservatore, la giovane madre si presenta seduta quasi di profilo, con il braccio destro appoggiato sullo schienale e la testa profilata rivolta allo spettatore. La sua positura e gli occhi spalancati, quasi impauriti, della bambina potrebbero far supporre un richiamo dall'esterno, come se in questo momento la loro serena intimità fosse disturbata. Tuttavia l'attenzione istintiva della piccola contrasta notevolmente con lo sguardo riservato della madre che sembra piuttosto guardare, senza fissare un determinato oggetto o una determinata persona. Le due figure sono congiunte da due assi diagonali complementari, sottolineate dalla posizione delle braccia, da quella dei piedi e dalla struttura della sedia e si incrociano sulle ginocchia della madre, dove le quattro mani si incontrano senza toccarsi: un gesto di confidenza e di reciproca intesa, caldamente sottolineato dal blu vellutato della gonna, da questo colore centrale e sapientemente isolato nella struttura coloristica simmetricamente organizzata attorno.

Luigi Pericle Giovannetti (born 1916)
Without title, 1961/62
 Oil on canvas 32 × 32 cm

L'oro del millesimo mattino, 1977
Oil on wood, 55 × 42,5 cm

Il luogo dell'oracolo, 1977
Oil on wood, 66 × 51 cm

Giovanetti first gained acclaim for his drawings and carica-
tures. After studying at the Kunst- and Gewerbeschule in
Basel, he joined the staff of the satirico-critical newspaper
"Nebelspalter" ("fog lifter"), published short humoristic
prose texts and created portfolios of drawings depicting
animals. Besides commercial art, the artist created drawings
and paintings under the name of Luigi Pericle; he himself
subsequently destroyed the first part of that work, which
went back to the thirties. A meeting with Peter G. Staechelin was of prime importance in getting him off to a new start.
Staechelin "became impassioned of (my) barely created work
with all the strength of his experience", the artist – who now
lives in Ascona – recalled after the death of his Basler
benefactor. In English-speaking countries, Pericle became
well-known as of the sixties, through Hans Hess's mediation.
In his "free" drawings and paintings, Luigi Pericle has adopted principles of informalism as his own pictorial language.
Color, usually applied in broad brushstrokes, organizes itself
into autonomous shapes and structures within the pictorial
space yet the figure-ground relationship remains a constitu-
tive part of the works. And even if representational associa-
tions are not expressly evoked, the flow of colors – as a calli-
graphic abbreviation, as a stable construction, or as a dynamic linear element – retains the character of a formal happening on a color stage set. The shapes, developing exclusively
out of the colors, emerge as stable and steadfast as they appear to float or swim on a colored background in other paintings.

Luigi Pericle Giovannetti
Senza titolo, 1961/62
Olio su tela, 32 × 32 cm

L'oro del millesimo mattino, 1977
Olio su legno, 55 × 42,5 cm

Il luogo dell'oracolo, 1977
Olio su legno 66 × 51 cm

*Giovannetti si fece innanzitutto un nome come disegnatore e ca-
ricaturista. Dopo aver frequentato la Scuola delle Arti e dei Mestieri di Basilea, collaborò alla rivista satirico-critica «Nebelspalter», pubblicò brevi opere di prosa umoristica e cartelle con raccolte di disegni di animali. Oltre che all'arte grafica applicata,
l'artista si dedicò anche al disegno e alla pittura, creando diverse
opere firmate «Luigi Pericle», di cui però distrusse la prima parte
risalente agli anni trenta. Quando Giovannetti decise di ricominciare, fu determinante l'incontro con Peter G. Staechelin,
che «si era entusiasmato dell'opera nascente con tutto l'impeto
della sua capacità emotiva», come l'artista residente ad Ascona
ricordò alla morte del mecenate basilese. Nell'area linguistica inglese Pericle acquisì notorietà negli anni sessanta, grazie all'aiuto
di Hans Hess. Per quanto riguarda i suoi disegni e dipinti «liberi»,
l'artista fece propri alcuni principi dell'arte informale, assimilan-
doli al suo linguaggio figurativo. Il colore, applicato per lo più a
larghe pennellate, si dispone nello spazio, costituendo forme e
strutture autonome, cosicché il rapporto tra figura e sfondo
diventa formativo. Anche se non vengono evocate volutamente
associazioni concrete, il flusso cromatico – sia sotto l'aspetto di
un'abbreviazione calligrafica, che di una stabile costruzione o di
un lineamento dinamico – mantiene il carattere di un evento for-
male che si svolge davanti a uno sfondo colorato. Quanto alle
forme, rese solo con il colore, ve ne sono certe che sembrano
poggiare su una base solida e sicura e altre che paiono librarsi o
galleggiare nella cromia del fondo.*

Notes

1 Swedish art historian Rudolf Zeitler described this region with topographical precision: "The landscape presents itself (…) as an extraordinarily rich relief: at the top, the naked crests and ridges of the chalk formations, somewhat below the woods and meadows; and between the high ledges, the lower hills and dells on which tuff and various kinds of sand have been deposited…" Quoted according to Christian von Holst, "Joseph Anton Koch", Stuttgart 1989, p. 227.

2 Among others, Carl Friedrich von Rumohr, Heinrich Reinhold, Bonaventura Genelli, Friedrich Nerly, Ludwig Richter have painted and sketched there. Cf. exhibition catalogues "Sehnsucht nach Italien", Cologne 1973, and "Italienreise um 1800", Hamburg 1958.

3 Julius Meier-Graefe: "Grundstoff der Bilder", Munich 1959, p. 144.

4 Quoted according to Eberhard Ruhmer, "Camille Corot", in a catalogue of the Neue Pinakothek Munich collection, 1981, p. 55.

5 Henri Fantin-Latour, "Un atelier aux Batignolles"; in: Michel Laclotte, "Painting in the Musée d'Orsay", Paris 1986, no. 57.

6 Illustration in: Horst Keller, "Auguste Renoir", Munich 1987, p. 160.

7 Marcello Venturi/Sandra Orienti, "Edouard Manet", Milan 1967, no. 348.

8 Venturi/Orienti op. cit., no. 355.

9 cf. Exhibition catalogue, "Manet. 1832–1883", Paris/New York 1983, p. 512: "Mon cher Duret, je vous envoie les tableaux que vous aurez l'obligeance de me mettre à l'abri pendant le siège. En voici la liste: Olympia, le Déjeuner, le Joueur de guitare, le Balcon, l'Enfant à l'épée, Lola de Valence, Clair de Lune, Liseuse, Lapin, Nature Morte, Danseuse espagnole, Fruits, _Mlle B._ Je vous serre la main…)" (underlining added by the author).

10 Zacharie Astruc, Eva Gonzalès, Giuseppe de Nittis, Emile Guillaudin. Cf. Venturi/Orienti op. cit. nos. 134/136/138/140.

11 Werner Hofmann, "Nana", Cologne 1987, p. 41.

12 John Rewald, "Die Geschichte des Impressionismus", Cologne 1979, p. 168 f.

13 Jean Selz, "L'Impressionnisme", Paris 1972.

14 cf. commentary to the illustration of Paul Cézanne's "La maison du docteur Gachet".

15 John Rewald: "Die Geschichte des Impressionismus", Cologne 1982, p. 179.

16 cf. "Les toits rouges", 1877, Musée d'Orsay, Paris.

17 cf. commentary on Camille Pissarro's "La Carrière, Pontoise".

Note

1 Lo storico d'arte svedese Rudolf Zeitler ha descritto la regione con notevole precisione topografica: «Il paesaggio si presenta (…) oggi come un rilievo straordinariamente ricco: in alto dossi spogli e creste di roccia calcarea, più in basso pendii boscosi e pascoli; tra le rocce scoscese, successioni di alture meno elevate e cime arrotondate coperte da tufo e sabbie diverse…» Citazione da Christian von Holst «Joseph Anton Koch», Stoccarda 1989, p. 227

2 Tra i pittori che vi hanno dipinto e disegnato ricordiamo Carl Friedrich von Rumohr, Heinrich Reinhold, Bonaventura Genelli, Friedrich Nerly, Ludwig Richter. Cfr. i cataloghi delle mostre «Sehnsucht nach Italien», Colonia 1973 e «Italienreise um 1800», Amburgo 1958

3 Julius Meier-Graefe «Grundstoff der Bilder», Monaco 1959, p. 144

4 Citazione da Eberhard Ruhmer «Camille Corot» nel catalogo della collezione della Neue Pinakothek di Monaco, 1981, p. 55

5 Henri Fantin-Latour «Un atelier aux Batignolles» in Michel Laclotte «Painting in the Musée d'Orsay», Parigi 1986, p. 57

6 Illustrazione in Horst Keller «Auguste Renoir», Monaco 1987, p. 160

7 Marcello Venturi/Sandra Orienti «Edouard Manet», Milano 1967, n. 348

8 Venturi/Orienti ibd. n. 355

9 Cfr. catalogo della mostra «Manet. 1832–1883», Parigi/New York 1983, p. 512: «Mon Cher Duret, je vous envoie les tableaux que vous avez l'obligeance de me mettre à l'abri pendant le siège. En voici la liste: Olympia, le Déjeuner, le Joueur de guitare, le Balcon, l'Enfant à l'épée, Lola de Valence, Clair de Lune, Liseuse, Lapin, Nature Morte, Danseuse espagnole, Fruits, _Mlle B._ Je vous serre la main…» (sottolineatura dell'autore)

10 Zacharie Astruc, Eva Gonzalès, Giuseppe de Nittis, Emile Guillaudin. Cfr. Venturi/Orienti ibd. n. 134/136/138/140

11 Werner Hofmann «Nana», Colonia 1987, p. 41

12 John Rewald «Die Geschichte des Impressionismus», Colonia 1979, p. 168 segg.

13 Jean Selz «L'Impressionnisme», Parigi 1972

14 Cfr. il commento al quadro di Paul Cézanne «La maison du docteur Gachet»

15 John Rewald «Die Geschichte des Impressionismus», Colonia 1982, p. 179

16 Cfr. «Les toits rouges», 1877, Musée d'Orsay, Parigi

17 Cfr. il commento al quadro di Camille Pissarro «La Carrière, Pontoise»

18 Rewald ibd. p. 219

19 John Rewald «Die Geschichte des Impressionismus», Colonia 1982, p. 296

18 cf. Rewald op. cit., p. 219.

19 John Rewald, "Die Geschichte des Impressionismus", Cologne 1982, p. 296.

20 Pissarro/Venturi op. cit., no. 422. This painting is part of the "Langmatt Foundation, Sidney and Jenny Brown, Baden". Cf. catalogue of the Florens Deuchler collection, "Die französischen Impressionisten und ihre Vorläufer", Baden 1990, p. 156.

21 cf. "The street in l'Hermitage, Pontoise, Snow" (around 1874, private collection, Cambridge Massachusetts), and "La rue à l'Hermitage" (1874, private collection). Illustration in John Rewald, "Paul Cézanne", Cologne 1986, p. 102/103.

22 Rewald op. cit., p. 283 f.

23 Quoted according to J.-C. Lemagny in "Kindlers Malerei Lexikon", Munich 1982, vol. 10, p. 154.

24 John Rewald, "Die Geschichte des Impressionismus", Cologne 1979, p. 311.

25 cf. inscription on the frame: "Le Lo(uvre = covered up) matin ensoleillé"

26 John Rewald, "Die Geschichte des Impressionismus", Cologne 1982, p. 347.

27 Horst Keller, "Claude Monet", Munich 1985, p. 6.

28 Marcel Proust, "Im Schatten junger Mädchen-blüte 2"[A l'ombre des jeunes filles en fleurs], in: "Auf der Suche nach der verlorenen Zeit" [A la recherche du temps perdu], Frankfort 1970.

29 William Howard Adams, "Prousts Figuren und ihre Vor-bilder", Frankfort 1988, p. 199 f. Cf. Proust op. cit., p. 537: "Naturellement, ce qu'il avait dans son atelier, ce n'était guère que des marines prises ici, à Balbec. Mais j'y pouvais discerner que le charme de chacune con-sistait en une sorte de métamorphose des choses représentées, analogue à celle qu'en poésie on nomme méthaphore (…)".

30 cf. "Claude Monet: Biographische Daten" in the cata-logue of the "Claude Monet: Nymphéas" exhibition, Basel 1986, p. 163.

31 Jean Renoir, "Mein Vater Auguste Renoir", Munich 1962, p. 258.

32 Quoted according to the exhibition catalogue, "Von Courbet bis Picasso. Schätze des Museums São Paulo", Mannheim 1989, p. 144.

33 cf. Elda Fezzi, "L'opera completa di Renoir", Milan 1981, nos. 744/745/752.

34 Quoted according to John Rewald, "Die Geschichte des Impressionismus", Cologne 1982, p. 320.

35 Quoted according to Götz Adriani, "Edgar Degas. Pastelle, Ölskizzen, Zeichnungen", Cologne 1984, p. 95.

36 Adriani op. cit., p. 87.

37 Paul André Lemoisne, "Degas et son œuvre", Paris 1954, p.107: "Jusqu'à présent, le nu avait toujours été

20 Pissarro/Venturi ibd. n. 422. Il quadro appartiene alla «Stiftung Langmatt. Sidney und Jenny Brown, Baden». V. catalogo della Collezione Florens Deuchler «Die franzö-sischen Impressionisten und ihre Vorläufer», Baden 1990, p. 156

21 Cfr. «Die Strasse in L'Hermitage, Pontoise, im Schnee» (circa 1874, collezione privata Cambridge, Massachusetts) e «Die Strasse in L'Hermitage» (1874, collezione privata). Illustrazioni in John Rewald «Paul Cézanne», Colonia 1986, p. 102/103

22 Rewald ibd. p. 283 segg.

23 Cit. secondo J.-C. Lemagny in «Kindlers Malerei Lexikon», Monaco 1982, vol. 10. p. 154

24 John Rewald «Die Geschichte des Impressionismus», Colonia 1979, p. 311

25 V. la scritta sul telaio: «Le Lo(uvre = coperto) matin enso-leillé»

26 John Rewald «Die Geschichte des Impressionismus», Colonia 1982, p. 347

27 Horst Keller «Claude Monet», Monaco 1985, p. 6

28 Marcel Proust «A l'ombre des jeunes filles en fleurs 2» in «A la recherche du temps perdu», Bruges 1964

29 William Howard Adams «Prousts Figuren und ihre Vorbil-der», Francoforte 1988, p. 199 segg. Cfr. Proust ibd. p. 537: «Naturellement, ce qu'il avait dans son atelier, ce n'était guère que des marines prises ici, à Balbec. Mais j'y pouvais discerner que le charme de chacune consistait en une sorte de métamorphose des choses représentées, analogue à celle qu'en poésie on nomme méthaphore (…)»

30 Cfr. «Claude Monet: Biographische Daten» nel catalogo della mostra «Claude Monet: Nymphéas», Basilea 1986, p. 163

31 Jean Renoir «Mein Vater Auguste Renoir», Monaco 1962, p. 258

32 Citazione dal catalogo della mostra «Von Courbet bis Pi-casso. Schätze des Museums São Paulo», Mannheim 1989, p. 144

33 Cfr. Elda Fezzi «L'opera completa di Renoir», Milano 1981, n. 744/745/752

34 Citazione da John Rewald «Die Geschichte des Impressio-nismus», Colonia 1982, p. 320

35 Citazione da Götz Adriani «Edgar Degas. Pastelle, Ölskiz-zen, Zeichnungen», Colonia 1984, p. 95

36 Adriani ibd. p. 87

37 Paul André Lemoisne «Degas et son œuvre», Parigi 1954, p. 107: «Jusqu'à présent, le nu avait toujours été représenté dans des poses qui supposent un public. Mais mes femmes sont des gens simples, honnêtes, qui ne s'occupent de rien d'autre que de leur occupation physique.»

38 Citazione da Margret Boehm-Hunold «Cézanne. Leben und Werk in Texten und Bildern», Francoforte 1990, p. 156

représenté dans des poses qui supposent un public. Mais mes femmes sont des gens simples, honnêtes, qui ne s'occupent de rien d'autre que de leur occupation physique."

38 Quoted according to Margret Boehm-Hunold, "Cézanne. Leben und Werk in Texten und Bildern", Frankfort 1990, p. 156.

39 Gottfried Boehm, "Paul Cézanne. Montagne Sainte-Victoire", Frankfort 1988, p. 37.

40 John Rewald, "Die Geschichte des Impressionismus", Cologne 1982, p. 179.

41 Ambroise Vollard, "Cézanne", New York 1984, p. 33.

42 Rewald, loc. cit., p. 180.

43 cf. Lawrence Gowing, "Paul Cézanne: The Basel Sketchbooks", Museum of Modern Art, New York 1988, p. 55, Götz Adriani, "Paul Cézanne. Zeichnungen", Cologne 1978, pp. 206 and 335 (including the suggestion to date the leaf 1873–76 rather than 1870–73).

44 John Rewald, "Die Geschichte des Impressionismus", Cologne 1982, p. 302.

45 Rewald, op. cit., p. 301.

46 G.M. Sugana, "L'opera completa di Gauguin", no. 21/22/23.

47 cf. e.g. Camille Pissarro, "The Street in l'Hermitage, Pontoise", 1874, and Paul Cézanne, "Les Mathurins, Pontoise", 1875–77. Both shown in John Rewald, "Paul Cézanne", Cologne 1986, p. 96/103.

48 Winterthur, The Oskar Reinhart Collection.

49 cf. Michel Hoog, "Paul Gauguin", Munich 1987, p. 56.

50 "Vision after a Sermon", 1888 (Sugana op. cit., no. 88).

51 Rewald op. cit. p. 302.

52 cf. the Catalogue of the "Gauguin" exhibition, Washington/Chicago/Paris 1988/89, p. 266.

53 Most recently Naomi Maurer, "The Pursuit of Spiritual Knowledge: The Philosophical Meaning and Origins of Symbolist Theory and its Expression in the Thought and Art of Redon, van Gogh, and Gauguin", doctoral thesis, University of Chicago 1985, p. 987 ff.

54 Fezzi/Minervino, op. cit., no. 173.

55 Wildenstein, op. cit., no. 445; Sugana, op. cit., no. 269.

56 Wildenstein, op. cit., no. 478; Sugana, op. cit., no. 315 (Staatsgalerie Stuttgart), and Wildenstein, op. cit., no. 501; Sugana, op. cit., no. 321 (The Leningrad Hermitage Museum).

57 Paul Gauguin, "Noa Noa", Berlin 1925. This quotation refers to the first meeting of painter and model for the portrait painting entitled "Vahine no te tiare" (Wildenstein, op. cit., no 420).

58 cf. dress and collar of "Vahine no te tiare" (Wildenstein, op. cit., no. 420), and "Vahine no te vi" (Wildenstein, op. cit., no 449).

39 Gottfried Boehm «Paul Cézanne. Montagne Sainte Victoire», Francoforte 1988, p. 37

40 John Rewald «Die Geschichte des Impressionismus», Colonia 1982, p. 179

41 Ambroise Vollard «Cézanne», New York 1984, p. 33

42 Rewald ibd. p. 180

43 Cfr. Lawrence Gowing «Paul Cézanne: The Basel Sketchbooks», Museum of Modern Art, New York 1988, p. 55 e Götz Adriani «Paul Cézanne. Zeichnungen», Colonia 1978, p. 206 e 335 (ivi anche la proposta di datare il disegno tra il 1873–76 anziché tra il 1870–73).

44 John Rewald «Die Geschichte des Impressionismus», Colonia 1982, p. 302

45 Rewald ibd. p. 301

46 G.M. Sugana «L'opera completa di Gauguin», n. 21/22/23

47 Cfr. Camille Pissarro «La strada a L'Hermitage, Pontoise», 1874 e Paul Cézanne «Les Mathurins, Pontoise», 1875–77. Entrambi sono illustrati in John Rewald «Paul Cézanne», Colonia 1986, p. 96/103

48 Winterthur, Collezione Oskar Reinhart

49 Cfr. Michel Hoog «Paul Gauguin», Monaco 1987, p. 56

50 «Visione dopo la predica», 1888 (Sugana ibd. n. 88)

51 Rewald ibd. p. 302

52 Cfr. il catalogo della mostra «Gauguin», Washington/Chicago/Parigi, 1988/89, p. 266

53 La versione più recente è di Naomi Maurer in «The Pursuit of Spiritual Knowledge: The Philosophical Meaning and Origins of Symbolist Theory and its Expression in the Thought and Art of Redon, van Gogh, and Gauguin», tesi di laurea, University of Chicago 1985, p. 987 segg.

54 Fezzi/Minervino ibd. n. 173

55 Wildenstein ibd. n. 445; Sugana ibd. n. 269

56 Wildenstein ibd. n. 478; Sugana ibd. n. 315 (Staatsgalerie Stoccarda) e Wildenstein ibd. n. 501; Sugana ibd. n. 321 (Ermitage Leningrado)

57 Paul Gauguin «Noa Noa», Berlino 1925. La citazione si riferisce a un primo incontro di pittore e modello par il ritratto «Vahine no te tiare» (Wildenstein ibd. n. 420)

58 Cfr. l'abito e il colletto in «Vahine no te tiare» (Wildenstein ibd. n. 420) e in «Vahine no te vi» (Wildenstein ibd. n. 449)

59 «La Orana Maria» (Wildenstein ibd. n. 428) presenta la modella tahitiana preferita da Gauguin come Madonna con l'aureola e il Bambino Gesù appoggiato su una spalla.

60 Vincent Van Gogh «Briefe an seinen Bruder», Francoforte 1988, vol. III, lettera n. 432, p. 50

61 Ibd. lettera n. 436, p. 61

62 Ibd. lettera n. 435, p. 59: «Am 31. März ist der Winterkursus zu Ende» («Il 31 marzo finisce il corso invernale»).

63 Fritz Erpel (editore) «Vincent van Gogh. Sämtliche Briefe», Bornheim-Merten 1985, lettera n. 459a, vol. V, p. 246

64 Cfr. Faille ibd. n. 219/253/285/203

59 "La Orana Maria", Wildenstein, op. cit., no. 428) shows Gauguin's favourite Tahitian model as Maria with halo and little Jesus on her shoulder.

60 Vincent van Gogh, "Briefe an seinen Bruder", Frankfort 1988, vol. III, letter no. 432, p. 50.

61 Ibid., letter no. 436, p. 61.

62 Ibid., letter no. 435, p. 59: "The winter course ends on March 31st".

63 Fritz Erpel (ed.), "Vincent van Gogh. Sämtliche Briefe", Bornheim-Merten 1985, letter no. 459a, vol. V, p. 246.

64 cf. Faille op. cit. no. 219/253/285/203.

65 John Rewald, "Von van Gogh bis Gauguin", Cologne 1987, p. 10 ff.

66 Faille, op. cit. no. 285/Lecaldano, op. cit. no. 261.

67 Ingo Bartsch, "Stilleben und Avantgarde" in the catalogue of the "Stilleben in Europa" exhibition, Münster/Baden-Baden 1979, p. 572.

68 Ibid.

69 Lee Johnson, "The Paintings of Eugène Delacroix. A Critical Catalogue", Oxford 1981–1986, no. 104.

70 Vincent van Gogh, "Briefe an seinen Bruder", op. cit., letter no. 427, p. 23.

71 Ibid. letter no. 439, p. 80.

72 Ibid., letter no 441, p. 88.

73 John Rewald, "Von van Gogh bis Gauguin", Cologne 1987, p. 17.

74 Theo van Gogh "managed for Boussod & Valadon (...) a small gallery at Boulevard Montmartre, a branch of one of the largest and most influential galleries in Paris (Rewald, op. cit., p. 14).

75 Rewald, op. cit., p. 25.

76 Faille, op. cit., no. 263 (Copenhagen, Ny Carlsberg Glyptotek)

77 Faille, op. cit., no. 328 (Paris, privately owned), no. 329 (De Steeg, privately owned), no. 330 (Barnes Foundation, Merion).

78 Walter/Metzger op. cit., vol. I, p. 209: "Bildnis einer Frau (Madame Tanguy?)".

79 Rewald, op. cit., p. 30.

80 Ibid. p. 39.

81 Vincent van Gogh, "Briefe an seinen Bruder", Frankfort 1988, vol. III, letter no. 631, p. 659.

82 Ibid. letter no. 630, p. 656.

83 Faille, op. cit., no. 778 and no. 779 (both in Amsterdam, Rijksmuseum Vincent van Gogh).

84 Letter no. 623, p. 641.

85 cf. G. Bazin, in: "Kindlers Malerei Lexikon", Munich 1982, vol. III, p. 158 f.

86 cf. Jura Brüschweiler, "Ferdinand Hodler (Bern 1853 – Genf 1918). Chronologische Übersicht: Biographie,

65 John Rewald «Von van Gogh bis Gauguin», Colonia 1987, p. 10 segg.

66 Faille ibd. n. 285/Lecaldano ibd. n. 261

67 Ingo Bartsch «Stilleben und Avantgarde» nel catalogo della mostra «Stilleben in Europa», Münster/Baden-Baden 1979, p. 572

68 ibd.

69 Lee Johnson «The Paintings of Eugène Delacroix. A Critical Catalogue», Oxford 1981–1986, n. 104

70 Vincent van Gogh «Briefe an seinen Bruder», ibd. lettera n. 427, p. 23

71 Vincent van Gogh «Briefe an seinen Bruder», Francoforte 1988, vol. III, lettera n. 439, p. 80

72 Ibd. lettera n. 441, p. 88

73 John Rewald «Van van Gogh bis Gauguin», Colonia 1987, p. 17

74 Theo van Gogh «diresse per Boussod & Valadon (...) una piccolo galleria nel Boulevard Montmartre, la filiale di una delle maggiori e più influenti gallerie di Parigi» (Rewald ibd. p. 14)

75 Rewald ibd. p. 25

76 Faille ibd. n. 263 (Copenhagen, glittoteca Ny Carlsberg)

77 Faille ibd. n. 328 (Parigi, proprietà privata), n. 329 (De Steeg, proprietà), n. 330 (Barnes Foundation, Merion)

78 Walther/Metzger ibd. vol. I, p. 209: «Ritratto di una donna (Madame Tanguy?)»

79 Rewald ibd. p. 30

80 ibd. p. 39

81 Vincent van Gogh «Briefe an seinen Bruder», Francoforte 1988, vol. III, lettera n. 631, p. 659

82 Ibd. lettera n. 630, p. 656

83 Faille ibd. n. 778 e n. 779 (entrambi Amsterdam, Rijksmuseum Vincent van Gogh)

84 Lettera n. 623, p. 641

85 Cfr. G. Bazin in «Kindlers Malerei Lexikon», Monaco 1982, vol. 3, p. 158 segg.

86 Cfr. Jura Brüschweiler «Ferdinand Hodler (Bern 1853 – Genf 1918). Chronologische Übersicht: Biographie, Werk, Rezensionen» nel catalogo della mostra «Ferdinand Hodler», Berlino/Parigi/Zurigo 1983, p. 163

87 Oltre allo studio a olio nella collezione della Fondazione di Famiglia Rudolf Staechelin esiste un secondo paesaggio di Montana, un po' piu dettagliato (Loosli n. 1491).

88 Cfr. Guido Magnaguagno «Landschaften. Ferdinand Hodlers Beitrag zur symbolistischen Landschaftsmalerei» nel catalogo della mostra «Ferdinand Hodler», Berlino/Parigi/Zurigo 1983, p. 309 segg.

89 Jura Brüschweiler «Ferdinand Hodler (Bern 1853 – Genf 1918). Chronologische Übersicht: Biographie, Werk, Rezensionen» nel catalogo della mostra «F.H.» Berlino/Parigi/Zurigo 1983, p. 143

Werk, Rezensionen", in the "Ferdinand Hodler" exhibition catalogue, Berlin/Paris/Zurich 1983, p. 163.

87 Besides the study in oil in the Rudolf Staechelin Family Foundation Collection, a similar though somewhat more elaborated Montana landscape exists (Loosli no. 1491).

88 cf. Guido Magnaguagno's "Landschaften. Ferdinand Hodlers Beitrag zur symbolistischen Landschafts-malerei"; in the "Ferdinand Hodler" exhibition cata-logue, Berlin/Paris/Zurich 1983, p. 309 f.

89 Jura Brüschweiler, "Ferdinand Hodler (Bern 1853 – Genf 1918). Chronologische Übersicht: Biographie, Werk, Rezension", in the "F.H." exhibition, Ber-lin/Paris/Zurich 1983, p. 143.

90 Jura Brüschweiler, "Ferdinand Hodler, Selbstbildnisse als Selbstbiographie". Catalogue of the exhibition at the Basel Museum of Fine Arts 1979, p. 8/100.

91 Brüschweiler, Berlin/Paris/Zurich, op. cit., p. 159.

92 Loosli no. 1155. This painting is also part of the Rudolf Staechelin Family Foundation.

93 Hans Mühlestein/Georg Schmidt, "Ferdinand Hodler. 1853–1918. Sein Leben und sein Werk", Erlen-bach/Zurich 1942.

94 cf. Jura Brüschweiler, "Ferdinand Hodler (Bern 1853 – Genf 1918). Chronologische Übersicht: Biographie, Werk und Rezensionen"; in: the "Ferdinand Hodler" exhibition catalogue, Berlin/Paris/Zurich 1983, p. 168.

95 Dieter Honisch, "Das Spätwerk", in the Ferdinand Hodler exhibition catalogue", op. cit., p. 455.

96 cf. Honisch, op. cit., p. 458.

97 Vallet had taken lessons with Hodler's teacher Barthéle-my Menn at the Geneva Ecole des Beaux-Arts. Cf. Beat Wismer in "Aargauer Kunsthaus", collection catalogue vol. 2, Aarau 1983, p. 491.

98 Michel Lehner, "Les peintres de Savièse", Geneva 1982.

99 Quoted according to Hans A. Lüthy, Hans-Jörg Heusser, "Kunst in der Schweiz 1890–1980", Zurich 1983, p. 21.

100 The "Kunsthaus Zürich, Sammlung" catalogue, Zürich 1976, p. 212.

101 Tina Grütter, in: "Kunstmuseum Luzern. Sammlungs-katalog der Gemälde", Lucerne 1983, p. 138.

102 cf. Natalia Valentinova Brodskaia, "Félix Vallotton et la Russie", Lausanne 1987.

103 This drawing (Galerie Vallotton, Lausanne) is shown in N.V. Brodskaia op. cit.

104 This painting comprises the left half of the canvas cut apart by the artist. The right section is also part of the Rudolf Staechelin Family Foundation.

105 Quoted according to Jacques Monnier, "Félix Vallot-ton", Geneva 1970, p. 25.

90 Jura Brüschweiler «Ferdinand Hodler». Selbstbildnisse als Selbstbiographie». Catalogo della mostra al Kunstmuseum di Basilea 1979, p. 8/100

91 Brüschweiler Berlino/Parigi/Zurigo ibd. p. 159

92 Loosli n. 1155. Anche questo quadro fa parte della colle-zione della Fondazione di Famiglia Rudolf Staechelin.

93 Hans Mühlestein/Georg Schmidt «Ferdinand Hodler. 1853–1918. Sein Leben und sein Werk», Erlenbach/Zurigo 1942

94 Cfr. Jura Brüschweiler «Ferdinand Hodler (Bern 1853 – Genf 1918). Chronologische Übersicht: Biographie, Werk, Rezensionen» nel catalogo della mostra «Ferdinand Hod-ler», Berlino/Parigi/Zurigo 1983, p. 168

95 Dieter Honisch «Das Spätwerk» nel catalogo della mostra «Ferdinand Hodler» ibd. p. 455

96 Cfr. Honisch ibd. p. 458

97 Vallet aveva seguito dei corsi dal maestro di Hodler, Barthélemy Menn, all'Ecole des Beaux-Arts di Ginevra. Cfr. Beat Wismer in «Aargauer Kunsthaus», catalogo della collezione, vol. 2, Aarau 1983, p. 491

98 Michel Lehner «Les peintres de Savièse», Ginevra 1982

99 Citazione da Hans A. Lüthy, Hans-Jörg Heusser «Kunst in der Schweiz 1890–1980», Zurigo 1983, p. 21

100 Catalogo «Kunsthaus Zürich, Sammlung», Zurigo 1976, p. 212

101 Tina Grütter in «Kunsthaus Luzern. Sammlungskatalog der Gemälde», Lucerna 1983, p. 138

102 Cfr. Natalia Valentinova Brodskaia «Félix Vallotton et la Russie», Losanna 1987

103 Il disegno (Galerie Vallotton, Losanna) figura in N.V. Brodskaia ibd.

104 Il quadro quì descritto costituisce la metà sinistra della tela, divisa in due parti dall'artista. Le due «metà» appar-tengono entrambe alla collezione della Fondazione di Famiglia Rudolf Staehelin.

106 Herbert Read in: "Kindlers Malerei Lexikon", Munich 1982, p. 197.

107 Ibid.

108 Julius Meier-Graefe, "Utrillo"; in: Grundstoffe der Bilder, Munich 1959, p. 219.

109 Julius Meier-Graefe, op. cit., p. 224.

110 Jeanne Champion, "Die Vielgeliebte. Kunst und Leben der Suzanne Valadon", Munich/Hamburg 1987, p. 217.

111 cf. "Nature morte, Séville" or "Nature morte espagnole" of 1911 (Ermitage, Leningrad). Shown in the 1982/83" catalogue "Henri Matisse" of the Kunsthaus Zurich, nos. 31/32.

112 Max Raphael, "Von Monet zu Picasso", Francfort/Paris 1983, p. 172.

113 Shown in the 1982/83 catalogue "Henri Matisse", Kunsthaus Zurich, no. 28, and the catalogue "42 capolavori dai musei sovietici", Milano 1985, no. 100.

114 Shown in the catalogue "Impressionisten und Post-Impressionisten aus sowjetischen Museen II", Lugano/Milan 1987, no. 31.

115 "Madame Matisse", 1901. Shown in the catalogue "Henri Matisse et l'Italie", Milan 1987, p. 59.

116 "Madame Matisse", 1913 (Ermitage, Leningrad).

117 Theodore Reff, "Picasso am Scheideweg. Skizzenbuch Nr. 59 von 1916", in: "Je suis le cahier. Die Skizzenbücher Pablo Picassos", ed. by Arnold and Marc Glimcher, Hamburg 1987, p. 83.

118 Werner Spiess, "Picasso. Pastelle, Zeichnungen, Aquarelle", Stuttgart 1986, passim.

119 Reff, op. cit., p. 81/82.

120 Reff, op. cit., p. 85.

121 Paul-André Jaccard, "Le Falot", in the exhibition catalogue "Künstlergruppen in der Schweiz 1910–1936", Kunsthaus Aarau 1981, p. 46–59.

122 cf. commentary to Edgar Degas' "Femme à sa toilette".

123 Quoted according to Hans A. Lüthy, Hans-Jörg Heusser, "Kunst in der Schweiz 1890–1980", Zurich 1983, p. 44.

124 The pastel "Nu au bas noir" also belongs to the Rudolf Staechelin Family Foundation (inventory no. 17a).

125 Lawrence Gowing, "Die Gemäldesammlung des Louvre", Cologne 1988, p. 621 f.

126 Illustrations in Erika Billeter's "Chef-d'Œuvre du Musée cantonal des Beaux-Arts", Lausanne 1989, p. 242, and "René Auberjonois", catalogue of the exhibition at the Kunsthalle Mannheim 1977, no. 48.

127 "Vallotton was often too close to his models, able to copy then, creating lively copies, still lifes and portraits that represent the less valuable part of his work." René Auberjonois in "Hommage à Vallotton", 1930. Quoted according to Arnold Kohler, "René Auberjonois", Geneva 1970, p. 71.

105 *Citazione da Jacques Monnier «Félix Vallotton», Ginevra 1970, p. 25*

106 *Herbert Read in «Kindlers Malerei Lexikon», Monaco 1982, p. 197*

107 *Ibd.*

108 *Julius Meier-Graefe «Utrillo» in «Grundstoff der Bilder», Monaco 1959, p. 219*

109 *Julius Meier-Graefe ibd. p. 224*

110 *Jeanne Champion «Die Vielgeliebte. Kunst und Leben der Suzanne Valadon», Monaco/Amburgo 1987, p. 217*

111 *Cfr. «Nature morte, Séville» o «Nature morte espagnole» del 1911 (Museo dell'Ermitage, Leningrado). Illustrazione nel catalogo «Henri Matisse», Kunsthaus di Zurigo 1982/83, n. 31/32*

112 *Max Raphael «Von Monet zu Picasso», Francoforte/Parigi 1983, p. 172*

113 *Illustrazione nel catalogo «Henri Matisse», Kunsthaus di Zurigo 1982/83, n. 28 e nel catalogo «42 capolavori dai musei sovietici», Milano 1985, n. 100*

114 *Illustrazione nel catalogo «Impressionisti e postimpressionisti dai musei sovietici II», Lugano/Milano 1987, n. 31*

115 *«Madame Matisse», 1901. Illustrazione nel catalogo «Henri Matisse et l'Italie», Milano 1987, p. 59*

116 *«Madame Matisse», 1913 (Museo dell'Ermitage, Leningrado)*

117 *Theodore Reff «Picasso am Scheideweg. Skizzenbuch Nr. 59 von 1916» in «Je suis le cahier. Die Skizzenbücher Pablo Picassos», ed. da Arnold e Marc Glimcher, Amburgo 1987, p. 83*

118 *Werner Spiess «Picasso. Pastelle, Zeichnungen, Aquarelle», Stoccarda 1986, passim*

119 *Reff ibd. p. 81/82*

120 *Reff ibd. p. 85*

121 *Paul-André Jaccard, «Le Falot», nel catalogo dell'esposizione «Künstlergruppen in der Schweiz 1910–1936», Kunsthaus di Aarau 1981, p. 46–59*

122 *Cfr. commento al quadro di Degas «Femme à sa toilette»*

123 *Citazione da Hans A. Lüthy, Hans-Jörg Heusser «Kunst in der Schweiz 1890–1980», Zurigo 1983, p. 44*

124 *Il pastello «Nu au bas noir» appartiene ugualmente alla Collezione della Fondazione di Famiglia Rudolf Staechelin (numero d'inventario 17a)*

125 *Lawrence Gowing «Die Gemäldesammlung des Louvre», Colonia 1988, p. 621 segg.*

126 *Illustrazioni in Erika Billeter «Chefs-d'Œuvre du Musée cantonal des Beaux-Arts», Losanna 1989, p. 242, e nel catalogo «René Auberjonois», relativo alla mostra presso la Kunsthalle di Mannheim, 1977, n. 48*

127 *«Rimanendo così vicino al soggetto, spesso Vallotton potè solo copiare e il risultato furono nature morte e ritratti troppo realistici, che vanno annoverati tra le sue opere meno riuscite.» – René Auberjonois in un «Hommage à*

128 Shown in "Fondation Rodolphe Staechelin". Catalogue of the exhibition at the Musée National d'Art Moderne in Paris 1964, no. 63.

129 Quoted according to the collection catalogue "Aargauer Kunsthaus", vol. 2, Aarau, 1983, op. 22.

130 Fernand Auberjonois, "L'atelier du peintre"; in: René Auberjonois, "Dessins, Textes, Photographies", Lausanne 1958.

131 Hans Christoph von Tavel, "Ein Jahrhundert Schweizer Kunst", Berne 1969, p. 148.

Vallotton», 1930. Citazione da Arnold Kohler «René Auberjonois», Ginevra 1970, p. 71

128 Illustrazione in «Fondation Rodolphe Staechelin». Catalogo dell'esposizione al Musée National d'Art Moderne di Parigi, 1964, n. 63

129 Citazione dal catalogo «Aargauer Kunsthaus», relativo alla collezione del museo, vol. 2, Aarau 1983, p. 22

130 Fernand Auberjonois «L'atelier du peintre» in «René Auberjonois – Dessins, Textes, Photographies», Losanna 1958

131 Hans Christoph von Tavel «Ein Jahrhundert Schweizer Kunst», Berna 1969, p. 148

From Giovannetti "MAX"
Zurich 1954, Munich 1986

Da «MAX» di Giovannetti
Zurigo 1954, Monaco 1986

1

4

2

5

3

6

Catalogue

Catalogo

Page / *pagina* 56

Jean-Baptiste Camille Corot (1796–1875)
Olevano, la Serpentara, 1827
Oil on canvas / *olio su tela* 33,5 × 47 cm
Indicated bottom left / *indicazione in basso a destra:* «vente
Corot»
On loan at the Basel Museum of Fine Arts since / *in deposito
al Kunstmuseum di Basilea dal* 1952

Provenance / *provenienza:* Galerie Thannhauser, Luzern
Acquired / *acquistato:* 15.9.1921

Bibliography / *bibliografia:* Alfred Robaut «L'œuvre de
Corot», Paris 1905, vol. II, p. 58/59, no. 162. – Catalogue /
catalogo Sammlung Rudolf Staechelin. Gedächtnis-Ausstellung zum 10. Todesjahr des Sammlers. Kunstmuseum Basel
1956, no. 1 (illustration). – Catalogue / *catalogo* Fondation
Rodolphe Staechelin. De Corot à Picasso. Musée National
d'Art Moderne, Paris 1964, no. 2 (illustration).

Page / *pagina* 60

Edouard Manet (1832–1883)
Tête de femme 1870
Oil on canvas / *olio su tela* 56,5 × 46,5 cm
Signed bottom left / *firmato in basso a sinistra:* E. Manet
On loan at the Basel Museum of Fine Arts since / *in deposito
al Kunstmuseum di Basilea dal* 1952

Provenance / *provenienza:* Galerie Thannhauser, München
Acquired / *acquistato:* 22.12.1917

Bibliography / *bibliografia:* Julius Meier-Graefe «Edouard
Manet», München 1912, illustration 126. – Paul Jamot/Geor-
ges Wildenstein «Manet», Paris 1932, no. 180. – A. Tabarant
«Manet et ses œuvres», Paris 1947, p. 179 (illustration 163). –
Catalogue / *catalogo* Sammlung Rudolf Staechelin. Gedächt-
nis-Ausstellung zum 10. Todesjahr des Sammlers. Kunstmu-
seum Basel 1956, no. 5 (illustration). – Catalogue / *catalogo*
Fondation Rodolphe Staechelin. De Corot à Picasso. Musée
National d'Art Moderne, Paris 1964, no. 4 (illustration). –
Marcello Venturi/Sandra Orienti «Edouard Manet», Milano
1967, no. 139 (illustration).

Page / *pagina* 58

Henri Fantin-Latour (1836–1904)
Le jugement de Pâris, 1903
Oil on canvas / *olio su tela* 83,5 × 100,5 cm
Signed bottom right / *firmato in basso a destra:* Fantin
On loan at the Basel Museum of Fine Arts since / *in deposito
al Kunstmuseum di Basilea dal* 1970

Provenance / *provenienza:* M. Goldschmidt, Frankfurt
Acquired / *acquistato:* 18.12.1917

Bibliography / *bibliografia:* V. Fantin-Latour «Catalogue de
l'œuvre complet de Fantin-Latour», Paris 1911, no. 1978. – E.
Lucie-Smith «Fantin-Latour», Oxford 1977.

Page / *pagina* 62

Camille Pissarro (1830–1903)
La Carrière, Pontoise, ca. 1874
Oil on canvas / *olio su tela* 58 × 72,5 cm

Signed bottom right / *firmato in basso a destra:* C.P.
On loan at the Basel Museum of Fine Arts since / *in deposito al Kunstmuseum di Basilea dal* 1965

Provenance / *provenienza:* Mario Arbini, Genua/München
Acquired / *acquistato:* 14.2.1920

Bibliography / *bibliografia:* Ludovic Rodo Pissarro, Lionello Venturi «Camille Pissarro. Son art – son œuvre», Paris 1939, no. 251 (Text p. 40). – Catalogue / *catalogo* Sammlung Rudolf Staechelin. Gedächtnis-Ausstellung zum 10. Todesjahr des Sammlers. Kunstmuseum Basel 1956, no. 12 (illustration). – Catalogue / *catalogo* Fondation Rodolphe Staechelin. De Corot à Picasso. Musée National d'Art Moderne, Paris 1964, no. 12 (illustration).

Page / *pagina* 64

Camille Pissarro (1830–1903)
Le Sentier du Village, 1875
Oil on canvas / *olio su tela* 39 × 55,5 cm
Signed bottom right / *firmato in basso a destra:* C. Pissarro 1875
On loan at the Basel Museum of Fine Arts since / *in deposito al Kunstmuseum di Basilea dal* 1948

Provenance / *provenienza:* tramite Maison Moos, Genève
Acquired / *acquistato:* 12.9.1917

Bibliography / *bibliografia:* Ludovic Rodo Pissarro, Lionello Venturi «Camille Pissarro. Son art – son œuvre», Paris 1939, no. 310 /Text p. 41). – Catalogue / *catalogo* Sammlung Rudolf Staechelin. Gedächtnis-Ausstellung zum 10. Todesjahr des Sammlers. Kunstmuseum Basel 1956, no. 13 (illustration). – Catalogue / *catalogo* Fondation Rodolphe Staechelin. De Corot à Picasso. Musée National d'Art Moderne, Paris 1964, no. 10 (illustration).

Page / *pagina* 66

Camille Pissarro (1830–1903)
Une Rue à l'Hermitage, ca. 1877
Oil on canvas / *olio su tela* 46 × 56 cm
Signed bottom right / *firmato in basso a destra:* C. Pissarro
On loan at the Basel Museum of Fine Arts since / *in deposito al Kunstmuseum di Basilea dal* 1952

Provenance / *provenienza:* Mario Arbini, Genua/München
Acquired / *acquistato:* 14.2.1920

Bibliography / *bibliografia:* Ludovic Rodo Pissarro, Lionello Venturi «Camille Pissarro. Son art – son œuvre», Paris 1939, no. 391. – Catalogue / *catalogo* Sammlung Rudolf Staechelin. Gedächtnis-Ausstellung zum 10. Todesjahr des Sammlers. Kunstmuseum Basel 1956, no. 15 (illustration). – Catalogue / *catalogo* Fondation Rodolphe Staechelin. De Corot à Picasso. Musée National d'Art Moderne, Paris 1964, no. 13 (illustration).

Page / *pagina* 68

Camille Pissarro (1830–1903)
Fenaison, 1889
Distemper and gouache on paper / *tempera e gouache su carta fissata* 64,5 × 54 cm
Signed bottom left / *firmato in basso a sinistra:* C. Pissarro. 1889
On loan at the Musée d'art et d'histoire, Genève since / *in deposito nel Musée d'art et d'histoire, Genève dal* 1952

Provenance / *provenienza:* Galerie Tanner, Zürich
Acquired / *acquistato:* 23.1.1918

Bibliography / *bibliografia:* Ludovic Rodo Pissarro, Lionello Venturi «Camille Pissarro. Son art – son œuvre», Paris 1939, no. 1442. – Catalogue / *catalogo* Sammlung Rudolf Staechelin. Gedächtnis-Ausstellung zum 10. Todesjahr des Sammlers. Kunstmuseum Basel 1956, no. 16 (illustration).

Page / *pagina* 72

Page / *pagina* 70

Camille Pissarro (1830–1903)
Vue de la La Seine, prise du terre-plein du Pont Neuf, 1901
Oil on canvas / *olio su tela* 46,5 × 55,5 cm
Signed bottom left / *firmato in basso a sinistra:* C. Pissarro.
1901
On loan at the Basel Museum of Fine Arts since / *in deposito al Kunstmuseum di Basilea dal* 1952

Provenance / *provenienza:* Label on frame / *etichetta sul telaio* «Bernheim-Jeune & Cie. 25, Boulevard de la Madeleine. no. 14'108. Camille Pissarro. Louvre matin ensoleillé (1901)» Entry in handwritten / *annotato nel catalogo scritto a mano* «Catalog. Collection Rudolf Staechelin Basel» without date / *senza data:* «(in München erworben durch Jagerspacher)»

Bibliography / *bibliografia:* Ludovic Rodo Pissarro, Lionello Venturi «Camille Pissarro. Son art – son œuvre», Paris 1939, no. 1160. – Catalogue / *catalogo* Sammlung Rudolf Staechelin. Gedächtnis-Ausstellung zum 10. Todesjahr des Sammlers. Kunstmuseum Basel 1956, no. 17 (illustration). – John Rewald «C. Pissarro», Köln 1963, p. 154 (illustration) – Catalogue / *catalogo* Fondation Rodolphe Staechelin. De Corot à Picasso. Musée National d'Art Moderne, Paris 1964, no. 14 (illustration).

Claude Monet (1840–1926)
Temps calme, Pourville, 1881
Oil on canvas / *olio su tela* 60 × 73,5 cm
Signed bottom left / *firmato in basso a sinistra:*
Claude Monet 81
On loan at the Basel Museum of Fine Arts since / *in deposito al Kunstmuseum di Basilea dal* 1952

Provenance / *provenienza:* Kunstsalon Ludwig Schames, Frankfurt am Main
Acquired / *acquistato:* 13.2.1918

Bibliography / *bibliografia:* Catalogue / *catalogo* Sammlung Rudolf Staechelin. Gedächtnis-Ausstellung zum 10. Todesjahr des Sammlers. Kunstmuseum Basel 1956, no. 8 (illustration). – Catalogue / *catalogo* Fondation Rodolphe Staechelin. De Corot à Picasso. Musée National d'Art Moderne, Paris 1964, no. 6 (illustration). – Luigina Rossi Bortolatto «Claude Monet», Milano 1978, no. 219 (illustration).

Page / *pagina* 74

Auguste Renoir (1841–1919)
Gabrielle, ca. 1910
Oil on canvas / *olio su tela* 40,5 × 32,5 cm
Signed top right / *firmato in alto a destra:* Renoir
On loan at the Basel Museum of Fine Arts since / *in deposito al Kunstmuseum di Basilea dal* 1952

Provenance / *provenienza:* Maison Moos, Genève
Acquired / *acquistato:* 15.4.1918

Bibliography / *bibliografia:* Catalogue / *catalogo* Sammlung Rudolf Staechelin. Gedächtnis-Ausstellung zum 10. Todesjahr des Sammlers. Kunstmuseum Basel 1956, no. 26 (illustration). – Catalogue / *catalogo* Fondation Rodolphe Staechelin. De Corot à Picasso. Musée National d'Art Moderne, Paris 1964, no. 23 (illustration).

Page / *pagina* 78

Paul Cézanne (1839–1906)
La maison du docteur Gachet, 1873
Oil on canvas / *olio su tela* 56 × 47 cm
On loan at the Basel Museum of Fine Arts since / *in deposito al Kunstmuseum di Basilea dal* 1948

Provenance / *provenienza:* according to Venturi from the / *secondo il Venturi, dalla* Donop de Monchy Collection (see stamp on the back / *timbro sul retro)*
Acquired / *acquistato:* 25.10.1917 through the / *tramite la* Galerie Bernheim-Jeune, Paris for / *per* FFr. 30 000

Bibliography / *bibliografia:* Lionello Venturi «Cézanne. Son art, son œuvre», Paris 1936, p. 99, no. 146. – Catalogue / *catalogo* Cézanne-Exhibition, Paris, 1936, no. 25. – Ian Dunlop/Sandra Orienti «Cézanne», New York 1985, p. 92, no. 146 (illustration p. 143).

Page / *pagina* 76

Edgar Degas (1834–1917)
Femme à sa toilette, ca. 1892
Pastel on paper on cardboard / *pastello su carta fissata su cartone* 56 × 65 cm
Stamp bottom left / *timbro in basso a sinistra:* Degas
On loan at the Basel Museum of Fine Arts since / *in deposito al Kunstmuseum di Basilea dal* 1952

Provenance / *provenienza:* Première vente Atelier Edgar Degas through / *tramite* Galerie Bernheim-Jeune
Acquired / *acquistato:* 13.5.1918, FFr. 9200

Bibliography / *bibliografia:* Catalogue de la première vente «Atelier Edgar Degas», 1918, no. 131. – Paul André Lemoisne «Degas et son œuvre», 1946, vol. III. no. 1125. – «Du», 12/1946 (illustration). – Catalogue / *catalogo* Sammlung Rudolf Staechelin. Gedächtnis-Ausstellung zum 10. Todesjahr des Sammlers. Kunstmuseum Basel 1956, no. 31 (illustration). – Catalogue / *catalogo* Fondation Rodolphe Staechelin. De Corot à Picasso. Musée National d'Art Moderne, Paris 1964, no. 16 (illustration). – Franco Russoli/Fiorella Minervino «L'opera completa di Degas», Milano 1970. – Cf. Götz Adriani «Edgar Degas. Pastelle, Ölskizzen, Zeichnungen», Köln, 1984.

Page / *pagina* 80

Paul Cézanne (1839–1906)
Verre et pommes, 1879/82
Oil on canvas / *olio su tela* 31,5 × 40 cm
On loan at the Basel Museum of Fine Arts since / *in deposito al Kunstmuseum di Basilea dal* 1952

Provenance / *provenienza:* Edgar Degas Collection (Vente Degas 26./27.3.1918, Catalogue no. 14)
Acquired / *acquistato:* Galerie Bernheim-Jeune, Lausanne 2.5.1918, FFr. 24 700

Bibliography / *bibliografia:* Lionello Venturi «Cézanne. Son art, son œuvre», Paris 1936, p. 139, no. 339. – Ian Dun-

141

lop/Sandra Orienti «Cézanne», New York 1985, p. 107, no. 448 (illustration). Meyer Schapiro «The Apples of Cézanne. An Essay on the Meaning of Still-life», New York 1968.

Page / *pagina* 82

Paul Gauguin (1848–1903)
Paysage au toit rouge, 1885
Oil on canvas / *olio su tela* 81,5 × 66 cm
Signed bottom left / *firmato in basso a sinistra:* 85 P Gauguin
On loan at the Basel Museum of Fine Arts since / *in deposito al Kunstmuseum di Basilea dal* 1962

Provenance / *provenienza:* unknown / *sconosciuta*

Bibliography / *bibliografia:* Catalogue / *catalogo* Sammlung Rudolf Staechelin. Gedächtnis-Ausstellung zum 10. Todesjahr des Sammlers. Kunstmuseum Basel 1956, no. 32 (illustration). – Catalogue / *catalogo* Fondation Rodolphe Staechelin. De Corot à Picasso. Musée National d'Art Moderne, Paris 1964, no. 26 (illustration).

Page / *pagina* 84

Paul Gauguin (1848–1903)
NAFEA faaipoipo (When will you marry? / *Quando ti sposi?*), 1892

Oil on canvas / *olio su tela* 101,5 × 77,5 cm
Signed bottom left / *firmato in basso a sinistra:* P. Gauguin. 92
bottom right / *in basso a destra:* NAFEA faaipoipo
On loan at the Basel Museum of Fine Arts since / *in deposito al Kunstmuseum di Basilea dal* 1947

Provenance / *provenienza:* Maison Moos, Genève
Acquired / *acquistato:* 27.6.1917

Bibliography / *bibliografia:* Wilhelm Barth «Paul Gauguin», Basel 1929, p. 128–132 (illustration). – Catalogues / *catalogi* «Französische Meister des 19. Jahrhunderts». Kunsthalle Bern 1934, no. 55. – Austellung «Hundert Jahre französische Kunst». Stedelijk Museum Amsterdam, 1938. – Sammlung Rudolf Staechelin. Gedächtnis-Ausstellung zum 10. Todesjahr des Sammlers. Kunstmuseum Basel 1956, no. 35 (illustration). – Fondation Rodolphe Staechelin. De Corot à Picasso. Musée National d'Art Moderne, Paris 1964, no. 28 (illustration). – Georges Wildenstein «Gauguin», Paris 1964, no. 454 (illustration). – Elda Fezzi/Fiorella Minervino «Noa Noa e il primo viaggio a Tahiti di Gauguin», Milano 1974, no. 172. – Richard S. Field «Paul Gauguin. The Paintings of the First Trip to Tahiti», New York/London 1977, no. 35. – G.M. Sugana «L'opera completa di Gauguin», Milano 1981, no. 276 (illustration). – Kindlers Malerei Lexikon, München 1982, vol. 4, p. 312 (illustration). – John Rewald «Von van Gogh bis Gauguin. Die Geschichte des Nachimpressionismus», Köln 1987 (illustration p. 195, Tafel 21). – Michel Hoog «Paul Gauguin», München/Fribourg 1987, p. 175, illustration 121. – «Gauguin», Washington/Chicago/Paris 1988/89, no. 149 (illustration).

Page / *pagina* 88

Vincent van Gogh (1853–1890)
Les Harengs saurs, 1886
Oil on canvas / *olio su tela* 21,5 × 42 cm
On loan at the Basel Museum of Fine Arts since / *in deposito al Kunstmuseum di Basilea dal* 1970

Provenance / *provenienza:* Maison Moos, Genève
Acquired / *acquistato:* 15.10.1917

Bibliography / *bibliografia:* Catalogues / *catalogi:* «September-

142

ausstellung», Kunsthalle Basel 1920, no. 29. – «Französische Meister des 19. Jahrhunderts und van Gogh», Kunsthalle Bern 1934, no. 58. – «Hollandhilfe», Galerie Schulthess Basel 1945, no. 6. – «Van Gogh», Kunsthalle Basel 1947. – Sammlung Rudolf Staechelin. Gedächtnis-Ausstellung zum 10. Todesjahr des Sammlers. Kunstmuseum Basel 1956, no. 36 (illustration). – Fondation Rodolphe Staechelin. De Corot à Picasso. Musée National d'Art Moderne, Paris 1964, no. 31 (illustration). – Jacob-Baart de la Faille «The Works of Vincent van Gogh. His Paintings and Drawings», Amsterdam 1970, no. 283. – Paolo Lecaldano «L'opera pittorica completa di van Gogh», Milano 1977, no. 262 (illustration).

Lecaldano «L'opera pittorica completa di van Gogh», Milano 1977, no. 373 (Date 1887). – Ingo E. Walther/Rainer Metzger «Vincent van Gogh. Sämtliche Gemälde», Köln 1989, vol. I, p. 209 (illustration).

Page / *pagina* 92

Vincent van Gogh (1853–1890)

Le jardin de Daubigny, July / *luglio* 1890
Oil on canvas / *olio su tela* 56 × 101,5 cm
Labelled bottom right / *titolo in basso a destra:* le jardin de Daubigny
On loan at the Basel Museum of Fine Arts since / *in deposito al Kunstmuseum di Basilea dal* 1947

Provenance / *provenienza:* Galerie Bernheim-Jeune, Paris/Lausanne
Acquired / *acquistato:* 26.2.1918

Bibliography / *bibliografia:* Catalogues / *catalogi* «September-ausstellung», Kunsthalle Basel 1920, no. 32. – «Französische Meister des 19. Jahrhunderts und van Gogh», Kunsthalle Bern 1934, no. 67. – Walter Ueberwasser «Le jardin de Daubigny», Basel 1936. – «Hollandhilfe», Galerie Schulthess Basel 1945, no. 17. – «Van Gogh», Kunsthalle Basel 1947. – Sammlung Rudolf Staechelin. Gedächtnis-Ausstellung zum 10. Todesjahr des Sammlers. Kunstmuseum Basel 1956, no. 39 (illustration). – Fondation Rodolphe Staechelin. De Corot à Picasso. Musée National d'Art Moderne, Paris 1964, no. 33 (illustration). – Jacob-Baart de la Faille «The Works of Vincent van Gogh. His Paintings and Drawings», Amsterdam 1970, no. 777. – Paolo Lecaldano «L'opera pittorica completa di van Gogh», Milano 1977, no. 867 (illustration). – Ausstellungskatalog «Vincent van Gogh», New York 1986, no. 84 (illustration and illustration detail). – Ingo E. Walter/Rainer Metzger «Vincent van Gogh. Sämtliche Gemälde», Köln 1989, vol. II, p. 683 (illustration). – Ausstellungskatalog «Vincent van Gogh», Amsterdam 1990, no. 127 (illustration p. 278).

Page / *pagina* 90

Vincent van Gogh (1853–1890)

Tête de femme, 1886
Oil on canvas / *olio su tela* 40,5 × 32,5 cm
Signed bottom right / *firmato in basso a destra:* Vincent 86
On loan at the Basel Museum of Fine Arts since / *in deposito al Kunstmuseum di Basilea dal* 1947

Provenance / *provenienza:* Heinrich Thannhauser, München
Acquired / *acquistato:* 22.12.1917

Bibliography / *bibliografia:* Catalogues / *catalogi* «September-ausstellung», Kunsthalle Basel 1920, no. 30. – «Französische Meister des 19. Jahrhunderts und van Gogh», Kunsthalle Bern 1934, no. 59. – «Hollandhilfe», Galerie Schulthess Basel 1945, no. 4. – Walter Ueberwasser «Impressionisten. Zu einigen Bildern der Sammlung Rudolf Staechelin in Basel» in «Du» 12/1946 (illustration). – «Van Gogh», Kunsthalle Basel 1947. – Sammlung Rudolf Staechelin. Gedächtnis-Ausstellung zum 10. Todesjahr des Sammlers. Kunstmuseum Basel 1956, no. 37 (illustration). – Fondation Rodolphe Staechelin. De Corot à Picasso. Musée National d'Art Moderne, Paris 1964, no. 30 (illustration). – Jacob-Baart de la Faille «The Works of Vincent van Gogh. His Paintings and Drawings», Amsterdam 1970, no. 357. – Paolo

Page / *pagina* 96

Ferdinand Hodler (1853–1918)
Paysage de Montana, 1915
Oil on canvas / *olio su tela* 65,5 × 80,5 cm
Signed bottom right / *firmato in basso a destra:* F. Hodler

Provenance / *provenienza:* In the catalogue of the Bernese
Hodler exhibition of 1921 the painting no. 545 is listed un-
der the title of / *nel catalogo della mostra di Hodler a Berna
del 1921 il dipinto no. 545 è indicato con il titolo* «See bei
Montana» with the additional notation / *con l'annotazione:*
«Galerie Moos, Genève. Verkäuflich».

Bibliography / *bibliografia: Catalogue / catalogo* der Hodler
Ausstellung im Zürcher Kunsthaus 1917, no. 441. – Catalogue
de l'exposition Ferdinand Hodler, Galerie Moos, Genève
1918, no. 122. – Catalogue / *catalogo* Hodler-Gedächtnis-
ausstellung, Bern 1921, no. 545. – C.A. Loosli «Ferdinand
Hodler. Leben, Werk und Nachlass», Bern 1921–24, vol. IV,
no. 1493. – Werner Müller «Die Kunst Ferdinand Hodlers»,
Zürich 1941, vol. II, no. 543. – Catalogue / *catalogo* «Ferdinand Hodler». Berlin/Paris/Zürich 1983, no. 185 illustration).

Page / *pagina* 98

Ferdinand Hodler (1853–1918)
La malade, November / *novembre* 1914
Oil on canvas / *olio su tela* 43 × 33 cm
Signed bottom right / *firmato in basso a destra:* F. Hodler
On loan at the Kunsthaus Zürich since / *in deposito al Kunst-
haus Zürich dal* 1984

Provenance / *provenienza:* Galerie Moos, Genève
Acquired / *acquistato:* 28.1.1918

Bibliography / *bibliografia:* Catalogue de l'exposition Ferdinand Hodler, Galerie Moos, Genève 1918, no. 136 (illustration 31). – C.A. Loosli «Ferdinand Hodler. Leben, Werk und
Nachlass», Bern 1921–24, Vol IV, no. 1152 (mistakenly listed
as / *denominata erroneamente come* no. 1143). – Hans Mühle-
stein/Georg Schmidt «Ferdinand Hodler. 1853–1918. Sein
Leben und sein Werk», Erlenbach/Zürich 1942, p. 493. –
Catalogue / *catalogo* Sammlung Rudolf Staechelin. Gedächtnis-Ausstellung zum 10. Todesjahr des Sammlers. Kunstmuseum Basel 1956, no. 64 (illustration). – Catalogue /
catalogo Fondation Rodolphe Staechelin. De Corot à Picasso.
Musée National d'Art Moderne, Paris 1964, no. 52 (illustration). – Jura Brüschweiler «Ein Maler vor Liebe und Tod.
Ferdinand Hodler und Valentine Godé-Darel. Ein Werkzyklus 1908–1915», Zürich, St. Gallen, München, Bern
1976/77. – Exhibition «Ferdinand Hodler». Berlin/Paris/
Zürich 1983, no. 149 (illustration).

Page / *pagina* 98

Ferdinand Hodler (1853–1918)
La morte, 26.1.1915
Oil on canvas / *olio su tela* 65 × 81 cm
Signed bottom right / *firmato in basso a destra:* 26.1.1915
F. Hodler
On loan at the Kunsthaus Zürich since / *in deposito al
Kunsthaus Zürich dal* 1984

Provenance / *provenienza:* Galerie Moos, Genève
Acquired / *acquistato:* 28.1.1918

Bibliography / *bibliografia:* Catalogue de l'exposition Ferdinand Hodler, Galerie Moos, Genève 1918, no. 138 (illustration 33). – Catalogue / *catalogo* Hodler-Gedächtnis-
ausstellung, Bern 1921, no. 525. – C.A. Loosli «Ferdinand
Hodler. Leben, Werk und Nachlass», Bern 1921–24, vol. IV,
no. 2096. – Catalogue / *catalogo* «Ferdinand Hodler», Kunsthalle Basel 1934, no. 97. – Werner Müller «Die Kunst Ferdinand Hodlers», Zürich 1941, vol. II, illustration 211. –
Walter Ueberwasser/Robert Spreng «Ferdinand Hodler.
Köpfe und Gestalten», Zürich 1947, Tafel 116. – Catalogue /
catalogo Sammlung Rudolf Staechelin. Gedächtnis-
Ausstellung zum 10. Todesjahr des Sammlers. Kunstmuseum

Basel 1956, no. 65 (illustration). – Catalogue / *catalogo* Fondation Rodolphe Staechelin. De Corot à Picasso. Musée National d'Art Moderne, Paris 1964, no. 54 (illustration). – Jura Brüschweiler «Ein Maler vor Liebe und Tod. Ferdinand Hodler und Valentine Godé-Darel. Ein Werkzyklus 1908–1915», Zürich, St. Gallen, München, Bern 1976/77. – Jura Brüschweiler «Ferdinand Hodler. Selbstbildnisse als Selbstbiographie». Kunstmuseum Basel 1979, no. 73d (illustration). – «Ferdinand Hodler». Berlin/Paris/Zürich 1983, no. 179 (illustration).

Page / *pagina* 102

Ferdinand Hodler (1853–1918)
Le Mont-Blanc aux nuages roses, March / *marzo* 1918
Oil on canvas / *olio su tela* 60 × 85 cm
Signed bottom right / *firmato in basso a destra:* 1918 F. Hodler
On loan at the Kunsthaus Zürich since / *in deposito al Kunsthaus Zürich dal* 1984

Provenance / *provenienza:* Galerie Moos, Genève
Acquired / *acquistato:* 19.8.1918

Bibliography / *bibliografia:* Catalogue de l'exposition Ferdinand Hodler, Galerie Moos, Genève 1918, no. 182 (illustration 50). – C.A. Loosli «Ferdinand Hodler. Leben, Werk und Nachlass», Bern 1921–24, vol. IV, no. 1512. – Catalogue / *catalogo* «Ferdinand Hodler», Kunsthalle Basel 1934, no. 69. – Werner Müller «Die Kunst Ferdinand Hodlers», Zürich 1941, vol. II, no. 622, illustration 260. – Catalogue / *catalogo* Sammlung Rudolf Staechelin. Gedächtnis-Ausstellung zum 10. Todesjahr des Sammlers. Kunstmuseum Basel 1956, no. 68 (illustration). – Catalogue / *catalogo* Fondation Rodolphe Staechelin. De Corot à Picasso. Musée National d'Art Moderne, Paris 1964, no. 55 (illustration). – Catalogue / *catalogo* «Ferdinand Hodler», Berlin/Paris/Zürich 1983, no. 221 (illustration).

Page / *pagina* 102

Ferdinand Hodler (1853–1918)
Le Mont-Blanc, January / *gennaio* 1918
Oil on canvas / *olio su tela* 60 × 85 cm
Signed bottom right / *firmato in basso a destra:* 1918 F. Hodler
On loan at the Kunsthaus Zürich since / *in deposito al Kunsthaus Zürich dal* 1984

Provenance / *provenienza:* Galerie Moos, Genf
Acquired / *acquistato:* 19.8.1918

Bibliography / *bibliografia:* Catalogue de l'exposition Ferdinand Hodler, Galerie Moos, Genève 1918, no. 176 (illustration 47). – C.A. Loosli «Ferdinand Hodler. Leben, Werk und Nachlass», Bern 1921–24, vol. IV, no. 1504. – Ausstellungskatalog «Ferdinand Hodler», Kunsthalle Basel 1934, no. 106. – Werner Müller «Die Kunst Ferdinand Hodlers», Zürich 1941, vol. II, no. 627, illustration 260. – Catalogue / *catalogo* Sammlung Rudolf Staechelin. Gedächtnis-Ausstellung zum 10. Todesjahr des Sammlers. Kunstmuseum Basel 1956, no. 67 (illustration). – Catalogue / *catalogo* Fondation Rodolphe Staechelin. De Corot à Picasso. Musée National d'Art Moderne, Paris 1964, no. 53 (illustration).

Page / *pagina* 106

Edouard Vallet (1876–1929)
Marché à Sion, 1906
Oil on canvas / *olio su tela* 50,5 × 116,5 cm
Signed bottom right / *firmato in basso a destra:* Ed. Vallet 1906

Provenance / *provenienza:* Acquired through / *acquistato tramite* Maison Moos, Genève, 17.5.1914

Bibliography / *bibliografia:* Catalogue / *catalogo* «Edouard Vallet», Galerie Moos, Genève 1914. – Marie Pichereau-

Vallet «Edouard Vallet. Peintre et graveur», Lausanne 1934. – Maurice Zermatten «Edouard Vallet. Peintre et graveur», Cressy Genève 1956. – Ausstellungskatalog «Edouard Vallet», Musée Rath, Genève 1976/77.

Page / *pagina* 108

Félix Vallotton (1865–1925)
Moscou, 1913
Oil on canvas / *olio su tela* 88,5 × 56,5 cm
Signed bottom right / *firmato in basso a destra:* F. Vallotton 13

Provenance / *provenienza:* Editions d'Art Albert Skira, Genève
Acquired / *acquistato:* 15.4.1942

Bibliography / *bibliografia:* «Livre de Raison», a works catalogue compiled and edited by / *catalogo delle opere redatto dallo stesso Vallotton* (from / *dal* 1885), published / *edito* Hedy Hahnloser-Bühler «Félix Vallotton et ses Amis», Paris 1936, no. 911, p. 303. – Francis Jordain «Félix Vallotton», Genève 1953, table / *tavolo 60* (falsely designated as / *denominata erroneamente* «La Cathédrale de Petropavlovsk à Saint-Pétersbourg»). – Catalogue / *catalogo* Sammlung Rudolf Staechelin. Gedächtnis-Ausstellung zum 10. Todesjahr des Sammlers. Kunstmuseum Basel 1956, no. 71 (illustration). – Natalia Valentinova Brodskaia «Félix Vallotton et la Russie», Lausanne 1967, p. 26 (illustration ibid. and cover page), then designated as / *ivi indicato come* «Vue du Kremlin le soir». – Kindlers Malerei Lexikon, München 1982, vol. 12, p. 126 (illustration).

Page / *pagina* 110

Maurice de Vlaminck (1876–1958)
Maison au bord de l'eau
Oil on canvas / *olio su tela* 65 × 81 cm
Signed bottom left / *firmato in basso a sinistra:* Vlaminck
On loan at the Musée d'art et d'histoire, Genève since / *in deposito al Musée d'art et d'histoire, Genève dal* 1952

Provenance / *provenienza:* unknown / sconosciuta

Bibliography / *bibliografia:* Daniel Henry «Maurice de Vlaminck», Leipzig 1920. – F. Fels «Vlaminck», Paris 1927. – M. Sauvage «Vlaminck. Sa vie et son message», Genève 1956.

Page / *pagina* 112

Maurice Utrillo (1883–1955)
L'hôpital militaire St. Martin, ca. 1912
Oil on cardboard / *olio su cartone* 53,5 × 72,5 cm
Signed bottom left / *firmato in basso a sinistra:* Maurice Utrillo. V
On loan at the Musée d'art et d'histoire, Genève since / *in deposito al Musée d'art et d'histoire, Genève dal* 1952

Provenance / *provenienza:* Galerie Raeber, Basel
Acquired / *acquistato:* 9.4.1942

Bibliography / *bibliografia:* Catalogue / *catalogo* Sammlung Rudolf Staechelin. Gedächtnis-Ausstellung zum 10. Todesjahr des Sammlers. Kunstmuseum Basel 1956, no. 49 (illustration). – Paul Pétridès «L'Œuvre complet de Maurice Utrillo. 1904–13», Paris 1959. – Catalogue / *catalogo* Fondation Rodolphe Staechelin. De Corot à Picasso. Musée National d'Art Moderne, Paris 1964, no. 40 (illustration). – Alfred Werner «Maurice Utrillo», New York 1981.

Page / *pagina* 114

Page / *pagina* 116

Henri Matisse (1869–1954)
Madame Matisse au châle de Manille, 1911
Oil on canvas / *olio su tela* 118 × 75,5 cm
Signed bottom left / *firmato in basso a sinistra:* Henri Matisse 1911
On loan at the Basel Museum of Fine Arts since / *in deposito al Kunstmuseum di Basilea dal* 1962

Provenance / *provenienza:* Gaston Bernheim de Villers, Monte Carlo
Acquired through / *acquistato tramite* Galerie Rosengart, Luzern, 30.3.1943

Bibliography / *bibliografia:* Catalogue / *catalogo* «Salon des Indépendants», Paris 1911, no. 6740. – L'art moderne et quelques aspects de l'art d'autrefois, vol. 2, p. 87. Editions Bernheim-Jeune, Paris 1919. – Alfred H. Barr jr. «Matisse, his art and his public», New York 1951, p. 143/355. – Catalogue / *catalogo* Sammlung Rudolf Staechelin. Gedächtnis-Ausstellung zum 10. Todesjahr des Sammlers. Kunstmuseum Basel 1956, no. 44 (illustration). – Catalogue / *catalogo* Fondation Rodolphe Staechelin. De Corot à Picasso. Musée National d'Art Moderne, Paris 1964, no. 35 (illustration). – Catalogue / *catalogo* «Henri Matisse», Kunsthaus Zürich 1982/83, no. 33 (illustration). – Catalogue / *catalogo* «Von Matisse bis Picasso. Hommage an Siegfried Rosengart», Kunstmuseum Luzern 1988, no. 40 (illustration).

Pablo Picasso (1881–1973)
Arlequin au loup, 1918
Oil on wood / *olio su* legno 116 × 89 cm
Signed bottom right / *firmato in basso a destra:* Picasso 1918
On loan at the Kunsthaus Zürich since / *in deposito al Kunsthaus Zürich dal* 1984

Provenance / *provenienza:* Galerie Bollag, Zürich
Acquired / *acquistato:* 1.6.1918

Bibliography / *bibliografia:* Catalogue / *catalogo* «September-ausstellung», Kunsthalle Basel 1920, no. 46. – Catalogue / *catalogo* «Meister des 19. Jahrhunderts», Kunsthalle Basel 1931, no. 76. – Christian Zervos «Pablo Picasso», Paris 1949, vol. III, no. 103. – Catalogue / *catalogo* Sammlung Rudolf Staechelin. Gedächtnis-Ausstellung zum 10. Todesjahr des Sammlers. Kunstmuseum Basel 1956, no. 55 (illustration). – Picasso aus dem Museum of Modern Art und Schweizer Sammlungen, Kunstmuseum Basel 1976, no. 39 (illustration).

Page / *pagina* 118

Maurice Barraud (1889–1954)
Les canicules
Oil on canvas / *olio su tela* 97 × 130 cm
Signed bottom left / *firmato in basso a sinistra:* Barraud

Provenance / *provenienza:* Acquired through / *acquistato tramite* Maison Moos, Genève, 13.5.1916

Bibliography / *bibliografia:* Renée Canova, Bernhard Wyder «Maurice Barraud», Lutry 1979.

Page / *pagina* 120

René Auberjonois (1872–1957)
Les jeunes filles, 1920
Oil on canvas / *olio su tela* 60 × 73 cm
Signed top right / *firmato in alto a destra:* René A. 1920
On loan at the Musée d'art et d'histoire, Genève since / *in deposito al Musée d'art et d'histoire, Genève dal* 1952

Provenance / *provenienza:* Acquired through the / *acquistato tramite la* Galerie Raeber, Basel, 17.11.1945

Bibliography / *bibliografia:* Catalogue / *catalogo* Sammlung Rudolf Staechelin. Gedächtnis-Ausstellung zum 10. Todesjahr des Sammlers. Kunstmuseum Basel 1956, no. 72 (illustration). – Catalogue / *catalogo* Fondation Rodolphe Staechelin. De Corot à Picasso. Musée National d'Art Moderne, Paris 1964, no. 57 (illustration).

Page / *pagina* 122

René Auberjonois (1872–1957)
Autoportrait, 1941
Oil on canvas / *olio su tela* 92 × 50 cm
On loan at the Musée d'art et d'histoire, Genève since / *in deposito al Musée d'art et d'histoire, Genève dal* 1952

Provenance / *provenienza:* Acquired through / *acquistato* tramite Zürcher Kunstgesellschaft for the artist / *per conto dell'artista:* 31.1.1942

Bibliography / *bibliografia:* Catalogue / *catalogo* Sammlung

Rudolf Staechelin. Gedächtnis-Ausstellung zum 10. Todesjahr des Sammlers. Kunstmuseum Basel 1956, no. 76 (illustration). – Catalogue / *catalogo* Fondation Rodolphe Staechelin. De Corot à Picasso. Musée National d'Art Moderne, Paris 1964, no. 56 (illustration).

Page / *pagina* 124

René Auberjonois (1872–1957)
Niska et sa mère, 1942
Oil on canvas / *olio su tela* 128,5 × 91 cm
Signed top right / *firmato in alto a destra:* René A. 1942

Provenance / *provenienza:* Kunstverein Winterthur
Acquired / *acquistato:* 31.12.1942

Bibliography / *bibliografia:* Catalogue / *catalogo* Sammlung Rudolf Staechelin. Gedächtnis-Ausstellung zum 10. Todesjahr des Sammlers. Kunstmuseum Basel 1956, no. 74 (illustration). – Catalogue / *catalogo* Fondation Rodolphe Staechelin. De Corot à Picasso. Musée National d'Art Moderne, Paris 1964, no. 58 (illustration). – Arnold Koller «René Auberjonois», Genève 1970, p. 104.

Page / *pagina* 126

Luigi Pericle Giovannetti (born / *nato* 1916)
Untitled / *senza titolo*, 1961/62
Oil on canvas / *olio su tela* 32 × 32 cm

Acquired from the artist / *acquistato dall'artista* 1977

Bibliography / *bibliografia*: Hans Vollmer «Allgemeines Lexikon der bildenden Künstler des XX. Jahrhunderts», Leipzig 1955. – «Luigi Pericle. Dipinti e disegni», Novara o.J.

Page / *pagina* 126

Luigi Pericle Giovannetti (born / *nato* 1916)
Il luogo dell'oracolo, 1977
Oil on wood / *olio su legno* 66 × 51 cm

Acquired from the artist / *acquistato dall'artista* 1977

Bibliography / *bibliografia*: Hans Vollmer «Allgemeines Lexikon der bildenden Künstler des XX. Jahrhunderts», Leipzig 1955. – «Luigi Pericle. Dipinti e disegni», Novara o.J.

Page / *pagina* 126

Luigi Pericle Giovannetti (born / *nato* 1916)
L'oro del millesimo mattino, 1977
Oil on wood / *olio su legno* 55 × 42,5 cm

Acquired from the artist / *acquistato dall'artista* 1977

Bibliography / *bibliografia*: Hans Vollmer «Allgemeines Lexikon der bildenden Künstler des XX. Jahrhunderts», Leipzig 1955. – «Luigi Pericle. Dipinti e disegni», Novara o.J.

Christian Geelhaar

"Best buy quality has always been my opinion."

Collecting works of art is a tradition that has been held in high esteem in Basel for over many centuries. The beginnings of that tradition can be traced both to the "Amerbach Kabinett" built up by Basilius Amerbach (1533–1591) around a core of treasures stemming from his father's – Bonifacius Amerbach (1495–1562) – friendship with Erasmus of Rotterdam and with Hans Holbein the Younger and to the "Faeschische Museum", founded as well by a lawyer – a certain Remigius Faesch (1595– 1667). During the 18th century, no noteworthy collections on a par with the above were compiled. It was only in the course of the 19th century that art enthusiasts, as well as several artists themselves, again made it their personal task to build up large collections of art works. Today we know of these collectors mainly through legacies and foundations consisting of paintings, drawings and sculptures and left to the "Öffentliche Kunstsammlung" [Public Art Collection] of their hometown, that is to the Basel Museum of Fine Arts. These include the painters Emilie Linder (1797–1867) and Samuel Birmann (1793–1847), as well as Professor J.J. Bachofen-Burckhardt (1815–1887) and Hans Vonder Mühll (1846–1914).

Important collectors whose estates were not preserved in their integral form but were liquidated somewhere along the line, are seldom recalled any longer. This is true of, among others, the Basel textile manufacturer Louis La Roche-Ringwald (1844–1921), whose collection of modern German and Swiss art in the mid-seventies of the last century could be counted among the most important of its times. This collection grew so large that by 1895 its owner was obliged to add a gallery wing to his villa at 23 Steinenring. Between 1910 and 1912, La Roche-Ringwald liquidated his property and left his hometown in order to retire to Germany[1].

Another outstanding private collection – that of the lawyer Dr. Paul Linder (1871–1941) – suffered a similar fate. The fortune he inherited from his father, a successful ribbon manufacturer, permitted him, already at an early age, to consider collecting as his second profession. The size of the Linder collection can be measured against the "Ausstellung neuerer Kunst aus Basler Privatsammlungen" [Exhibition of Modern Art from Basel Private Collections] of April 1916 in the Basel Kunsthalle where, among the 256 exhibits, fully 72 belonged to Linder. Not only did the collection include works by the 19th century French painters Courbet, Daumier, Renoir,

Christian Geelhaar

«Sono sempre stato dell'opinione di acquistare la migliore qualità possibile.»

Il collezionare opere d'arte vanta a Basilea una tradizione secolare. Tra le prime collezioni vanno annoverate la «Raccolta Amerbach», fatta da Basilius Amerbach (1533–1591) – il cui nucleo si compone dei tesori acquisiti grazie ai rapporti amichevoli di suo padre Bonifacius (1495–1562) con Erasmo da Rotterdam e Holbein il Giovane – nonché la raccolta del «Faeschische Museum», fatta dal giurista Remigius Faesch (1595–1667). Nel secolo XVIII queste collezioni non ebbero molto seguito e fu solo nel secolo XIX che alcuni amatori e artisti si assunsero il compito di ricostituire un patrimonio artistico. Oggi i nomi di questi collezionisti sono noti soprattutto in quanto i loro dipinti, disegni e sculture, tramite legati o fondazioni, sono passati al museo della loro città natale, vale a dire al Kunstmuseum. Tra essi vanno citati i due pittori Emilie Linder (1797–1867) e Samuel Birmann (1793–1847), il professore J.J. Bachofen-Burckhardt (1815–1887) e Hans Vonder Mühll (1846–1914).

Altri collezionisti, invece, i cui beni non hanno potuto rimanere riuniti in quanto smembrati, sono caduti in oblio. È il caso, per esempio, del fabbricante di tessuti basilese Louis La Roche-Ringwald (1844–1921), che dopo la prima metà degli anni settanta allestì una collezione di opere d'arte contemporanee, tedesche e svizzere, tra le più importanti della sua epoca. Nel 1895 la collezione aveva assunto dimensioni tali da costringere il proprietario ad aggiungere alla sua villa allo Steinenring 23 un'ala da adibire a galleria. Tra il 1910 e il 1912 La Roche-Ringwald liquidò i suoi beni e lasciò la sua città natale per ritirarsi a vivere in Germania[1]. A un'altra preziosa collezione toccò più o meno la stessa sorte: quella dell'avvocato Dott. Paul Linder (1871–1941). Grazie al patrimonio ereditato dal padre, un ricco fabbricante di nastri, Linder poté dedicarsi fin da giovane alla raccolta di opere d'arte, che per lui divenne una seconda professione. Per dare un'idea delle dimensioni di tale collezione, basterà dire che alla «Mostra d'arte moderna da collezioni private basilesi», allestita nell'aprile del 1916 alla Kunsthalle, 72 delle 256 opere esposte appartenevano alla sua collezione. Linder non possedeva solo lavori di pittori francesi del XIX secolo come Courbet, Daumier, Cézanne, Redon, Gauguin, ma, per primo a Basilea, aveva raccolto anche quadri dell'avanguardia, di artisti come Derain, Matisse e Picasso. Il nucleo della collezione però era costituito da un gruppo scelto di quadri e disegni di Ferdinand Hodler, legato da amicizia al collezionista. Linder, che aveva investito e perso i suoi averi in prestiti di guerra tedeschi, nel corso degli anni venti fu costretto a liquidare gradualmente la sua collezione[2].

Cézanne, Redon, Gauguin, but several avant-garde paintings by Derain, Matisse, and Picasso as well. Probably this was the first collection in Basel to include the avant-garde. The core of the collection however consisted in a group of paintings and drawings by Ferdinand Hodler, with whom the collector was personally acquainted. Linder lost his assets through German war bonds and was therefore forced to gradually liquidate his collection during the twenties[2].

It was as well at the "Ausstellung neuerer Kunst aus Basler Privatsammlungen" that a young collector, the 35-year-old Rudolf Staechelin, put in his first public appearance. Actually, he contributed fourteen paintings by contemporary French-speaking Swiss painters to the Basel Kunsthalle, which offers us a certain insight into the first phase of his activities as a collector. In addition, he lent the Kunsthalle six paintings, three each by respectively Basel's own Heinrich Müller (1885–1960), and the Dutchman Kees van Dongen (1877–1968).

A Collection of Works by French-speaking Swiss Painters

Rudolf Staechelin's attention had been drawn to a group of French-speaking Swiss artists, his contemporaries, prior to the exhibition in their honor held at the Basel Kunsthalle in November 1915. At that time, he already owned a large number of works by the painters represented at the exhibition: Maurice Barraud, Emile Bressler, and Gustave François. Judging by the still extant bills, the collector bought all of them at the Geneva gallery Maison Moos during the first three years of his activity as collector. Strikingly enough, Staechelin did not show the usual hesitations when he began to collect works of art; right from the very beginning he acquired entire ensembles of works. The earliest bill by Maison Moos yet extant, dated May 17, 1914, covers a series of etchings by Maurice Barraud (1889–1954), a painting and a drawing by Emile Bressler (1886–1966), and a painting and a pastel by Edouard Vallet (1876–1929), a pastel and a drawing by Gustave François (1883–1964) and, finally, a watercolor by Edouard Morerod (1879–1919)[3]. On June 25th, 1914, Staechelin bought two paintings by Marin Ramos and one each by Barraud, Bressler and Benjamin Vautier (1895–1974). In addition there were four pastels and 21 etchings by Barraud.

The work of Geneva artist Barraud seems to have fascinated Staechelin, for in the following year he bought works exclusively by that artist: on March 9th, 1915, three paintings and one pastel; on July 28th, another three paintings and six pastels; on August 23rd, fifteen etchings and, on November 20th, again nine etchings. On May 13th, 1916, he was to acquire another four paintings and five drawings by the same artist through Maison Moos, and in February 1920 the plaster sculpture *Danseuse* [Dancer] exhibited at the Kunst-

halle in an exhibition called "Young Painters from the French-speaking part of Switzerland".
Following Barraud, Staechelin's predilection as to painters from the French-speaking part of Switzerland turned to Geneva artist Alexandre Blanchet (1882–1961), whose *Portrait* was added to the collection established by the Basel Museum of Fine Arts in 1915. On May 23rd, 1916, Staechelin bought a landscape, painted the previous year in the outskirts of Geneva, through Maison Moos[4]. Further acquisitions were to follow on December 3rd, 1916, at J.E. Wolfensberger's in Basel and on October 25th, 1917, at Tanner's in Zurich[5].

Ferdinand Hodler
Up to that time, his collection did not include any works by Ferdinand Hodler (1853–1918), probably the most important among the "Geneva" and Swiss artists then alive. The works of that artist were to become the collection's focal point. Although Hodler represented a somewhat older generation than either Barraud or Blanchet, the eight paintings Rudolf Staechelin acquired in 1918 through the Moos gallery were all works belonging to the late phase of the artist's work. They originated between 1914 and 1918, the same period of origin as the works of the younger French-speaking Swiss painters Staechelin held in such high esteem.
On January 28th, 1918, Staechelin first chose the three particularly touching paintings Hodler had painted in the winter of 1914/15 at the deathbed of his beloved Valentine Godé-Darel: indeed a daring and extraordinary choice[6]. The collector subsequently put his newly acquired paintings at the disposal of the Moos gallery for their large Hodler show opening on May 11th, 1918, eight days before the artist's death. The show remained open up to June 30th[7]. After the retrospective closed its doors, Staechelin bought five additional paintings that had also been part of the exhibition for a total of 180,000 Swiss francs: three Lake of Geneva landscapes painted in 1917 and 1918, and two women's heads – a portrait of dancer Léthi Caraviola and a study for *Regard dans l'infini* [Glance into Infinity], both of 1916[8]. *Paysage de Montana* of 1915, also on exhibit at Maison Moos, still figured as a saleable loan by the Geneva gallery at the 1921 Hodler exhibition in Bern. It was acquired by Staechelin at a later, unknown date. However, Staechelin never seems to have felt any desire to complement his Hodler collection with early works by the artist; though there was no lack of opportunity, he continued to concentrate on those from the artist's later period.
One such opportunity came on December 15th, 1919, when Rudolf Friedrich Burckhardt-Burckhardt, curator of the Basel Museum of History, informed the collector of Hugo von Hofmannsthal's intention to sell a "very beautiful landscape by Hodler for 20,000 Swiss francs. Should you be in-

Ferdinand Hodler
La malade, Madame Valentine Godé-Darel, 1914

(see p. 98)
(*vedi anche pagina 98*)

Blanchet, tuttavia gli otto quadri, che Rudolf Staechelin aveva acquistato alla galleria Moos nel 1918, erano stati tutti eseguiti nella fase tarda della sua opera, tra il 1914 e il 1918, dunque nello stesso periodo, cui appartenevano i più giovani artisti romandi, tanto apprezzati dal collezionista.
Il 28 gennaio 1918 Staechelin scelse per primi i tre toccanti quadri che Hodler aveva dipinto durante la malattia e alla morte della sua amante, Valentine Godé-Darel, nell'inverno del 1914/15: si trattò veramente di un passo audace, fuori dell'ordinario![6] In seguito il collezionista mise questi dipinti a disposizione della galleria Moos per la grande mostra di Hodler, che questa allestì e che durò dall'11 maggio 1918 (otto giorni prima della scomparsa dell'artista) al 30 giugno[7]. Terminata la retrospettiva, il 19 agosto 1918 Staechelin si assicurò per 180 000 franchi sviz-

Ferdinand Hodler
Le Grammont après la pluie, 1917

(see p. 96 and 102)
(vedi anche pagina 96 e pagina 102)

terested in this painting, please contact Mrs. Vonder Mühll-
Burckhardt, Rittergasse 20."
Actually on March 17th, 1919, the poet had asked Carl J.
Burckhardt, embassy secretary in Vienna at the time, to sell
his painting in order to secure the necessary financial means
for a prolonged stay in Switzerland. Hofmannsthal wrote:
"I am the owner of a lakeside landscape by Hodler. It is
without doubt one of his most important landscapes, even
though he did paint quite a few. I bought it eight or nine
years ago as part of a larger collection for the then quite substantial price of 12,000 marks (= 15,000 Swiss francs). As-
suming you could probably get around 25,000 Swiss francs
for it today, this would constitute a small reserve allowing me
to stay there frequently. – We might consider it. I think such
a transaction would not contradict any provision. Maybe it
might be possible, for you to accompany me once and have a
look at the painting"[9]!
Hofmannsthal had acquired the Lake of Thun landscape by
Hodler in Munich in the fall of 1912, together with a portrait
entitled *Yo Picasso* (1901)[10] at the Thannhauser gallery, and
paid for it from the first royalties of his libretto for the
"Rosenkavalier".
His wish to travel to Switzerland in the spring of 1919 could
not be realized for the time being[11]. His intention to sell the
Hodler painting however took on renewed interest when
Burckhardt spent some time in Basel in the fall of the same
year. However, the poet complained in a letter to Ottonie
Countess Degenfeld "Burckhardt is, like all these elegant

*zeri altre cinque tele del pittore, che avevano fatto parte del-
l'esposizione: tre paesaggi del 1917 e 1918, rappresentanti il lago
di Ginevra, e due teste di donna del 1916, di cui una era il
ritratto della ballerina Léthi Caraviola e l'altra uno studio dello
«Sguardo nell'infinito»[8].
In seguito, a questi quadri si aggiunse in data sconosciuta il
«Paysage de Montana» del 1915, a sua volta esposto da Moos
nel 1918 e che figura ancora come prestito alienabile della galleria ginevrina alla mostra commemorativa di Hodler, tenuta a
Berna nel 1921. Tuttavia Staechelin non aveva mai mostrato il
desiderio di completare la sua raccolta di tarde opere di Hodler
con dei lavori di periodi precedenti, anche se le occasioni certo
non gli erano mancate.
Il 15 dicembre 1919 per esempio, il conservatore dell'Historische
Museum di Basilea, Rudolf Friedrich Burckhardt-Burckhardt,
comunicò al collezionista che Hugo von Hofmannsthal aveva
intenzione di vendere un «bellissimo paesaggio di Hodler per
Fr. 20 000.–» e aggiunse: «Se il quadro La interessa, La prego di
rivolgersi alla signora Vonder Mühll-Burckhardt, Rittergasse
20.»
In effetti, il 27 marzo 1919 il poeta aveva incaricato Carl J.
Burckhardt, a quel tempo addetto a Vienna, di vendere il quadro di Hodler, perché doveva finanziare un soggiorno in
Svizzera. In particolare von Hofmannsthal scrisse: «Sono in possesso di un paesaggio lacustre di Hodler. Si tratta senza dubbio
di uno dei suoi paesaggi più importanti, anche se di questi ne ha
dipinti parecchi. Faceva parte di una grande collezione ed io l'ho
comprato circa 8–9 anni fa al prezzo per nulla modico, anche
per quei tempi, di 12 000 marchi (15 000 franchi). Se oggi
riuscissi a ricavarne circa 25 000 franchi, potrei disporre di un
piccolo fondo per effettuarvi soggiorni più frequenti. Potremmo
pensarci su. Penso che non si violerebbe alcuna regola. Magari
potrà venire una volta da me e vedere il quadro!»[9]
Hofmannsthal aveva acquistato il paesaggio di Hodler, raf-
figurante il lago di Thun, nell'autunno del 1912 presso la galleria
Thannhauser di Monaco insieme all'autoritratto «Yo
Picasso»[10] (1901) ed aveva finanziato l'acquisto di entrambi i
quadri con le prime percentuali del suo libretto per il «Cavaliere
della Rosa». Quanto al suo progetto di fare un viaggio in Svizzera
nella primavera del 1919, per quel momento non gli fu possibile
realizzarlo[11]. L'idea di vendere il quadro di Hodler divenne di
nuovo attuale quando Burckhardt si recò a Basilea nell'autunno
del 1919. «Burckhardt è terribilmente inefficiente, come tutte
le persone molto eleganti» si lamentò però il poeta in una lettera
alla contessa Ottonie Degenfeld[12]. In seguito fu la sorella di
Burckhardt, la scrittrice e storica Theodora Vonder Mühll (1896–
1982), a prendere in mano la situazione[13].
Rudolf Staechelin, comunque, non fu interessato all'acquisto
del quadro. Infine pare che anche Georg Reinhart di Winterthur
si fosse prestato come intermediario per vendere il paesaggio
di Hodler, anche se tuttora non sappiamo con quale risultato[14].*

people, very inefficient"[12]. Burckhardt's sister, writer and historian Theodora Vonder Mühll (1896–1982), subsequently lent her support to his plan[13]. Rudolf Staechelin however did not accept their bid. Georg Reinhart in Winterthur also seems to have involved himself in the sale of the Hodler landscape, though to date it is not known whether or not he was successful[14].

The First Gauguin and Picasso Purchases

When Rudolf Staechelin lent out the three paintings by Kees van Dongen (1877–1968) to the "Ausstellung neuerer Kunst aus Basler Privatsammlungen" [Exhibition of Modern Art from Basel Private Collections] at the Kunsthalle, he had not yet finalized their acquisition. The bill he was sent by Maison Moos is dated April 10th, the second day of the exhibition. With that most recent acquisition of paintings done by a Dutch painter, who had joined the Fauvists around Matisse in Paris, the collector went beyond Swiss art for the first time. The paintings bridged a gap in the main area of his collection: from French Impressionist and Post-Impressionist painting to Picasso and Matisse.

Was it the Basel painter Heinrich Müller who, greatly impressed during a stay in Paris with the work of Gauguin and the Fauvists, acquainted Staechelin with that new movement? In any case, Fauvism would soon be represented within the collection by the works of other artists as well. In June 1917, Staechelin bought two paintings by Maurice de Vlaminck (1876–1958) in Frankfurt – one at the Ludwig Schames Kunstsalon and one at M. Goldschmidt & Co. In the course of time, the collector became the owner of a total of five paintings by Vlaminck. In February 1918 and in October 1919 he acquired his first paintings by André Derain (1880–1954), from Schames and Goldschmidt.

Did Heinrich Müller's and Staechelin's fascination with van Dongen and Cubism prepare the way for the acquisition of a first painting by Gauguin as well? The daring choice of *NAFEA faaipoipo* can only be justly esteemed today, knowing that other Swiss collectors preferred the much staider paintings of Gauguin's early Breton period. Baden collectors Sidney and Jenny Brown-Sulzer had acquired *Nature morte aux oranges* [Still life with Oranges] of 1890 in 1909[15]; Georg Reinhart acquired the still life *Pommes et pot à oreilles* [Apples and Ear Jug] of 1888[16] in May 1912. Basel collector Dr. Paul Linder did own one of the Tahitian paintings, which was however not a figure composition but a landscape[17]. *NAFEA faaipoipo* [When Will You Marry?] – or *Les deux femmes de Tahiti* [The Two Tahitian Women] as it was commonly called – was the property of Zurich merchant Fritz Meyer-Fierz (1847–1917); it was exhibited along with the latter's collection at the Zurich Kunsthaus in November 1914, under the title of *Frauen auf Tahiti* [Women on Tahiti][18]. Apparently Meyer-Fierz was disturbed by the painting's "erotic"

Primi acquisti di quadri di Gauguin e Picasso

Quando Rudolf Staechelin, nella primavera del 1916, diede in prestito alla Kunsthalle tre quadri di Kees van Dongen (1877–1968) per la «Mostra d'arte moderna da collezioni private basilesi», il loro acquisto non si poteva ancora considerare definitivo: la fattura della Maison Moos porta la data del 10 aprile, vale a dire del secondo giorno della mostra. Comperando i quadri dell'artista olandese, che a Parigi si era unito alla cerchia dei «fauves», intorno a Matisse, il collezionista varcò per la prima volta i confini dell'arte svizzera e fece un primo passo in direzione di quello che divenne l'ambito principale della sua raccolta: la pittura francese dell'impressionismo e postimpressionismo fino a Picasso e Matisse.

Fu il pittore basilese Heinrich Müller, fortemente colpito dall'opera di Gauguin e dei «fauves» a Parigi, che indicò a Staechelin questo nuovo cammino? In ogni caso, il fauvismo venne ben presto rappresentato nella collezione Staechelin dai lavori di ulteriori artisti. Nel giugno del 1917, il collezionista acquistò a Francoforte due quadri di Maurice de Vlaminck (1876–1958), uno da Ludwig Schames e uno da M. Goldschmidt & Co. Con l'andare del tempo, il numero di dipinti di questo artista in suo possesso aumentò a cinque. Sempre da Schames e Goldschmidt comperò inoltre, nel febbraio del 1918 e nell'ottobre del 1919 anche le prime tele di André Derain (1880–1954).

Furono Heinrich Müller e l'interesse per van Dongen ed i cubisti a preparare il terreno per l'acquisto del primo quadro di Gauguin? La scelta di «NAFEA faaipoipo» risulta tanto più coraggiosa se si pensa che a quel tempo altri collezionisti svizzeri preferirono quadri molto meno discussi dell'artista, risalenti al suo primo soggiorno in Bretagna. Nel 1909, i collezionisti Sidney e Jenny Brown-Sulzer di Baden avevano acquistato la «Nature morte aux oranges» del 1890[15] e nel maggio del 1912 Georg Reinhart si era deciso a comperare la natura morta «Pommes et pot à oreilles» del 1888[16]. Il collezionista basilese Dott. Paul Linder possedeva un quadro del periodo tahitiano, ma il soggetto era un paesaggio[17], non figure.

NAFEA faaipoipo ovvero «Les deux femmes de Tahiti», titolo allora in uso, era appartenuto al commerciante zurighese Fritz Meyer-Fierz (1847–1917) e nel novembre del 1914 era stato esposto come parte della sua collezione al Kunsthaus di Zurigo, con la denominazione «Donne a Tahiti»[18]. Evidentemente a Meyer-Fierz dava fastidio la componente «erotica» del quadro e fu per questo che, a differenza di tutte le altre opere della sua collezione, cercò di vendere il dipinto ancora pochi mesi prima di morire[19]. «NAFEA faaipoipo» venne proposto per la prima volta a Staechelin dal commerciante d'arte zurighese Wolfensberger per 25 000 franchi svizzeri. Il 21 aprile 1917 gli fu offerto una seconda volta dalla galleria Moos di Ginevra per 21 000 franchi. Infine, non essendo stato possibile trovare subito un compratore, il 5 giugno Moos scrisse a Staechelin, dicendo che aveva il quadro a Ginevra e che poteva venderglielo per 18 700 franchi. Il collezionista non perse tempo e fece una controfferta di

155

component and, a few months before his death, it became the only painting of his collection to be put up for sale[19]. *NAFEA faaipoipo* was first proposed as a likely purchase to Rudolf Staechelin by the Zurich art dealer Wolfensberger, for 25,000.– Swiss francs. On April 21st, 1917, he was again offered the same painting, this time by the Geneva gallery Maison Moos, and for only 21,000 Swiss francs. Apparently a purchaser was hard to find, for Moos recontacted Staechelin on June 5th, to say he had the painting in Geneva and was ready to offer it to him for 18,700 Swiss francs. Staechelin's counter offer of 18,000 Swiss francs, which was immediately accepted by the seller[20] certainly hit bull's eye; that acquisition was to become one of the most significant works of the entire collection.

On February 22nd, 1918, Staechelin added another work by Gauguin to his already considerable property: the watercolor study *Jeune femme nue assise, et Croquis de têtes*[21] [Young Nude Woman, Sitting, and Sketch of Heads], painted in 1894 or 1895 in Paris or in Pont-Aven (if not in the South Seas), which he bought for a mere 450 Swiss francs at Salon Bollag in Zurich. The exact dates for the acquisition of two more paintings by Gauguin can however no longer be traced. *Paysage au toit rouge* [Landscape with Red Roof] of 1885 figured in the exhibition of the Staechelin Collection at the Kunsthalle in September 1920. *Entre les lys* [Amongst the Lilies] of 1889 did not yet belong to the collection at that time; it was however exhibited under the title of *Dorfstrasse mit zwei Kindern und Hund* [Village Street with Two Children and Dog] in the summer of 1928 as a loan by Rudolf Staechelin to the large Gauguin retrospective organized by Wilhelm Barth at the Kunsthalle.

Only a few days ‹before Staechelin became the owner of his first Gauguin painting – the corresponding bill is dated June 27th, 1917, by the Moos gallery – he acquired another major work for the collection in Munich, through the Caspari gallery: *Les deux frères* [The Two Brothers] by Picasso. The bill is dated June 22nd, and mentions 20,000.– marks as the purchase price for the painting, which was called *Zwei Jungen* [Two boys] at the time. Presumably, *Les Deux Frères* belonged among the approximately thirty paintings of the artist's "Epoque rose" which Ambroise Vollard had bought from the artist in 1906 for a mere 2,000.– French francs[22]. A label on the stretcher indicates that Vollard sent this painting to an exhibition in Berlin[23], probably the XXIInd exhibition of the Berlin Secession Group held in the spring of 1911 which, for the first time, presented works by eleven young French painters who included Braque, Derain, van Dongen, Marquet, Picasso, and Vlaminck. The exhibition set a hall aside for that group of painters, under the rather "intimidatingly stupid name of 'Expressionists'"[24]. Picasso was represented by four paintings marked "for sale" in the catalogue. *Young Man* listed as no. 191 was described as

18 000 *franchi che Moos accettò immediatamente*[20]. *Questo acquisto fu un enorme successo per Staechelin e da allora in poi il quadro costituì una delle opere più importanti della sua collezione. Il 22 febbraio 1918, si aggiunse un nuovo quadro di Gauguin alla collezione di Staechelin: lo studio acquerellato «Jeune femme nue assise, et Croquis de têtes»*[21], *presumibilmente eseguito a Parigi o Pont-Aven (se non nei mari del Sud) intorno al 1894/95 ed acquistato dal collezionista al Salon Bollag di Zurigo per 450 franchi svizzeri. Non è invece possibile ricostruire esattamente quando vennero acquistati i successivi due quadri di Gauguin. Nel settembre del 1920, il «Paysage au toit rouge», risalente al 1885, figurò nell'esposizione della collezione Staechelin alla Kunsthalle. A quel tempo, «Entre les lys» del 1889 non faceva ancora parte della raccolta, anche se nel 1928 Staechelin lo prestò per la grande retrospettiva di Gauguin organizzata da Wilhelm Barth alla Kunsthalle, sotto il titolo «Strada di paese con due bambini e un cane».*

Pochi giorni prima di comperare il suo primo Gauguin (la fattura della galleria Moos è datata 27 giugno 1917), Staechelin acquistò alla galleria Caspari di Monaco un altro «pezzo forte» della sua collezione: «Les deux frères» di Picasso. La fattura, datata 22 giugno, riporta un prezzo d'acquisto di 20 000 marchi per i «Due giovani». Presumibilmente il quadro faceva parte del gruppo di circa 30 quadri del «periodo rosa», che nel 1906 Ambroise Vollard acquistò dall'artista per soli 2000 franchi francesi[22]. *Come risulta da un'etichetta sulla cornice a cunei, Vollard inviò il quadro ad una mostra a Berlino*[23]. *Probabilmente si trattava della XXII esposizione della «Secessione di Berlino» nella primavera del 1911, dove, in una sala a loro riservata, vennero presentate per la prima volta le opere di undici giovani pittori (tra cui Braque, Derain, van Dongen, Marquet, Picasso e Vlaminck) «sotto il nome terribilmente stupido di ‹Espressionisti*[24]*». Picasso fu presente con quattro quadri, indicati nel catalogo come alienabili. In una recensione della mostra, il «Giovane», figurante con il numero 191, venne descritto come «un nudo dalle forme chiaramente definite, caratterizzato da un fine accordo di vaporosi toni grigio-viola (che ricorda piuttosto Puvis)»*[25]. *Anche se manca un accenno al fratello minore, questa descrizione non può che riferisi a «Les deux frères». Una cosa però è certa: nell'estate del 1912 il quadro venne esposto con il titolo «Giovani nudi» alla mostra d'arte internazionale del «Sonderbund» a Colonia*[26]. *Il dipinto apparteneva in quel momento al collezionista e commerciante d'arte di Düsseldorf, Alfred Flechtheim, che, quasi sicuramente, era stato tra gli organizzatori della mostra della «Secessione di Berlino», allestita l'anno precedente, e aveva fatto da intermediario per gli ‹Espressionisti*[27] *francesi.*

Comunque «Les deux frères» non fu il primo quadro di Picasso che entrò a far parte di una collezione privata basilese. Come accennato inizialmente, nel 1916 il Dott. Paul Linder era già in possesso di un quadro, non più identificabile, e di diversi disegni dell'artista spagnolo[28]. *A differenza di queste opere, però, «Les*

"a clearly delineated, nude boy painted in delicate, hazily grey-violet hues (somehow reminiscent of Puvis)"[25]. And even though the catalogue fails to mention the younger brother, the description can hardly refer to anything but *Les deux frères*. It is however quite certain that this painting was shown at the Internationale Kunstausstellung des Sonderbundes [International Art Exhibition of the Select Association] in Cologne in the summer of 1912[26], this time entitled *Nude Boys*. At the time it belonged to Düsseldorf collector and art dealer Alfred Flechtheim, who very probably helped organize the Berlin Secession exhibition of the previous year, helping to secure the cooperation of the French "Expressionists" as well[27]. *Les deux frères* was not the first painting by Picasso to become part of a Basel private collection. As mentioned above, in 1916 Dr. Paul Linder already owned a no longer identifiable painting and several drawings by the Spaniard[28]. Unlike those works, *Les deux frères* remained in Basel; today it is one of the main attractions of the Picasso Room of the Basel Museum of Fine Arts.

Within a single year, at the beginning of 1918, the collector was to buy a second Picasso through Kunstsalon Bollag for 13,500 Swiss francs: a painting called *Arlequin au loup* [Harlequin with Half Mask] and which was actually painted in the very same year. The desire to own further works by Picasso was to remain, though Staechelin certainly did not favor Cubist painting: as late as 1943 he still claimed that Cubism was not his cup of tea[29].

In August 1921, "Alte Kunst", a Zurich art shop managed by Elisabeth Zink and Dr. F. Störi, located a painting of the blue period, *Mère et enfant près d'une fontaine* [Mother and Child Near a Fountain] of 1901[30] for the collector. The seller however did not await Staechelin's answer before selling the painting to a London dealer, making the collector quite angry. On February 22nd, 1922, Ludwig Schames offered him another painting from the "Epoque blue" for 12,000 Swiss francs, probably *L'Enterrement*[31] [The Burial].

In June 1924, Rudolf Staechelin finally found a painting by Picasso he considered the crowning point of his collection: the portrait of painter Jacinto Salvado in the costume of a harlequin, created in 1923. At the beginning of June, the collector had discovered *Arlequin assis* [Harlequin, Sitting] at Paul Rosenberg's in Paris, where he was spending some time during the preview of "Exposition de l'Art Suisse du XVe au XIXe siècle (de Holbein à Hodler)"[32] [Exhibition of Swiss Art from the XVth to the XIXth Centuries (from Holbein to Hodler)]. Meanwhile Staechelin loaned two paintings by Hodler, *Femme malade* [Women, Ill] and *Femme mourante* [Woman, Dying] to an exhibition held at the Jeu de Paume[33]. The price of *Arlequin assis* came to 100,000 French francs. Staechelin had the newly acquired painting sent to Basel at the end of July, after the exhibition closed, along with his own loans and those of the "Öffentliche Kunstsammlung".

deux frères» *rimase a Basilea e oggi costituisce una delle maggiori attrazioni della sala dedicata dal Kunstmuseum a Picasso. Meno di un anno dopo, all'inizio del giugno 1918, Staechelin acquistò da Bollag un secondo Picasso per 13 500 franchi svizzeri, l'«Arlequin au loup», dipinto nello stesso anno. Il collezionista mantenne anche in seguito il desiderio di possedere ulteriori opere di Picasso, ma, sicuramente, non pensò mai a un quadro cubista: ancora nel 1943 confessò che il cubismo[29] era un genere di pittura a lui estraneo.*

Nell'agosto del 1921, il negozio d'arte zurighese «Alte Kunst», di cui Elisabeth Zink e il Dott. F. Störi erano proprietari, segnalò a Staechelin un quadro del periodo blu: «Mère et enfant près d'une fontaine»[30] del 1901. Poco dopo però, anziché aspettare una risposta da Basilea, gli offerenti vendettero il quadro a un commerciante di Londra, con grande disappunto di Staechelin. Il 22 febbraio 1922 seguì un'ulteriore offerta di un quadro dell'«époque bleue», da parte di Ludwig Schames. Molto probabilmente si trattò del dipinto «L'Enterrement»[31], e il prezzo richiesto fu di 12 000 franchi svizzeri.

Nel giugno del 1924, Rudolf Staechelin trovò un quadro di Picasso che gli parve essere l'ambito coronamento della sua collezione: il ritratto del pittore Jacinto Salvado in costume da arlecchino, dipinto nel 1923. Il collezionista aveva scoperto l'«Arlequin assis» all'inizio di giugno da Paul Rosenberg a Parigi, dove si era recato per una visita preliminare dell'«Exposition de l'Art Suisse du XVe au XIXe siècle (de Holbein à Hodler)»[32]. Staechelin aveva dato in prestito due quadri di Hodler per la mostra a Jeu de Paume: «Femme malade» e «Femme mourante»[33]. L'«Arlequin assis» costò 100 000 franchi francesi. Staechelin dispose che alla fine di luglio, alla chiusura della mostra dell'arte svizzera, il nuovo acquisto venisse spedito a Basilea unitamente ai suoi due prestiti e a quelli della Öffentliche Kunstsammlung. Fino all'inizio dell'ottobre egli lasciò l'«Arlequin assis» in deposito al museo, poi il quadro trovò il suo posto definitivo nell'appartamento al Mühlenberg[34].

Impressionisti francesi

Il pastello su tela «La gare de Moret-sur-Loing»[35] (eseguito dopo il 1889) di Alfred Sisley, acquistato alla galleria Moos il 23 maggio 1917, fu la prima tipica opera impressionistica che entrò a far parte della collezione Staechelin. Pochi mesi più tardi, il 12 settembre, Rudolf Staechelin decise di acquistare da Moos un secondo lavoro di Sisley: «Le village des Sablons», un paesaggio dipinto nel 1885.

Volendo ampliare la raccolta di lavori impressionistici e postimpressionistici della sua collezione, Staechelin entrò automaticamente in rapporti d'affari con gli altri mercanti d'arte svizzeri che, accanto a Moos di Ginevra, dominarono il mercato durante gli anni di guerra: Paul Vallotton di Losanna e Gustav Tanner di Zurigo (entrambi rappresentavano i fratelli Bernheim-Jeune in Svizzera), nonché i fratelli Bollag di Zurigo. Dopo il 1920 si aggiunse Siegfried Rosengart, direttore della filiale lucernese

Edouard Manet
Le bassin d'Arcachon, 1871

(see p. 60)
(vedi anche pagina 60)

Camille Pissarro
Le monument Henri IV et le pont des arts, 1901

(see p. 62–71)
(vedi anche pagine 62–71)

He left Arlequin assis at the museum on loan until the beginning of October, when the painting was transferred permanently to his Mühlenberg apartment[34].

French Impressionists
With the acquisition on May 23rd, 1917, through Moos, of a pastel by Alfred Sisley, mounted on canvas, *La gare de Moret-sur-Loing* [The Station at Moret-sur-Loing] (after 1889)[35], a first typically Impressionist work entered the collection. A mere few months later, on September 12th, Rudolf Staechelin decided to acquire a further work by Sisley through Moos: *Le village des Sablons* [The Village les Sablons] painted in 1885.
His desire to expand the Impressionist and Post-Impressionist sector of his collection made the collector establish business contacts with those art dealers in Switzerland, who – like Moos in Geneva – dominated that market, above all during the war years: Paul Vallotton in Lausanne and Gustav Tanner in Zurich – both representing the brothers Bernheim-Jeune in Switzerland – as well as the Bollag brothers in Zurich. After 1920, he added the Lucerne branch of the Munich gallery of Heinrich Thannhauser, managed by Siegfried Rosengart, among whose clients Staechelin belonged since 1917[36]. Extensive letters lend evidence to the collector's frequent contacts with the Vallotton and Tanner galleries.
Paul Vallotton was quick to realize that Rudolf Staechelin, no

della Galleria Heinrich Thannhauser di Monaco, di cui Staechelin era già cliente dal 1917[36]. I frequenti contatti con le gallerie Vallotton e Tanner sono documentati da una dettagliata corrispondenza.
Paul Vallotton comprese ben presto che Rudolf Staechelin, nonostante la sua passione per l'arte, ragionava da uomo d'affari. Pertanto non mancò di segnalargli offerte interessanti in dipendenza ad oscillazioni o a variazioni di cambio del franco francese (Vallotton si procurava i quadri in Francia). All'occasione lo convinse «que vous faites une bonne affaire en vous assurant ce beau tableau au prix demandé»[37], e una volta cercò di persuaderlo ad acquistare un terzo quadro «que vous pourriez peut-être facilement placer chez un de vos amis avec un bénéfice et de cette façon diminuer encore le coût des deux autres»[38].
Staechelin iniziò a «mercanteggiare» con Vallotton fin dalla prima transazione. In occasione di una visita alla galleria di Losanna nel settembre nel 1917, il collezionista fu colpito dal quadro di Renoir «Blonde au chapeau de paille». Vallotton gli inviò il dipinto in visione a Basilea e dieci giorni dopo gli mandò anche «La maison du docteur Gachet à Auvers» di Cézanne, dichiarandosi disposto a ridurre il prezzo del Renoir da 40 000 a 35 000 franchi francesi, mentre per la tela di Cézanne insisteva sul prezzo di 30 000 franchi francesi; in caso di acquisto di entrambi i quadri il costo sarebbe stato ulteriormente ridotto a 63 000 franchi francesi. Il 7 ottobre, Staechelin fece una controfferta di 60 000 franchi francesi. Il venditore effettivo, ossia Bern-

Henri de Toulouse-Lautrec
Nature morte, 1894

André Derain
Cadaquès, 1910

matter how great his love of the arts, always calculated as a businessman. He kept his Basel client informed about bargains and advantageous offers originating with the fluctuations of French currency (Vallotton got his paintings in France). He even convinced him "vous faites une bonne affaire en vous assurant ce beau tableau au prix demandé"[37] [you are getting a bargain by purchasing this beautiful painting at the price they are asking]; or another time, he tried to persuade him to buy a third painting, adding "vous pourriez peut-être facilement le placer chez un de vos amis avec un bénéfice et de cette façon diminuer encore le coût des deux autres"[38] [you could perhaps easily place this one with friends, and thus reduce the cost of the two others by even more].

The "bargaining" with Vallotton already began with the very first transaction. During a visit to the Lausanne gallery in September 1917, Staechelin saw and liked *Blonde au chapeau de paille* [Blonde with Straw Hat] by Renoir. Vallotton thereupon sent the painting for inspection to Basel. Ten days later, he also sent *La maison du docteur Gachet à Auvers* [Doctor Gachet's House in Auvers] by Cézanne. The art dealer declared himself willing to reduce the price of the Renoir from 40,000 to 35,000 French francs, but insisted on the sum of 30,000 French francs for the Cézanne; after all, he pointed out, he was agreeable to selling him both paintings for a lump sum of 63,000 French francs. On October 7th,

heim-Jeune di Parigi, non fu d'accordo su questa cifra, ma propose a Staechelin una riduzione del 6% sull'importo di 65 000 franchi francesi. Dopo lunga riflessione, quest'ultimo accettò l'offerta e si impegnò a versare la somma di 61 100 franchi francesi entro la fine dell'anno. «Je vous suis très reconnaissant de cette première affaire», lo ringraziò Paul Vallotton il 25 ottobre 1917, ma aggiunse anche: «J'ai tout lieu de croire qu'elle ne vous laissera aucun regret car vous avez deux beaux tableaux et cela à des prix avantageux.»
Nel dicembre dello stesso anno, Staechelin aggiunse un secondo quadro di Cézanne alla «Maison du docteur Gachet»: l'«Autoritratto» dell'artista, dipinto in base ad una fotografia della metà degli ottanta (Pittsburgh, Museum of Art, Carnegie Institute).

the collector offered him 60,000 instead. Bernheim-Jeune in Paris, the actual seller, was unwilling to accept this offer, but offered a reduction of 6 percent on an entire sum of 65,000 French francs. Staechelin accepted this offer after some hesitation and committed himself to paying the entire amount of 61,000 French francs by the end of the year. "Je vous suis très reconnaissant de cette première affaire" [I am very grateful to you for this first transaction], Paul Vallotton thanked him on October 15th, 1917, though not without adding: "j'ai tout lieu de croire qu'elle ne vous laissera aucun regret car vous avez deux beaux tableaux et cela à des prix avantageux" [I am convinced that you will not regret this purchase, because you got two pictures, and at a very advantageous price].

In December of the same year, the collector added a second painting by Cézanne to the *Maison du Dr Gachet* already in his possession: *Self-Portrait,* painted in the mid-eighties using a photograph of the artist (Pittsburgh, Museum of Art, Carnegie Institute).

Vincent van Gogh

At the beginning of 1917, an "Exposition de Peinture Française" [Exhibition of French Painting] was held at the Basel Kunsthalle, under the auspices of Parisian art dealers Bernheim-Jeune & Co., E. Druet, Durand-Ruel and Ambroise Vollard. Three paintings by van Gogh were exhibited, among them *Le jardin de Daubigny* [Daubigny's Garden], designated as being up for sale in the catalogue at the price of 50,000 Swiss francs[39]. Today that painting counts among the most important works of the Staehelin Collection though, at the time, the collector had trouble deciding whether or not to buy it, and took a year to make up his mind. Unlike his decisiveness towards Gauguin, he took a more cautious approach to the works created by van Gogh. In October, he first acquired the small still life *Les harengs saurs* [Smoked Herrings] through Maison Moos, for 4,250 Swiss francs. This first acquisition was followed by a second by the end of the year: on December 22nd, 1917, Staechelin acquired *Tête de femme* [Woman's Head] of 1886 at Thannhauser's in Munich, paying 40,000 marks. He moreover acquired another *Woman's Head* by Manet, which Thannhauser presumed to be that of actress Jeanne de Marsy.

At the same time, Staechelin began to negotiate with Gustav Tanner in Zurich about the purchase of one of the five versions of van Gogh's *Berceuse* [Woman Rocking a Cradle] (today part of the Walter Annenberg Collection). The painting was valued at 35,000 French francs, provided the transaction was finalized within a delay of eight days. Staechelin did not hesitate and two days later, on December 29th, 1917, he agreed to buy it by telephone, without ever having seen it.

On January 22nd, 1918, Tanner wrote: "Yesterday evening

Vincent van Gogh

All'inizio del 1917, i mercanti d'arte parigini Bernheim-Jeune & Co., E. Druet, Durant-Ruel e Ambroise Vollard allestirono una «Exposition de Peinture Française» alla Kunsthalle di Basilea. Nell'ambito della mostra vennero esposti tre quadri di van Gogh, tra cui «Le jardin de Daubigny» che, secondo il catalogo, era in vendita al prezzo di 50 000 franchi svizzeri[39]. Questo dipinto è oggi uno dei più significativi della collezione Staechelin. A suo tempo, però, il collezionista non riuscì a decidersi subito per l'acquisto, che avvenne soltanto un anno dopo. Al contrario di quanto accadde per i quadri di Gauguin, inizialmente Staechelin si avvicinò con molta cautela alle opere di van Gogh. Nell'ottobre acquistò per prima una piccola natura morta, «Les harengs saurs», pagando a Moos l'importo di 4250 franchi svizzeri. Prima della fine dell'anno seguì un secondo acquisto: il 22 dicembre 1917 Staechelin comperò da Thannhauser a Monaco «Tête de femme» (1886), che gli costò 40 000 marchi. Nel contempo acquistò una «Testa di donna» di Manet che Thannhauser riteneva essere il ritratto dell'attrice Jeanne de Marsy. Parallelamente Staechelin iniziò le trattative con Gustav Tanner di Zurigo per l'acquisto di una delle cinque versioni della «Berceuse» di van Gogh (oggi nella collezione Walter Annenberg). Il prezzo stabilito per il quadro era di 35 000 franchi francesi, a condizione però, che l'affare fosse concluso entro otto giorni. Staechelin non indugiò e due giorni dopo, il 29 dicembre 1917, diede la sua conferma per telefono, senza mai aver visto il dipinto.

Il 22 gennaio 1918, Tanner gli scrisse: «Ieri sera è arrivata la ‹Berceuse› ed io ne ho subito fatto l'attrazione della mia attuale esposizione francese. È bella, di grande effetto, una cosa meravigliosa, fresca come se fosse stata dipinta ieri.»

Non appena in possesso della «Berceuse», Staechelin evidentemente si ricordò del «Jardin de Daubigny», esposto l'anno prima alla Kunsthalle e, con la mediazione di Vallotton, si assicurò il quadro per 35 000 franci svizzeri.

Gli sforzi tesi «à améliorer le niveau de ma collection pour arriver à n'y avoir que de la toute première qualité»[40] spinsero il collezionista a considerare l'acquisto di un ulteriore quadro di van Gogh nel febbraio del 1925. Presso Paul Rosenberg di Parigi Staechelin trovò «La chambre de van Gogh à Arles» sembra si trattasse della terza, più piccola versione, che nel settembre del 1889 l'artista aveva destinato alla madre e alla sorella e che oggi si trova al Musée d'Orsay a Parigi. Tuttavia, quando il quadro arrivò a Basilea, Rudolf Staechelin fu profondamente deluso ed ebbe l'impressione «que parmi les Van Gogh de ma collection cette œuvre ne peut pas se maintenir. C'est même le premier Van Gogh auquel je constate certains détails plutôt médiocres et auquel il manque la verve habituelle du maître»[41]. Rosenberg si meravigliò di questa reazione e naturalmente non condivise l'opinione di Staechelin, comunque si dichiarò subito disposto a riprendere la tela. Tuttavia, quando venne a sapere che Staechelin non voleva più acquistare il quadro, perché Wilhelm Barth e

160

the 'Berceuse' arrived and I added it as the main attraction to my current French exhibition. It is a beautiful painting, enormously impressive, a wonderful thing altogether, fresh as if it had been painted yesterday."

Immediately upon acquiring *Berceuse,* Staechelin apparently recalled *Jardin de Daubigny,* exhibited the previous year at the Kunsthalle, and secured the painting for himself through the mediation of Paul Vallotton for 35,000 Swiss francs.

His efforts "à améliorer le niveau de ma collection pour arriver à n'y avoir que de la toute première qualité"[40] [to improve my collection in order for it to represent nothing but top-level quality] motivated the collector by February 1925 to acquire another painting by van Gogh. Staechelin had found *La chambre de van Gogh à Arles* [Van Gogh's Room in Arles] at Paul Rosenberg's in Paris – probably the third, smaller version of the work, painted in September 1889 and intended for his mother and sister; it hangs today in the Musée d'Orsay in Paris. When the painting arrived in Basel, Rudolf Staechelin was however convinced that "parmi les van Gogh de ma collection cette œuvre ne peut pas se maintenir. C'est même le premier van Gogh auquel je constate certains détails plutôt médiocres et auquel il manque la verve habituelle du maître"[41] [... among the van Goghs in my collection, this work cannot possibly hold its own. Indeed it is the first van Gogh in which I recognize some rather mediocre details and which clearly lacks the master's usual verve]. Rosenberg was somewhat surprised by this reaction and quite naturally did not share his opinion. However, he immediately declared his willingness to take the painting back. But when he heard that Staechelin's desistance was based on Wilhelm Barth's and Wilhelm Wartmann's doubts as to the work's authenticity, he felt a slur was being made on his professional reputation. He found this unacceptable, so it comes as no surprise that he tried to pay the directors of the Basel Kunsthalle and the Zurich Kunsthaus back for their ignominious insult by denying them the loans requested for a Picasso exhibition they had planned[42].

Knowing how very decisive Rudolf Staechelin usually was about his acquisitions, his hesitation in this instance may seem surprising. It was probably due to an unpleasant discovery made shortly before, and that is worth mentioning to shed light on his otherwise strange-seeming behavior. In the fall of 1924, he was informed that a painting thought to be by Edouard Manet, *La pêche* [Fishing], had actually been painted by the nephew of the artist's widow, in memory of the original she sold in 1897, now in the Metropolitan Museum of Art in New York[43]. Gustav Tanner, from whom Staechelin had acquired the painting in the spring of 1918, was forced to take it back and to refund the original amount of 45,000 Swiss francs plus 5 percent interest. Tanner paid his debts in several installations up to a final payment in March 1928. A long correspondence accompanied these

Wilhelm Wartmann ne avevano messo in dubbio l'autenticità, si sentì leso nel suo onore professionale. Un affronto del genere non poteva essere tollerato, e quindi non c'è da meravigliarsi, se cercò di ripagare i direttori della Kunsthalle di Basilea e del Kunsthaus di Zurigo rifiutando loro dei prestiti per una progettata mostra di Picasso[42].

Vista la risolutezza, con cui solitamente Rudolf Staechelin effettuava i suoi acquisti, risulta strana l'insicurezza mostrata in quel caso. Probabilmente la ragione va ricercata in una sorpresa spiacevole, avuta poco prima, che è bene conoscere per capire meglio il suo comportamento. Nell'autunno del 1924 risultò che il presunto quadro di Edouard Manet «La pêche» era stato in effetti dipinto dal nipote della vedova, come ricordo dell'originale da lei venduto nel 1897 (oggi al Metropolitan Museum of Art di New York)[43]. Gustav Tanner, da cui Staechelin aveva acquistato la tela nella primavera del 1918, fu costretto a riprenderla e a rimborsare al collezionista l'importo, a suo tempo versato, di 45 000 franchi svizzeri più gli interessi del cinque per cento. Il debito venne pagato a rate fino all'ammortamento completo nel marzo del 1928. Queste transazioni furono accompagnate da un lungo scambio di lettere, da cui risulta evidente l'irritazione di Staechelin che aveva avuto l'impressione di essere stato imbrogliato. Dopo questa esperienza il collezionista non voleva più aver niente a che fare con Tanner. In ogni caso rifiutò l'offerta che la galleria zurighese gli fece il 3 dicembre 1924, proponendogli per 55 000 franchi francesi il ritratto del pittore Paul Cézanne, dipinto da Pissarro intorno al 1874. «Il mio ritratto di Cézanne risale alla migliore fase dell'artista, è dipinto in modo mirabile, risulta monumentale e inoltre è un documento molto importante», asserì il mercante d'arte in uno scritto del 15 dicembre 1924. Questa offerta è interessante in quanto fino ad allora non si sapeva dove fosse finito il ritratto di Cézanne, eseguito da Pissarro, prima di essere acquistato da Rudolf von Hirsch[44].

Acquisti dalle «Ventes Degas»

Nel marzo del 1918 vennero messi all'asta a Parigi il lascito e la collezione di Edgar Degas, morto il 27 settembre 1917. In tale occasione i fratelli Bernheim-Jeune e i mercanti d'arte Durand-Ruel e Vollard esercitarono la funzione di esperti. Rudolf Staechelin apprese in anticipo da Paul Vallotton, il rappresentante svizzero di Bernheim-Jeune et Cie, che vi era la possibilità di fare «une bonne affaire». In qualità di esperti i fratelli Bernheim erano «placés mieux que personne pour faire de beaux achats et il y aurait là... l'occasion d'avoir de beaux tableaux à des prix sensiblement plus avantageux»[45]. Vallotton inviò a Staechelin la copia di uno scritto di Josse Bernheim-Jeune del 9 gennaio 1918, definendolo «très confidentiel» e pregando il collezionista: «n'en usez qu'avec grande discrétion en recommandant le secret à vos amis.» Visto che con ogni probabilità il risultato della vendita all'incanto sarebbe stato di parecchi milioni di franchi francesi – «on parle de dix millions» – si presentavano «de grandes occasions pour toutes les bourses», tanto più che a causa della guerra

transactions, indicating clearly that the collector was rather angry, because he was convinced he had been duped.

Due to this unpleasant experience, the collector obviously no longer wished to have anything to do with Gustav Tanner. Be that as it may, he did not accept the offer made by the Zurich gallery on December 3rd, 1924, for the 1874 portrait of the painter Paul Cézanne by Pissarro. "My Cézanne portrait was made during one of the best periods in the life of the artist … a truly magnificent painting, a monumental portrait and as a document very valuable indeed", the art dealer insisted in a letter of December 15th, 1924. The offer is interesting, because nothing was known about the whereabouts of Pissarro's portrait of Cézanne from the time it was acquired by Rudolf von Hirsch[44].

Purchases from the "Ventes Degas"

In March 1918, the estate and the collection of Edgar Degas, who had died on September 27th, 1917, were auctioned off. The Bernheim-Jeune brothers, together with the art dealers Durand-Ruel and Vollard, were the designated experts for those auctions. Rudolf Staechelin had been informed some time earlier by Paul Vallotton, the Swiss representant of Bernheim-Jeune & Co., that this would be an opportunity to "strike a bargain". For as the official auction experts, the Bernheims were "placés mieux que personne pour faire de beaux achats et il y aurait là … l'occasion d'avoir de beaux tableaux à des prix sensiblement plus avantageux"[45] [better placed than anyone else to go bargain-hunting and would have a chance … at some beautiful paintings at substantially reduced prices]. Vallotton sent Staechelin a copy of a letter by Josse Bernheim-Jeune of January 9th, 1918, classified "very confidential" and provided with the added recommendation: "n'en usez qu'avec grande discrétion en recommandant le secret à vos amis" [make use of this with uttermost discretion, and swear your friends to secrecy]. Since the proceeds from auctioning off the collection and the estate were expected to come to several million francs – "on parle de dix million" [ten million is rumored] – there were "de grandes occasions pour toutes les bourses" [great opportunities for all wallets]. All the more so since the British and American competition were expected to stay away because of the war, and the Bernheims as experts would have ample time at their disposal to evaluate the lots. On the basis of these considerations, the art dealers asked their client to advance a certain sum as a subscription, to be used to purchase the best works offered at the auction. The acquisitions were either to be included in Staechelin's own collection, or could later be put for sale with the promise of making sizable profits – "une simple spéculation à mon avis sans risque aucun"[46] [simple speculation, in my opinion presenting no risk at all]. Thus, they assured him, a minimum profit of at least 15 percent on the subscribed amount was guaranteed.

non c'era da aspettarsi la concorrenza inglese e americana e i fratelli Bernheim-Jeune avrebbero avuto tempo a sufficienza per effettuare le loro perizie. Spinti da tali considerazioni, i mercanti d'arte proposero ai loro clienti di versare una determinata somma come prenotazione, in modo da potersi aggiudicare le opere migliori, sia che volessero destinarle alla loro collezione, sia che intendessero poi rivenderle con un certo profitto – «une simple spéculation à mon avis sans risque aucun»[46] – realizzando così un utile garantito di almeno il 15% dell'importo della prenotazione.

A quanto risulta, Rudolf Staechelin non fu disposto ad accettare simili speculazioni: con ogni probabilità a quell'epoca, dopo i numerosi acquisti effettuati negli ultimi tempi, gli mancavano anche i mezzi liquidi necessari allo scopo. Così aveva preferito incaricare i Bernheim ad offrire alle aste e pensava di compensare tale servizio con una provvigione del 5%. In tal modo ottenne la natura morta di Cézanne «Verre et pommes», della collezione privata di Degas e i due pastelli «Femme à sa toilette» (Lemoisne 1125) e «La lettre» (Lemoisne 962), derivanti dal lascito artistico di Degas stesso. Alcune settimane dopo le aste offrì ancora 34 000 franchi svizzeri per il «Ritratto del collezionista Victor Choquet» di Cézanne (Virginia Museum, Richmond, Virginia); il 21 maggio 1918 l'offerta venne accettata. Sul retro di una lettera di Paul Vallotton, datata 10 aprile 1919, Rudolf Staechelin fece un bilancio degli acquisti più importanti effettuati fino a quel momento, annotando la provenienza e il prezzo delle varie opere. Tale lista riepilogativa è molto interessante e merita di essere riportata qui di seguito.

Come risulta da questa lista, nell'arco di due anni Staechelin investì più di 700 000 franchi svizzeri in opere d'arte: un'impegno considerevole! È quindi comprensibile che in seguito il collezionista si concedesse una pausa, tanto più che anch'egli risentì della crisi economica in atto. Il 28 gennaio 1922 motivò la sua rinuncia ad effettuare ulteriori acquisti con «le difficoltà, create dalla precaria situazione odierna, cui neanch'io posso sottrarmi». Inoltre ammise: «A dire la verità, negli ultimi sei mesi ho commesso qualche leggerezza, spendendo più di quanto avrebbero permesso le mie disponibilità, per poter aggiungere alla mia collezione dei Delacroix e Corot, ancora mancanti, e ancora dei Renoir, Monet e Sisley. In tal modo il mio budget è stato gravato a lunga scadenza e per il momento non posso pensare seriamente a nuovi acquisti»[47].

In seguito Staechelin cambiò genere di collezione ed iniziò a interessarsi dell'arte dell'Asia orientale. Come già accennato, negli anni venti egli si limitò ad aggiungere alla sua raccolta pochi capolavori ma di grande significato: «Arlequin assis» di Picasso e «Entre les lys» di Gauguin. Divenuto membro della Commissione per le Belle Arti, si dedicò sempre con maggior impegno ad arricchire la collezione del Kunstmuseum.

Moos		
Gauguin	femmes Tahiti	18 000
van Gogh	Harengs	4 200
Sisley	(Le village des Sablons)	9 500
Renoir	(Paysage et figure)	8 000
Pissarro	(Le sentier du village)	7 500
Sisley	Pastel	3 000
8 *Hodler* + 5 *Renoir*		200 000
	(sic)	251 000

Tanner		
Daumier		26 500
Cézanne	Selbstportrait	35 000
van Gogh	Berceuse	35 000
Monet	paysage	20 000
Pissarro	Fenaison	9 000
Manet	La pêche	45 000
Pissarro	paysage	14 000
		184 500

Caspari			
Picasso	(les deux frères)	Mk	20 000

Thannhauser		
Manet	Frl. Demarsy	85 000
van Gogh	Frauenkopf	40 000

Schames		
1 *Claude Monet* 2 *Derain*		40 000

Goldschmidt			
1 *Courbet*			15 000
1 *Fantin Latour*			40 000
		Mk	240 000

Vallotton		
Cézanne	nat. morte	28 000
2 *Degas*		22 000
Cézanne	Chocquet	34 000
Renoir + *Cézanne*		50 000
	(sic)	138 000
van Gogh	Jardin Daubigny	35 000
		173 000

Bollag		
Picasso	(Arlequin au loup)	13 500
Forain		6 500

```
173
251
184
100
708
```

Original of the list of acquisitions mentioned on this page

Originale della lista acquisti trascritta a sinistra

But Rudolf Staechelin was apparently not willing to risk his money for such speculations. Probably he simply lacked the requisite means given his recent and numerous purchases. He may therefore have preferred to instruct the Bernheims to make certain auction bids and to pay this service with a commission of five percent. In this way, he acquired the still life entitled *Verre et pommes* [Glass and Apples] by Cézanne from Degas' private collection and the two pastels *Femme à sa toilette* [Woman Dressing] (Lemoisne 1125) and *La lettre* [The letter] (Lemoisne 962) from the artist's estate. Some weeks after the auctions, he moreover offered 34,000 Swiss francs for Cézanne's *Portrait of Collector Victor Chocquet* (Virginia Museum, Richmond, Virginia); this offer was accepted on May 21st, 1918.

On the rear of a letter by Paul Vallotton, dated April 10th, 1919, Rudolf Staechelin considered his to date most important acquisitions, noting their provenance and price. This summary is quite impressive and merits to be listed here.

Judging from this list, Rudolf Staechelin spent over 700,000 francs for the purchase of works of art within two years: impressive proof indeed of his passion for the arts! It is hardly astonishing, that he decided to take a breather, all the more so since the looming economic crisis did not leave him unaffected either. On January 28th, 1922, the collector asserted he would refrain from any further acquisitions, because of "the pressure of today's difficult situation which I as well feel". He had to admit: "I have been somewhat remiss as to caution, living beyond my liquid cash assets, by adding during this period the Delacroix and Corot missing up to now in my collection, in addition to enriching it with an additional Renoir, a Monet and a Sisley. Because of this, my budget has been quite burdened down for some time to come, and I cannot seriously consider any new acquisitions for the time being"[47].

Staechelin now turned his attention to a new area, East Asian art. As mentioned earlier on, he limited himself through the twenties, adding only a few crucial highlights: Picasso's *Arlequin assis* [Harlequin, Sitting] and Gauguin's *Entre les lys* [Amongst the Lilies]. However, he did pursue his efforts with respect to his new function as a member of the Art Committee for the expansion of the museum collection all the more actively.

Member of the Art Committee
In the fall of 1923, Rudolf Staechelin was elected member of the Art Committee – that is, the board in charge of supervising and making acquisition decisions for the "Öffentliche Kunstsammlung" of Basel, where he was immediately given the position of treasurer. (He had already acted as treasurer for the Basel Kunstverein in 1920 and 1921.) As treasurer, Staechelin was in "a key position with regard to acquisition

Membro della Commissione per le Belle Arti
Nell'autunno del 1923, Rudolf Staechelin venne eletto membro della Commissione per le Belle Arti, organismo preposto alla sorveglianza e agli acquisti della Öffentliche Kunstsammlung di Basilea, e gli fu subito affidato il compito di cassiere. D'altronde, nel 1920 e 1921 il collezionista aveva già espletato la funzione di revisore dei conti per il Kunstverein (associazione artistica) di Basilea. Come cassiere Staechelin ebbe «una posizione chiave... nelle decisioni riguardanti i nuovi acquisti»[48]. Se una proposta lo convinceva, cercava con tutti i mezzi di superare gli ostacoli finanziari che, data la scarsità dei mezzi, si frapponevano quasi sistematicamente ad ogni nuovo acquisto del museo. Se invece un'offerta gli pareva poco interessante o inadeguata dal punto di vista qualitativo, sconsigliava la commissione di assumere ulteriori impegni finanziari.

Nella seduta della commissione, tenuta intorno al 12 dicembre 1929, Staechelin fu del parere che ci fossero a disposizione i mezzi necessari per l'acquisto della «Verlassene Venus» («Venere abbandonata») di Böcklin. (Il quadro comunque entrò a far parte della collezione del museo solo nel 1932.) Quando invece, nel corso della stessa seduta, si trattava di decidere sull'acquisto di due quadri di Hans Thoma, considerò suo dovere dissuadere gli altri membri dal comperare ulteriori opere, finché la situazione finanziaria non fosse chiarita. Egli mantenne lo stesso atteggiamento anche nel novembre del 1930 in occasione dei dibattiti circa il possibile acquisto del dipinto «Frühlingsreigen» («Danza primaverile», 1873) di Thoma. In tale sede Staechelin così si espresse: «Thoma è un romantico, mentre io sento più vicina la vita reale. Questo quadro non corrisponde al mio modo di sentire, quindi il mio giudizio è puramente personale. Tuttavia vi sono molti, a cui piace quest'arte». Anche questa volta aggiunse: «Comunque, vista la situazione finanziaria, non possiamo permetterci l'acquisto»[49]. In un secondo tempo però, grazie agli ottimi risultati di una colletta, il quadro finì ugualmente per entrare nella Öffentliche Kunstsammlung.

Di tanto in tanto Staechelin offrì anche il proprio appoggio finanziario, se non altro sotto forma di prestito. Fu questo il caso, per esempio, quando nell'autunno del 1925, si cercò di assicurare al museo l'«Arlésienne» di van Gogh, appartenente alla collezione basilese Erna Schön[50]. Anche quando si trattò di acquistare «La muse inspirant le poète» del doganiere Henri Rousseau – cosa che infine fu possibile grazie al sostegno di alcuni appassionati d'arte – Staechelin fu disposto a facilitare l'acquisto offrendo un credito al museo[51]. Analogamente un anno dopo promise di assumere un quarto delle spese, nel caso in cui il museo fosse riuscito ad aggiudicarsi «La dame de Francfort» di Courbet (1858) all'asta della collezione H.W. Lang a Berlino: «Sono sempre stato dell'opinione di acquistare la migliore qualità possibile», commentò in tale occasione[52]. Alla fine il dipinto, valutato intorno ai 60 000 marchi tedeschi, andò al Wallraf-Richartz Museum di Colonia per 148 000 marchi. Rudolf Staechelin volle contribuire ad accrescere la capacità di

decisions"[48]. Once he had agreed to a specific acquisition, he made every effort to cope with any financial obstacles; the latter were a hindrance in general to all purchases by the Basel Museum of Fine Arts, due to the museum's precarious financial situation. If he judged an offer negligible, or below his quality requirements, he used to remind the Committee of their additional financial obligations.

At the Committee meeting of December 12th, 1929, for instance, he claimed the funds available could cover the purchase of Böcklin's *Verlassene Venus* [Abandoned Venus]. (In fact, the painting was not acquired for the museum collection until 1932.) When the acquisition of two paintings by Hans Thoma came up at the very same meeting however, Staechelin thought it his duty to warn against any further purchase decisions, as long as their financial situation had not been clarified. The same thing happened in November 1930, during the debate concerning the possibility of purchasing Thoma's *Frühlingsreigen* [Spring Dance] (1873). At that session, Staechelin admitted: "Thoma is a Romantic, and I feel closer to real life. The painting has no relation to my own emotions, and my judgement is therefore purely personal, though many people like this kind of art." At which point he reiterated: "Because of the money situation, we do not dare make the purchase"[49]. Thanks to a successful fund collection campaign, the painting nevertheless found its way to the "Öffentliche Kunstsammlung".

Rudolf Staechelin sometimes offered his personal financial support, be it only in the form of a credit. This was, for example, the case in the fall of 1925, when the museum had tried to buy van Gogh's *Arlésienne* [Woman from Arles] from the Basel collection of Erna Schön[50]. It was also the case in 1940, concerning the acquisition of *La muse inspirant le poète* [Muse Inspiring the Poet] by "le douanier" Henri Rousseau; the acquisition was finalized thanks to the generous support of several art enthusiasts, but it was Staechelin who facilitated matters by granting the museum a credit[51]. A year later he was also ready to come up with a quarter of the costs, in case the museum should manage to get Courbet's *La dame de Francfort* (1858) [The Lady from Frankfurt] of the H.W. Lang collection in Berlin at an auction: "Best buy quality has always been my opinion" he stated on that occasion[52]. The painting valued at 60,000 Reichsmark was finally allotted to the Wallraff-Richartz Museum in Cologne for the amount of 148,000 Reichsmark.

Rudolf Staechelin sought to improve the Committee's expertise for the evaluation of acquisition possibilities by occasionally taking along paintings from his own collection to meetings. *Le Jardin de Daubigny* [Daubigny's Garden] was to help for the evaluation of three van Gogh offers handed the Committee in the fall of 1933, serving as a scale against which to measure their quality: *Le Moulin de la Galette* [The Windmill of la Galette] from among the artist's early Parisi-

giudizio della commissione richiamando ogni tanto durante le sedute come esempi i quadri della propria collezione. Per esempio «Le jardin de Daubigny» fu d'aiuto per valutare la qualità di tre quadri di van Gogh, offerti alla commissione nell'autunno del 1933: «Le Moulin de la Galette», risalente all'inizio della fase parigina (venduto al museo di Buenos Aires nel 1934), la natura morta con due girasoli appassiti del 1885 (Metropolitan Museum of Art, New York) e «L'escalier d'Auvers» (The Saint Louis Art Museum)[53]. «Le jardin de Daubigny» funse da termine di paragone anche quando si trattò di trovare una cornice adeguata per il ritratto «Mademoiselle Gachet au piano», acquistato nell'autunno del 1934[54]. Un'altra volta il collezionista mise a disposizione contemporaneamente quattro quadri di Cézanne come esempi[55]. Rudolf Staechelin era considerato persona molto autorevole dalla commissione, fatto questo che in quella circostanza il pittore Heinrich Alfred Pellegrini espresse come segue: «Il giudizio del signor Staechelin riflette l'atteggiamento di chi è quotidianamente a contatto con quadri di Cézanne. Pertanto dovremmo ascoltarlo»[56].

Effettivamente il suo giudizio e i suoi consigli avevano sempre grande peso. Inoltre, vista la sua grande esperienza nel trattare con i mercanti d'arte, gli venne affidato volentieri questo compito.

Rudolf Staechelin portava spesso nuove offerte alle sedute della commissione e diversi acquisti importanti per la collezione del museo furono frutto della sua iniziativa. Quando assunse il suo incarico, nel museo basilese l'impressionismo era rappresentato da un unico quadro: il «Paese presso Pontoise» di Pissarro, un dipinto che era stato donato alla «Öffentliche Kunstsammlung» grazie a una colletta che i due pittori basilesi Paul Burckhardt e Hermann Meyer avevano organizzato tra i sostenitori dell'arte. Nell'estate del 1926, Staechelin propose l'acquisto del piccolo dipinto di Renoir «Jeune fille couchée» (appartenente alla collezione del Dott. Paul Linder), in memoria di Friederich Rintelen, scomparso improvvisamente nel mese di maggio, dopo essere succeduto appena un anno prima a Heinrich Alfred Schmid come conservatore del museo. In seguito Staechelin insistette ripetutamente sull'importanza di far acquisire una levatura adeguata alla collezione di pittura francese, che si andava formando nel museo, dotandola di una o due opere importanti»[57].

Nel 1934, il pittore bernese Werner Feuz (1882–1956) offrì in blocco al museo 63 disegni di Cézanne per 20 000 franchi svizzeri, ma il conservatore di allora, Otto Fischer, considerò l'acquisto «quasi impossibile». Rudolf Staechelin però lo spinse a «sottoporre ugualmente l'offerta alla commissione»[58], il che non portò solo all'acquisto di questa raccolta, ma l'anno dopo anche a quello di ulteriori 85 disegni di Cézanne, provenienti dal lascito del mercante d'arte e collezionista parigino Paul Guillaume (1891–1934)[59]. Si era allora consapevoli che la ristrettezza dei fondi a disposizione non avrebbe mai permesso al museo di acquistare un gruppo di dipinti di Cézanne altrettanto importanti, anche se le offerte non erano certo mancate.

an period (sold to the museum in Buenos Aires in 1934), the still life with two wilted sunflowers of 1885 (Metropolitan Museum of Art in New York) and *L'escalier d'Auvers* [The Stairs at Auvers] (The Saint Louis Art Museum)[53]. *Le Jardin de Daubigny* was again used for comparison's sake when the portrait of *Mademoiselle Gachet au piano* [Miss Gachet at the Piano], acquired in the fall of 1934, was to be given the right setting[54].

Upon another occasion, the collector loaned four of his paintings by Cézanne as a kind of visual support[55]. Rudolf Staechelin was acknowledged as a genuine authority by the Committee. The painter Alfred Heinrich Pellegrini formulated their opinion as follows: "Mr Staechelin judges on the basis of daily contact with paintings by Cézanne. We should therefore listen to him"[56]. His judgement and recommendations were crucial. Due to his rich experience with art dealers, he was often given the task of handling the negotiations for acquisitions.

Again and again Rudolf Staechelin brought offers to Committee meetings. Several important acquisitions for the museum collection are based on his initiative. When he assumed his position on the Committee, the Basel Museum of Fine Arts owned only a single Impressionist painting: Pissarro's *Village à Pontoise* [Village near Pontoise], given to the "Öffentliche Kunstsammlung" in 1912, thanks to the efforts of two Basel painters, Paul Burckhardt and Hermann Meyer, who had organized a collection among Basel art enthusiasts. In the summer of 1926, Staechelin proposed the acquisition of the small painting entitled *Jeune fille couchée* [Reclining Young Girl] by Renoir from Dr. Paul Linder's collection, in memory of the unexpected death in May of that year of Friedrich Rintelen, who had replaced Heinrich Alfred Schmid as museum curator only the year before. Later he repeatedly insisted that the French Impressionist sector should be built up, that it should be endowed soonest "with one or two major works capable of lending significance to that period"[57].

When in January 1934, Bernese painter Werner Feuz (1882–1956) offered the Museum 63 drawings by Cézanne for a flat rate of 20,000 Swiss francs, curator Otto Fischer judged the acquisition "hardly feasible". Rudolf Staechelin however insisted the offer "nevertheless be presented to the Committee"[58], a decision that led not only to the acquisition of that collection, but as well of an additional 85 drawings by Cézanne, from the estate of the Parisian art dealer and collector Paul Guillaume (1891–1934)[59]. People were quite aware at the time that the museum, given its rather modest purchasing budget, would hardly be in a position to compile a similarly important ensemble of Cézanne's on its own. Rudolf Staechelin also became substantially involved in the 1934 acquisition of van Gogh's *Mademoiselle Gachet au piano* [Miss Gachet at the Piano]. As the seller, Dr. Paul Gachet,

Nel 1934, Rudolf Staechelin ebbe un ruolo determinante anche nell'acquisto del dipinto di van Gogh «Mademoiselle Gachet au piano». Visto che il Dott. Paul Gachet, fratello del modello del quadro e offerente del quadro stesso, non voleva dare in visione il quadro a Basilea, Otto Fischer e Rudolf Staechelin furono delegati dalla commissione a recarsi a Parigi e a Auvers per farsi una prima idea della tela. Al ritorno Staechelin profetizzò che «col tempo (il quadro) non li avrebbe delusi»[60] e invitò i membri della commissione a sincerarsene di persona. Così sei di essi, tra cui nuovamente Rudolf Staechelin, accompagnarono il conservatore a Parigi e a Auvers dal 29 settembre al 1° ottobre 1934. Paul Gachet si sarebbe ricordato di questa visita ancora due anni più tardi, dopo aver visitato la grande retrospettiva di Cézanne al Musée de l'Orangerie, dove vide esposti due quadri prestati da Staechelin: il «Portrait de Choquet» e «La maison du Dr. Gachet à Auvers». «Vous comprenez combien le sujet m'est cher!» scrisse al collezionista basilese l'8 agosto 1936 e aggiunse: «Si – comme vous me le disiez un jour à Paris, vous l'avez envoyée un peu pour moi, je vous en remercie infiniment, car j'ai eu un grand plaisir à voir cette peinture qui est comme un ‹portrait de ma Maison›.»

Grazie all'impegno di Staechelin, il museo non entrò solo in possesso di opere impressioniste e postimpressioniste: su suo suggerimento vennero acquistati anche diversi dipinti moderni. Nella primavera del 1927, mentre la commissione discuteva sull'eventuale acquisto di un ulteriore quadro di Hans Brühlmann (1878–1911), «Weiblicher Akt» («Nudo femminile») del 1903, Staechelin sostenne che «sarebbe stato più interessante» acquistare un buon quadro di Edvard Munch «piuttosto che aumentare il numero di quadri di Brühlmann». Staechelin aveva qualche tempo prima visitato un'esposizione di Munch alla Nationalgalerie di Berlino[61]. Grazie alla mediazione di H.A. Pellegrini, che conosceva l'artista, in ottobre fu possibile acquistare due dipinti di Munch per la collezione del museo basilese: «Bildnis Käte Perls» («Ritratto di Käte Perl», 1913) e «Grosse Küstenlandschaft» («Grande paesaggio costiero», 1918). In tal modo, come venne rilevato nel rapporto annuale, «ci si era avventurati al di là del limitato orizzonte svizzero, incontro all'arte contemporanea di alto livello»[62]. Staechelin caldeggiò anche l'acquisto di opere di Paul Klee in occasione di una mostra del pittore, che all'inizio del 1931 il Kunsthaus allestì al «Bachofenhaus» e all'«Augustinerhof». Così il museo entrò in possesso del dipinto «Senecio» (1922), nonché degli acquerelli «Schneckenzeichen» (1924) e «Hafenszene» (1929).[63]

Rudolf Staechelin fece parte della commissione fino al momento della sua improvvisa morte. Nella seduta del 5 febbraio 1946, il presidente, Prof. August Simonius, rese omaggio allo scomparso elogiandone l'attività e i meriti: «I suoi validi consigli, sia a livello artistico che commerciale e la sua natura gentile e serena ci sono sempre stati preziosi. Rudolf Staechelin ha lavorato con noi soprattutto in veste di collezionista privato e la reciproca collaborazione è stata particolarmente proficua. Egli non ha mai

the brother of the young woman depicted, was reluctant to send the painting to Basel for evaluation. Otto Fischer and Rudolf Staechelin were sent by the Committee to Paris and Auvers for a first inspection. Upon their return, Staechelin prophesied this painting "would surely not prove disappointing in times to come"[60] and asked the Committee to judge for themselves. From September 29th until October 1st, 1934, six Committee members, among them again Rudolf Staechelin, thereupon accompanied the curator to Paris and Auvers. Two years later, upon visiting the great Cézanne retrospective at the Musée de l'Orangerie, Paul Gachet was to be reminded of their visit. He came face to face with *Portrait de Chocquet* and *La maison du Dr Gachet à Auvers* of the Staechelin Collection, which were exhibited on loan. "Vous comprenez combien le sujet m'est cher!" [You will understand how important this subject is to me], Gachet wrote the collector on August 8th, 1936, adding: "Si – comme vous me le disiez un jour à Paris, vous l'avez envoyée *un peu pour moi*, je vous en remercie infiniment, car j'ai eu un grand plaisir à voir cette peinture qui est comme 'un portrait de ma Maison'." [If – as you told me one day in Paris, you sent it *a bit for my sake*, I wish to thank you very much indeed, for it was a great pleasure to see this painting that resembles somewhat a 'Portrait of My House'].

The museum however does not owe its acquisitions of only Impressionist and Post-Impressionist works to Rudolf Staechelin's initiative. Decisions concerning acquisitions for the collection of modern art as well were often based on his suggestions. When, in the spring of 1927, the Committee discussed the acquisition of an additional painting by Hans Brühlmann (1878–1911) – entitled *Weiblicher Akt* [Female Nude] of 1903 – Staechelin's opinion was that the acquisition of a strong picture by Edvard Munch would be "much more interesting than adding to the Brühlmann paintings". Some time earlier, Staechelin had visited a Munch exhibition in the National Gallery in Berlin[61]. Through the mediation of A.H. Pellegrini, an acquaintance of the artist's, the Public Art Collection finally acquired two paintings by Munch – *Bildnis Käte Perls* [Käte Perl's Portrait] (1913) and *Grosse Küstenlandschaft* [Large Littoral Landscape] (1918), with which, thus the annual report, "we dared a foray into the leading contemporary art beyond the limits of Switzerland"[62].

Staechelin also was the main proponent in favor of the acquisition of works by Paul Klee from an exhibition of this artist's works, organized by the Basel Museum of Fine Arts in the Bachofenhaus and in the Augustinerhof at the beginning of 1931. This led to the purchase of the painting entitled *Senecio* (1922) as well as of two watercolors: *Schneckenzeichen* [Snail Signs] (1924) and *Hafenszene* [Harbour Scene] (1929)[63].

Rudolf Staechelin remained a member of the Art Committee until his untimely death. At the meeting of February 5th,

esitato: è sempre stato pro o contro un acquisto. Ha agito con circospezione quando si aveva a che fare con la situazione locale. Se invece si dichiarava a favore di un acquisto, eravamo certi di essere sulla strada giusta»[64].

Gli ultimi acquisti

Negli anni quaranta, la passione di Staechelin per la collezione tornò a manifestarsi, evidentemente rinfocolata da Georg Schmidt, direttore del Kunstmuseum fin dal 1939. Nel 1941, alla mostra «Artistes de la Suisse Romande» allestita alla Kunsthalle, il collezionista acquistò il dipinto «Esquisse pour la famille valaisanne» di René Auberjonois (1872–1957). Originariamente Georg Schmidt aveva previsto il quadro per il Kunstmuseum, ma dopo averlo visto esposto unitamente ad un'altra tela disponibile, «La Comtesse C. et ses domestiques», trovò che «l'impatto» di quest'ultima era «notevolmente maggiore». Rudolf Staechelin condivise questa opinione e definì l'«Esquisse pour la famille valaisanne» come «il più grazioso» dei due quadri. Affinché Georg Schmidt avesse un po' più di tempo per effettuare la sua scelta, Staechelin si dichiarò disposto ad acquistare personalmente uno dei due dipinti, dando comunque la precedenza al museo. Schmidt si decise per «La Comtesse C.» e nello stesso tempo acquistò altri due quadri per la Öffentliche Kunstsammlung: «Le collier» ed «Etude pour ‹Jean et sa bonne› » (Bambino con cavallo a dondolo)[65].

L'acquisto del quadro di Auberjonois segnò un «ritorno all'origine», vale a dire alla pittura romanda, nell'attività di Staechelin come collezionista. Auberjonois era già stato presente con diversi gruppi di opere alle mostre dei giovani pittori della Svizzera francese tenute alla Kunsthalle nel novembre del 1915 e nel febbraio del 1920. A suo tempo però, Staechelin si era interessato solo ai ginevrini Maurice Barraud e Alexandre Blanchet.

Tra il 1941 e il 1945, Staechelin ricuperò il tempo perduto e completò la sua collezione di pitture romande con dodici quadri di Auberjonois. Alla fine del 1941, in occasione della rassegna «Scultori e pittori svizzeri 1941» al Kunsthaus di Zurigo, scelse un «Autoritratto» di Auberjonois (dipinto poco prima) e alla fine dell'autunno 1942, alla doppia esposizione «René Auberjonois: dipinti e disegni – Germaine Richier: plastiche», organizzata al Kunstmuseum di Winterthur, acquistò il grande quadro «Niska et sa mère». Inoltre acquistò diverse altre opere del pittore vodese da mercanti d'arte svizzeri: da Bettie Thommen e dal Dott. Raeber a Basilea e da Georges Moos a Ginevra, che il 17 novembre 1945 fu l'ultimo a vendergli un quadro: «Les jeunes filles» (1920).

Nel febbraio del 1942, la Kunsthalle di Basilea presentò una retrospettiva di Félix Vallotton. Nell'ambito delle discussioni sorte in seno alla commissione circa l'eventuale acquisto di alcune opere, Staechelin fu costretto ad esprimere la sua opinione sull'artista, confessando: «Vallotton continua a essermi estraneo, sebbene adesso mi sia avvicinato un po' di più a lui. Non riesco ad accettare l'incongruenza tra elementi naturalistici ed espres-

1946, the Committee president, Professor August Simonius, praised the lost collector's work and merits as a Committee member: "His well-founded recommendations in all matters of art and business and his friendly and serene demeanor were precious to all of us. Rudolf Staechelin was above all a private collector. Our collaboration with him was extraordinarily fertile. He never hesitated to express his agreement or disagreement with a purchase project. He only held back where local considerations were involved. Once he favored a project, however, we knew that we had chosen wisely"[64].

The Last Few Acquisitions

Rudolf Staechelin's passion as a collector reasserted itself again in the forties, apparently rekindled by Georg Schmidt, the museum's curator since 1939. In the spring of 1941, the collector acquired, from the exhibition entitled "Artistes de la Suisse Romande" [Artists from French-speaking Switzerland] held at the Kunsthalle, *Esquisse pour la famille valaisanne* [Sketch for the Valais Family] by René Auberjonois (1872–1957). That picture was originally intended by Georg Schmidt for inclusion in the collection of the Basel Museum of Fine Arts. However seen hanging in the gallery side by side with another painting also up for sale – *La Comtesse de C. et ses domestiques* [The Countess of C. and Her Servants] – it seemed to Schmidt that the latter was the "more impressive" of the two. Rudolf Staechelin shared this opinion, though he found the *Esquisse pour la famille valaisanne* "lovelier". In order to allow Georg Schmidt to take his time deciding, Staechelin was willing to acquire one of the two paintings for himself, granting the museum first choice. Schmidt later decided in favor of *La Comtesse de C.,* and bought two additional paintings for the "Öffentliche Kunstsammlung": *Le collier* [The Necklace] and *Etude pour 'Jean et sa bonne' (Knabe mit Schaukelpferd)* [Study for 'Jean and his Nurse' (Young Boy with Hobby Horse)][65].

With the acquisition of the painting by Auberjonois, Rudolf Staechelin returned to his first love as a collector, to the painters of the French-speaking part of Switzerland that is. Auberjonois had already been represented at the November 1915 and February 1920 Kunsthalle exhibitions of modern French-Swiss painters with quite a large number of works but, at that time, Staechelin seems to have had eyes only for the Geneva artists Maurice Barraud and Alexandre Blanchet.

Between 1941 and 1945, Staechelin caught up with what he had missed before, complementing his collection of French-Swiss painters with a dozen paintings by Auberjonois. At the end of 1941, he visited the Zurich Kunsthaus' show entitled "Schweizer Bildhauer und Maler 1941" [Swiss Sculptors and Painters 1941], where he acquired the just recently completed artist's self-portrait. In late fall of 1942, at the double-featured exhibition "René Auberjonois: Gemälde und Zeich-

sionistici, specie nei quadri figurativi»[66]. Ai fini di un eventuale acquisto la commissione considerò tra l'altro «Le vieux concierge» (1893) e «Trois femmes et une petite fille jouant dans l'eau» (1907). Alla fine «Le vieux concierge» venne acquistato da Max Ras-Weidmann, che lo diede in deposito al museo[67]. Quanto alle «bagnanti», Georg Schmidt e diversi membri della Commissione per le Belle Arti (tra cui Staechelin) le rifiutarono nettamente, pur riconoscendone il loro carattere esclusivo. Nel corso della seduta del 18 maggio 1942 venne fatto il confronto tra le «bagnanti» e la «Vue du Kremlin» del 1913. Schmidt, H.A. Pellegrini ed altri furono entusiasti del quadro su Mosca e si irrigidirono ancor più nella loro posizione rispetto alle «bagnanti», rifiutando l'acquisto. (Nel 1957 il quadro finì ugualmente per entrar nella collezione del museo.) A quel tempo la «Vue du Kremlin» aveva già un proprietario: Rudolf Staechelin l'aveva acquistata nell'aprile tramite Albert Skira al prezzo di 1000 franchi svizzeri.

Poco prima aveva comperato anche «L'hôpital militaire Saint Martin» (1912) di Maurice Utrillo. Questo quadro gli era già nota da tempo, essendo stato offerto al museo dal mercante d'arte basilese, Dott. Willi Raeber, nel marzo del 1939[68]. Probabilmente Rudolf Staechelin conosceva in precedenza anche l'ultima opera contemporanea, con cui il 30 marzo 1943 coronò la sua collezione: «Madame Matisse au châle de Manille», un quadro presentato per la prima volta nella primavera del 1911 al «27e Salon des Artistes Indépendants», sotto il titolo «L'Espagnole» e poi esposto alla Kunsthalle di Basilea, in seno alla grande mostra di Matisse, organizzata nella tarda estate del 1931. Il dipinto era allora affiancato da due quadri: «La berge», del 1907 (dal 1953 appartenente alla Öffentliche Kunstsammlung di Basilea) e «Baigneuses à la tortue» (The Saint Louis Art Museum)[69]. Originariamente entrambi i dipinti erano appartenuti al museo Folkwang di Essen, prima che venissero dichiarati «degenerati», confiscati e il 30 giugno 1939 messi in vendita all'asta «Dipinti e plastiche di maestri moderni provenienti da musei tedeschi» dalla Galleria Fischer di Lucerna. «Le châle de Manille» era stato dato in prestito da Bernheim-Jeune a Basilea nel 1931. Rudolf Staechelin acquistò il quadro dodici anni più tardi da Siegfried Rosengart di Lucerna, cui bastò un biglietto da visita per confermare a Staechelin «di aver ricevuto il corrispettivo per l'Espagnole di Matisse».

nungen – Germaine Richier: Plastiken” [René Auberjonois: Paintings and Drawings – Germaine Richier: Sculptures] at the Winterthur Museum of Art he acquired the large-sized painting *Niska et sa mère* [Niska and Her Mother]. Additional purchases of other paintings by the Vaudois painter were handled by Swiss art dealers: Bettie Thommen and Dr. Raeber in Basel, and Georges Moos in Geneva, where Staechelin also acquired his last painting on November 17th, 1945: *Les jeunes filles* [Young Girls] (1920), again by Auberjonois. In February 1942, when the Basel Kunsthalle presented as retrospective the work of Félix Vallotton, the acquisition discussions within the Art Committee forced Rudolf Staechelin to give his opinion on this painter. “I still cannot fathom Vallotton, although I have by now gotten to know him somewhat”, the collector confessed. “I can’t get over the contradiction between the naturalistic and the expressive aspects of his work, especially his figure paintings”[66]. *Le vieux concierge* [The Old Caretaker] (1893) as well as *Trois femmes et une petite fille jouant dans l’eau* [Three Women and a Small Girl Playing in the Water (1907) were up for discussion. *Le vieux concierge* was in fact purchased by Max Ras-Weidmann, who gave it to the Basel Museum of Fine Arts on loan[67]. And although the particularly unique style of *“Badenden”* [Bathers] was recognized, the painting was turned down rather vehemently by Georg Schmidt and several members of the Art Committee, including Rudolf Staechelin by the way. In a meeting on May 18th, 1942, “Bathers” was compared to the *Vue du Kremlin* [View of the Kremlin] of 1913. Schmidt, A.H. Pellegrini and a few other members expressed their admiration for that painting of Moscow, and refused to even reconsider their attitude towards “Bathers”, thus rendering the acquisition of that painting impossible. (The painting was however finally acquired for the “Öffentliche Kunstsammlung” in 1957.) By that time, *Vue du Kremlin* was in good hands, for Rudolf Staechelin had acquired it in April, for 1,000 francs, through Albert Skira. Only a short time before, he had bought *L’hôpital militaire Saint-Martin* [The Saint-Martin Military Hospital], created by Maurice Utrillo in 1912. He was already familiar with that painting, because it had been offered for sale to the Museum of Fine Arts in March 1939 by Basel art dealer Dr. Willi Raeber[68]. A last important work by a contemporary artist, bought by Staechelin for his own collection on March 30th, 1943, must also have been quite familiar to him since years: *Madame Matisse au châle de Manille* [Mrs Matisse with Mantilla]. First presented in the spring of 1911 at the 27th Salon des Artistes Indépendants as *L’Espagnole* [Spanish Woman], it could later be admired in the Basel Kunsthalle’s comprehensive Matisse exhibition of late summer 1931. At the time, the portrait hung side by side with two other paintings belonging to the Folkwang Museum in Essen, before they were declared “degenerate”, confiscated and put up for auction at Galerie Fischer in

Note

1 Riguardo alla biografia del collezionista cfr. la prefazione di Hans Rosenhagen in: Katalog der Sammlung L. La Roche-Ringwald, Basel, Gemälde neuzeitlicher Meister, negozio d’arte Eduard Schulte, Berlino 1910, p. 1–9. – Necrologio di J.C., in: Basler Nachrichten, anno 77°, n. 500, 23 novembre 1921.
Nel 1910 il museo di Basilea acquistò dalla collezione La Roche-Ringwald «Dorfschulzen» («Sindaci di villaggio») di Karl Stauffers, mentre il Kunstverein di Basilea scelse «Enttäuschte Seele» («Anima delusa») di Hodler (dal 1927 nella Öffentliche Kunstsammlung di Basilea).

2 Riguardo alla biografia del collezionista cfr. R.R. (Rudolf Riggenbach?), Dr. Paul Linder, in: National-Zeitung, anno 99°, n. 4, 4/5 gennaio 1941, p. 6. – Otto Fischer, Zum Tode von Dr. Paul Linder, nel: Basler Nachrichten, anno 97°, n. 13, 14 gennaio 1941, supplemento.
Nel corso degli anni il museo di Basilea acquistò i seguenti quadri dalla collezione Linder: nel 1922 «Der Niesen» («Lo starnuto») di Hodler, nel 1925 le 14 acqueforti della «Suite des Saltimbanques» di Picasso, nel 1926 «Jeune fille couchée sur l’herbe» di Renoir, nel 1927 e 1928 3 risp. 2 disegni di Hodler e nel 1940 l’acquerello «Le martyre de Saint-Sébastien» di Odilon Redon.

3 Il 10 aprile 1916 l’acquerello di Morerod venne restituito alla Maison Moos.

4 Moderne Kunst des 19. und 20. Jahrhunderts, parte I, asta 17 giugno 1988, galleria Kornfeld, Berna, n. 19, con illustrazione a colori.

5 Come nota 4, n. 16, con illustrazione a colori.

6 Ein Maler vor Liebe und Tod. Ferdinand Hodler und Valentine Godé-Darel. Ein Werkzyklus 1908–1915, catalogo e mostra di Jura Brüschweiler, Zurigo 1976, n. 126, 127, 181.

7 La biblioteca della Öffentliche Kunstsammlung di Basilea conserva un esemplare del catalogo della mostra, ricevuto in dono dal collezionista, con la seguente dedica scritta a mano: «A Monsieur R. Staechelin. Hommage des organisateurs de l’Exposition Hodler. M. Moos et L. Florentin.»

8 Nella fattura della galleria Moos, anziché lo studio dello «Sguardo verso l’infinito» (come nota 4, n. 63 con illustrazione a colori) figura un «Autoritratto» di Hodler.

9 Hugo von Hofmannsthal – Carl J. Burckhardt, Briefwechsel, Francoforte sul Meno 1956, p. 10.

10 Pierre Daix, Georges Boudaille, Picasso 1900–1906, Catalogue raisonné de l’Œuvre peint, Neuchâtel 1966 + 1988, n. V.2.

11 Come nota 9, p. 12.

12 Hugo von Hofmannsthal – Ottonie Gräfin Degenfeld, Briefwechsel, Francoforte sul Meno 1974, p. 401.

13 Cfr. anche: Rudolf Hirsch, Theodora Vonder Mühll und

Lucerne at an auction called "Gemälde und Plastiken moderner Meister aus deutschen Museen" [Paintings and Sculptures of Modern Masters from German Museums] on June 30th, 1939. The paintings in question were: *La berge* [The Cliff] of 1907 – since 1953, part of the "Öffentliche Kunstsammlung" in Basel; and *Baigneuses à la tortue* [Bathers and Turtle] (Saint Louis Art Museum)[69]. *Le châle de Manille* was given on loan to Basel by Bernheim-Jeune in 1931. Rudolf Staechelin was to acquire this painting twelve years later through Siegfried Rosengart in Lucerne, who was satisfied to finalize the transaction by way of a mere visiting card stating: "Payment in full for Matisse's Espagnole has been duly received!"

Notes

1 See the foreword by Hans Rosenhagen, to the collector's biographical data in: Catalogue of the L. La Roche-Ringwald Collection, Gemälde neuzeitlicher Meister [Paintings by Modern Masters], Kunsthandlung Eduard Schulte, Berlin 1910, pp. 1–9. – Obituary by J.C., in: Basler Nachrichten, vol. 77, no. 500, November 23rd, 1921.
The Basel Museum of Fine Arts acquired Karl Stauffer's *Dorfschulzen* [The Reeve], and the Basler Kunstverein acquired Hodler's *Enttäuschte Seele* [Disappointed Soul] in 1910 from the La Roche-Ringwald Collection (the latter became part of the "Öffentliche Kunstsammlung" in 1927).

2 For a biography of the collector see R.R. [Rudolf Riggenbach?], Dr. Paul Linder, in: National-Zeitung, vol. 99, no. 4, of January 4th/5th, 1941, p. 6. – Otto Fischer, Zum Tode von Dr. Paul Linder, in: Basler Nachrichten, vol. 97, no. 13, January 14th, 1941, enclosure.
In the course of the years, the Basel Museum of Fine Arts acquired the following works from the Linder Collection: in 1922, Hodler's *Der Niesen* [The Niesen], in 1925 the 14 etchings of *Suite des Saltimbanques* [Gypsy Series] by Picasso, in 1926 *Jeune fille couchée sur l'herbe* [Young Girl Lying on a Meadow] by Renoir, in 1927 and 1928, 3 and respectively 2 drawings by Hodler; and in 1940, *Le martyre de Saint-Sébastien,* a watercolor by Odilon Redon.

3 The Morerod watercolor was returned to Maison Moos on April 10th, 1916.

4 Modern Art of the 19th and the 20th century, Part I, Auction of June 17th, 1988, the Kornfeld Gallery, Berne, no. 19 with colour illustration.

5 Op. cit. footnote no. 4, with colour illustration.

6 Ein Maler vor Liebe und Tod, Ferdinand Hodler und Valentine Godé-Darel, Ein Werkzyklus 1908–1915 [A

Hugo von Hofmannsthal, in: Neue Zürcher Zeitung, n. 234, 8 ottobre 1982, p. 39.

14 Cfr. Martin E. Schmid, Der Dichter und der Mäzen, Unveröffentlichte Korrespondenz zwischen Hofmannsthal, Carl J. Burckhardt und Georg Reinhart, in: Neue Zürcher Zeitung, n. 131, 9/10 giugno 1990, p. 68.

15 Wildenstein 401. – Florens Deuchler, Die französischen Impressionisten und ihre Vorläufer, Stiftung «Langmatt» Sidney und Jenny Brown, cataloghi della collezione vol. I, 1990, p. 126 segg.

16 Wildenstein 284.

17 Probabilmente si trattò di «Le vallon» (Wildenstein 488). – Nella recensione di Hans Graber, il quadro figurante sotto il titolo «Tahiti» e con il numero 124 nel catalogo della «Mostra d'arte moderna da collezione private basilesi», viene descritto come: «Paesaggio... caratterizzato da una bella e sciolta armonia di toni blu, rossi e verdi». (Die April-ausstellung in der Basler Kunsthalle, in: Basler Nachrichten, anno 72°, n. 201, 19 aprile 1916, p. 1.)

18 Aus Zürcher Privatsammlungen, Kunsthaus di Zurigo, 1–29 novembre 1914, n. 43

19 Comunicazione verbale del nipote del collezionista, Dott. Franz Meyer, il 25 giugno 1990.

20 La fattura della Maison Moos è datata 27 giugno 1917.

21 Come nota 4, n. 54 con illustrazione a colori.

22 Sul telaio di «Les deux frères» è apposta un'etichetta della galleria A. Vollard con il numero 5050. – Brassaï, Conversations avec Picasso, Parigi 1964, p. 81 segg. – Sarah McFadden e Jeffrey Deitch, The Midas Brush, in: Art in America, vol. 68, n. 10, dicembre 1980, p. 144.

23 Pottier, Emballeur / Exposition Berlin, n. 26.

24 Karl Scheffler, Berliner Sezession: die zweiundzwanzigste Ausstellung, in: Kunst und Künstler, anno 9°, n. 9, giugno 1911, p. 486.

25 J. Sievers, Die XXII. Ausstellung der Berliner Sezession, in: Der Cicerone, anno 3°, 10° esemplare, maggio 1911, p. 383.

26 Mostra d'arte internazionale del «Sonderbund westdeutscher Kunstfreunde und Künstler», Colonia, 25 maggio – 30 settembre 1912, numero di catalogo 213. – Il quadro è riprodotto come «Nudo» nella rivista «Kunst und Künstler», anno 10°, n. 10, luglio 1912, p. 513, con la nota: «Esposto al Sonderbund, Colonia».

27 Alfred Flechtheim, Sammler, Kunsthändler, Verleger, catalogo della mostra al Kunstmuseum di Düsseldorf, 1987, p. 157. – «Les deux frères» non era fra le opere di Picasso provenienti dalla liquidata galleria Flechtheim s.r.l., che il 5 giugno 1917 Paul Cassirer e Hugo Helbing vendettero all'asta al Berlino.

28 Nella primavera del 1916 il Dott. Paul Linder inviò un dipinto e cinque disegni di Picasso alla «Mostra d'arte moderna da collezioni private basilesi». Secondo il catalogo del-

Painter Looking at Love and Death, Work Cycle 1908–1915], Catalogue and exhibition organized by Jura Brüschweiler, Zurich 1976, nos. 126, 127, 181.

7 The library of the Public Art Collection Basel keeps a copy of the exhibition catalogue donated by the collector, bearing the hand-written dedication: "A Monsieur R. Staechelin. Hommage des organisateurs de l'Exposition Hodler. M. Moos et L. Florentin."

8 The bill sent by Maison Moos lists a *Portrait* by Hodler instead of the *Blick in die Unendlichkeit* [Glance into Infinity] (op. cit. footnote no. 4: no. 63, with colour illustration).

9 Hugo von Hofmannsthal – Carl J. Burckhardt, letters, Frankfurt am Main 1956, p. 10.

10 Pierre Daix, Georges Boudaille, Picasso 1900–1906, Catalogue raisonné de l'Œuvre peint [Catalogue raisonné of the Paintings], Neuchâtel 1966 + 1988, no. V.2.

11 Op. cit. footnote no. 9, p. 12.

12 Hugo von Hofmannsthal – Ottonie Countess Degenfeld, correspondence, Frankfurt am Main 1974, p. 401.

13 Cf. Rudolf Hirsch, Theodora Vonder Mühll and Hugo von Hofmannsthal, in: Neue Zürcher Zeitung, no. 234, October 8th, 1982, p. 39.

14 Cf. Martin E. Schmid, Der Dichter und sein Mäzen, Unveröffentlichte Korrespondenz zwischen Hofmannsthal, Carl J. Burckhardt und Georg Reinhart [The Poet and his Patron, Unpublished Letters between Hofmannsthal, Carl J. Burckhardt and Georg Reinhart], in: Neue Zürcher Zeitung, no. 131, June 9th/10th, 1990, p. 68.

15 Wildenstein 401. – Florens Deuchler, Die französischen Impressionisten und ihre Vorläufer [French Impressionists and their Precursors], the Langmatt Foundation, Sidney and Jenny Brown, collection catalogues vol. I, 1990, p. 126 ff.

16 Wildenstein 284.

17 It probably was *Le vallon* (Wildenstein 488). – The painting listed in the "Neuere Kunst aus Basler Privatsammlungen" [Recent Works of Art from Basel Collections] exhibition catalogue as no. 24 under the title *Tahiti* is described in a review written by Hans Graber as "a landscape... showing a beautiful loose harmony of blues, reds and greens". (Die Aprilausstellung in der Basler Kunsthalle, in: Basler Nachrichten, vol. 72, no. 201, April 19th, 1916, p. 1.)

18 Aus Zürcher Privatsammlungen, Kunsthaus Zurich, November 1st–29th, 1914, no. 43.

19 Information provided orally by Dr. Franz Meyer, the collector's grandson, on June 25th, 1990.

20 The bill sent by Maison Moos is dated June 27th, 1917.

21 Op. cit. footnote no. 4, no. 54 with colour illustration.

l'esposizione il dipinto era un «Pierrot» mentre nel necrologio di R.R. (cfr. nota 2) si parla di un «giovane Arlecchino». Nel marzo del 1925 il «Kupferstichkabinett» (Gabinetto delle Calcografie) del museo basilese acquistò dalla collezione Linder la serie di quattordici acqueforti «La suite des Saltimbanques» di Picasso, ma l'anno dopo rifiutò un'offerta di sei disegni provenienti dalla stessa fonte.

29 *Verbale della seduta della Commissione per le Belle Arti del 22 giugno 1943. Il quadro in discussione era una natura morta di Braque, «La Bouteille d'eau de vie» del 1921, che in seguito fu acquistata dalla Fondazione Emanuel Hoffmann.*

30 *Daix/Boudaille (come nota 10), n. VI.9.*

31 *«Le mort». – Daix/Boudaille (come nota 10), n. VI.2.*

32 *Cfr. i verbali delle sedute della Commissione dell'arte del 3 e 10 giugno 1924.*

33 *Si trattava dei quadri di Valentine Godé-Darel malata (1914) che nel catalogo di Jura Brüschweiler (come nota 6) figurano con i numeri 126 et 127.*

34 *Ciò risulta da uno scambio di lettere con il Dott. W. Klemm della casa editrice Alfred Kröner di Lipsia, che chiese a Rudolf Staechelin il permesso di fare una riproduzione a colori dell'«Arlequin assis» per una ristampa del quinto volume della «Storia dell'arte» di Anton Springer.*

35 *Come nota 4, n. 142 con illustrazione a colori.*

36 *Cfr. «Von Matisse bis Picasso, Hommage an Siegfried Rosengart,» catalogo della rispettiva mostra a Lucerna, Stoccarda 1988.*

37 *Lettera del 24 settembre 1917.*

38 *Lettera dell'8 ottobre 1917.*

39 *Alla stessa mostra venne esposto il quadro di Renoir «Gabrielle au collier», già presentato nel maggio del 1915 alla rassegna «Classici francesi del XIX secolo» allestita alla Kunsthalle. Il 15 aprile 1918 Rudolf Staechelin acquistò il dipinto dalla Maison Moos.*

40 *Lettera scritta da Rudolf Staechelin a Paul Rosenberg il 23 marzo 1925.*

41 *Come nota 34.*

42 *Lettera scritta da Paul Rosenberg a Rudolf Staechelin il 20 luglio 1925.*

43 *Cfr. Manet 1832–1883, catalogo della mostra alle Galeries nationales du Grand Palais, Parigi 1983, p. 74.*

44 *Cfr. Impressionist and Modern Art, The Property of the British Rail Pension Fund, catalogo dell'asta di Sotheby, Londra, 4 aprile 1989, n. 15.*

45 *Lettera scritta da Paul Vallotton a Rudolf Staechelin il 2 febbraio 1918.*

46 *Lettera scritta da Paul Vallotton a Rudolf Staechelin il 6 febbraio 1918.*

47 *Lettera scritta da Rudolf Staechelin a Georg Biermann il 28 gennaio 1922.*

48 *Georg Schmidt nel catalogo della collezione Rudolf Stae-*

22 A Galerie A. Vollard label is glued to the frame of *Les deux frères,* showing the number 5050. – Brassaï, Conversations avec Picasso, Paris 1964, p. 81 ff. – Sarah McFadden and Jeffey Deitch, The Midas Brush, in: Art in America, vol. 68, no. 10, December 1980, p. 144.

23 Pottier, Emballeur/Exposition Berlin, no. 26.

24 Karl Scheffler, Berliner Sezession: die zweiundzwanzigste Ausstellung [Berlin Secession: the 22nd Exhibition], in: Kunst und Künstler [Art and Artists], vol. IX, no. 9, June 1911, p. 486.

25 J. Sievers, Die XXII. Ausstellung der Berliner Sezession [The XXII. Exhibition of the Berlin Secession Group], in: Der Cicerone, vol. III., no. 10, May 1911, p. 383.

26 Internationale Kunst-Ausstellung des Sonderbundes westdeutscher Kunstfreunde und Künstler [International Art Exhibition of the Select Association of West-German Art Enthusiasts and Artists], Cologne, May 25th – September 30th, 1912, catalogue number 213. – This painting is reproduced as *Nude* in the magazine "Kunst und Künstler" [Art and Artists], vol. X, no. 10, July 1912, p. 513, with the annotation: "Ausgestellt im Sonderbund, Köln" [Exhibited at the Select Association, Cologne, exhibition].

27 Alfred Flechtheim, Sammler, Kunsthändler, Verleger – exhibition catalogue of the Düsseldorf Museum of Fine Arts, 1987, p. 157. – *Les deux frères* did not belong to those works by Picasso which were part of the stock from the liquidation of Galerie Flechtheim GmbH and which were auctioned off by Paul Cassirer and Hugo Helbing in Berlin on June 5th, 1917.

28 Dr. Paul Linder loaned one painting and five drawings by Picasso for the "Ausstellung Neuer Kunst aus Basler Privatsammlungen" [Exhibition of Modern Art from Basel Private Collections] in the spring of 1916.
The painting was, according to the exhibition catalogue, a *Pierrot*; in the obituary by R.R. (see footnote no. 2) however, it is described as "Young Harlequin". – The Kupferstichkabinett of the Basel Public Art Collection in March 1925 acquired the fourteen-part series of etchings entitled *La suite des Saltimbanques* [Gypsy Series] by Picasso from the Linder Collection. The Kupferstichkabinett however did not accept six drawings by Picasso offered for sale by the Linder Collection the following year.

29 Protocol of the meeting of the Art Committee of June 22nd, 1943. Up for discussion: the acquisition of Braque's still life *La Bouteille d'eau de vie* [The Brandy Bottle] of 1921, later acquired by the Emanuel Hoffmann Foundation.

30 Daix/Boudaille (op. cit. footnote no. 10), no. VI. 9.

31 *Le mort* [Dead Man]. – Daix/Boudaille (op. cit.footnote no. 10), no. VI.2.

chelin, *mostra in occasione del decimo anniversario della morte del collezionista, Kunstmuseum di Basilea, 1956.*

49 *Verbale della seduta della Commissione per le Belle Arti del 25 novembre 1930.*

50 *Faille 488. – Metropolitan Museum of Art, New York. – Verbale della seduta della Commissione per le Belle Arti del 19 novembre 1925.*

51 *Verbale della seduta della Commissione per le Belle Arti del 2 settembre 1940.*

52 *Verbale della seduta della Commissione per le Belle Arti del 24 settembre 1941.*

53 *Verbale della seduta della Commissione per le Belle Arti del 23 ottobre 1933.*

54 *Verbale della seduta della Commissione per le Belle Arti del 14 dicembre 1934.*

55 *Verbale della seduta della Commissione per le Belle Arti del 28 maggio 1942.*

56 *Verbale della seduta della Commissione per le Belle Arti del 2 maggio 1942.*

57 *Verbale della seduta della Commissione per le Belle Arti del 15 febbraio 1933.*

58 *Verbale della seduta della Commissione per le Belle Arti del 31 gennaio 1934.*

59 *Dieter Koepplin, Die Erwerbung der Cézanne-Zeichnungen in Basel 1934/35, in: Paul Cézanne, Die Basler Zeichnungen, Kupferstichkabinett Basel, 1988.*

60 *Verbale della seduta della Commissione per le Belle Arti del 10 settembre 1934.*

61 *Verbale della seduta della Commissione per le Belle Arti del 2 maggio 1927.*

62 *Öffentliche Kunstsammlung Basel, Jahresbericht 1927 (Öffentliche Kunstsammlung Basilea, rapporto annuale 1927), nuova serie XXIV, Basilea 1928, p. 7.*

63 *Verbale della seduta della Commissione per le Belle Arti del 13 febbraio 1931.*

64 *Cfr. anche: Bericht über das Jahr 1946, in: Öffentliche Kunstsammlung Basel, Jahresberichte 1946–1950, p. 6 segg.*

65 *Verbale della seduta della Commissione per le Belle Arti del 18 aprile 1941.*

66 *Verbale della seduta della Commissione per le Belle Arti del 12 marzo 1942.*

67 *Verbali delle sedute della Commissione per le Belle Arti del 21 febbraio e 12 marzo 1942. – Nel 1968, dopo la morte del collezionista, gli eredi donarono «Le vieux concierge» al museo basilese in memoria dello scomparso.*

68 *Verbale della seduta della Commissione per le Belle Arti del 3 marzo 1939. – Nel 1939 il Dott. Raeber aveva offerto il quadro per 12 000 franchi svizzeri. Nel 1943 Rudolf Staechelin lo pagò 15 000 franchi.*

69 *Cfr. la foto della sala in: Die Geschichte des Basler Kunstvereins und der Kunsthalle Basel 1839–1988, Basilea 1989, p. 176.*

32 Cf. protocol of the Art Committee meeting of June 3rd and 10th, 1924.

33 The paintings listed in the Brüschweiler catalogue (op. cit. footnote no. 6) as nos. 126 and 127, showing the already ill Valentine Godé-Darel of 1914.

34 This is taken from letters written by Dr. W. Klemm of the Alfred Kröner Verlag in Leipzig, asking Rudolf Staechelin for permission to have a multicolor print made of *Arlequin assis* for a new edition of the fifth volume of *Art History* by Anton Springer.

35 Op. cit footnote no. 4, no. 142, with colour illustration.

36 Cf. Von Matisse bis Picasso, Hommage an Siegfried Rosengart [From Matisse to Picasso, Homage to Siegfried Rosengart] exhibition catalogue of the Lucerne Museum of Fine Arts, Stuttgart 1988.

37 Letter of September 24th, 1917.

38 Letter of October 8th, 1917.

39 At this exhibition, Renoir's *Gabrielle au collier* [Gabrielle with Necklace] was also shown; it had already been exhibited in May 1915 at an exhibition called "Französische Klassiker des 19. Jahrhunderts" [Nineteenth Century French Classics] at the Kunsthalle. Rudolf Staechelin acquired the painting on April 15th, 1918, through Maison Moos.

40 Letter of March 23rd, 1925, written by Rudolf Staechelin to Paul Rosenberg.

41 Op. cit. footnote no. 40

42 Letter which Paul Rosenberg addressed to Rudolf Staechelin, on July 20th, 1925.

43 Cf. Manet 1832–1883, exhibition catalogue of the Galeries nationales du Grand Palais, Paris 1983, p. 74.

44 Cf. Impressionist and Modern Art, The Property of the British Rail Pension Fund, auction catalogue, Sotheby's, London April 4th, 1989, no. 15.

45 February 2nd, 1918, letter by Paul Vallotton to Rudolf Staechelin.

46 February 6th, 1918, letter by Paul Vallotton to Rudolf Staechelin.

47 January 28th, 1922, letter by Rudolf Staechelin to Georg Biermann.

48 Georg Schmidt in the catalogue of the Rudolf Staechelin Collection, Memorial Exhibition on the Tenth Anniversary of the Collector's Death, The Basel Museum of Fine Arts 1956.

49 Protocol of the Art Committee meeting of November 25th, 1930.

50 Faille 488. – Metropolitan Museum of Art, New York. – Protocol of the Art Committee meeting of November 19th, 1925.

51 Protocol of the Art Committee meeting of September 2nd, 1940.

52 Protocol of the Art Committee meeting of September 24th, 1941.

53 Protocol of the Art Committee meeting of October 23rd, 1933.

54 Protocol of the Art Committee meeting of December 14th, 1934.

55 Protocol of the Art Committee meeting of May 28th, 1942.

56 Protocol of the Art Committee meeting of May 2nd, 1942.

57 Protocol of the Art Committee meeting of February 15th, 1933.

58 Protocol of the Art Committee meeting of January 31st, 1934.

59 Dieter Koepplin, Die Erwerbung der Cézanne-Zeichnungen in Basel 1934/35 [The Acquisition of the Cézanne Drawings 1934/35], in: Paul Cézanne, Die Basler Zeichnungen, Kupferstichkabinett Basel, 1988.

60 Protocol of the Art Committee meeting of September 10th, 1934.

61 Protocol of the Art Committee meeting of May 2nd, 1927.

62 Public Art Collection Basel, annual report 1927, new series XXIV, Basel 1928, p. 7.

63 Protocol of the Art Committee meeting of February 13th, 1931.

64 Cf. also: annual report 1946, in: Public Art Collection Basel, annual reports 1946–1950, p. 6 ff.

65 Protocol of the Art Committee meeting of April 18th, 1941.

66 Protocol of the Art Committee meeting of March 12th, 1942.

67 Protocol of the Art Committee meeting of February 21st, and March 12th, 1942. – In 1968, after the collector's death, *Le vieux concierge* [The Old Caretaker] was given to the "Öffentliche Kunstsammlung" by his heirs in his memory.

68 Protocol of the Art Committee meeting of March 3rd, 1939. – The painting was offered by Dr. Raeber in 1939 for 12,000 Swiss francs. By 1943, Rudolf Staechelin was to pay 15,000.

69 Cf. the picture of the installation in: Geschichte des Basler Kunstvereins und der Kunsthalle Basel 1839–1988 [History of the Basel Kunstverein and the Basel Kunsthalle 1839–1988], Basel 1989, p. 176.

See right-hand column of this page for the continuation of notes in English.

Franz Meyer

Picasso 1967

Franz Meyer

Picasso 1967

Basel's acquisition by plebiscite in 1967 of two paintings by Picasso will always remain a memorable event in the history of public art collections as well as in Basel's town history. Nor should the events leading up to that acquisition be forgotten: the quite extraordinary involvement of the people of Basel and, as a corollary, the great success of the collection that was taken up, as well as the participation of virtually the entire city in the so-called "Bettlerfest" [Beggar's Party]. What followed in the aftermath of the vote is just as unforgettable: Picasso's spectacular gift of paintings. The story has been retold ever so often, but many years have passed since then. It seems worthwhile to recall the story once more, drawing attention to some facts that are perhaps much clearer now than they were then, and basing the narration on the point of view of someone intimately involved: at the time, I was the curator of the Basel Museum of Fine Arts.

Least known of all is the pre-history, the events that took place during the "hot" – in more than one sense – summer of 1967 at the museum. On June 22nd, the Rudolf Staechelin Family Foundation informed us of their intention to sell van Gogh's "La berceuse". Thereupon, the Basel Museum of Fine Arts was granted the option of acquiring the painting within a month following their notification. Would we prove up to "saving" this painting by van Gogh, so beloved by our visitors and so important to all of us? Collecting the necessary amount, "in the neighbourhood of three to four million", was going to require a lightning action, at quite an unfavourable time due to the onset of the holiday season. However, were we not obliged to try to do the impossible in such a case? What would happen if, once the collection had been taken up, the Foundation should decide to sell some other masterpiece, a possibility which did not seem all that far-fetched to us at the time? Obviously such a fund raising campaign would be feasible only once; from then on, we would be condemned to sit by helplessly in case of any subsequent even more important sales. A decision for or against the venture for the van Gogh painting seemed feasible only within the context of all of the Staechelin Collection's major works. One June 29th, we therefore presented the Art Committee with a list of the four "most crucial works" to be taken into account in case of any such decision, listing them in order of their significance according to the opinion of the museum staff. On that list, "La berceuse" came fourth – after Picasso's

L'acquisto di due quadri di Picasso da parte della città di Basilea nel 1967, tramite referendum popolare, rimane un evento memorabile nella storia dei musei e nella storia di Basilea. Tuttavia non se ne devono dimenticare le premesse: la partecipazione straordinaria della popolazione, il successo della colletta effettuata a questo scopo, l'impegno di tutta la città per la riuscita della «Bettlerfest» (festa, il cui ricavato era destinato all'acquisto dei due Picasso) e, infine, quello che avvenne dopo la votazione, vale a dire la spettacolare donazione dei quadri. A suo tempo se ne parlò molto, ma da allora sono passati tanti anni. Ecco perché mi pare che valga la pena di riprendere l'argomento e chiarire alcune cose che oggi forse risultano più evidenti, tenendo però presente che la mia ottica resta quella di un diretto interessato: nel 1967 ero infatti direttore del Kunstmuseum.

Meno conosciuti sono gli antecedenti, ossia quanto avvenne nell'estate di quell'anno, particolarmente «calda» per noi del museo, anche al di là delle condizioni atmosferiche. Il 22 giugno, la Fondazione di Famiglia Rudolf Staechelin ci informò che aveva intenzione di vendere il quadro di van Gogh «La berceuse» e che concedeva al Kunstmuseum il diritto di prelazione per un mese. Era dunque possibile «salvare» quell'opera così familiare ai nostri visitatori e così significativa per noi tutti? Per raccogliere la somma richiesta (fra i 3 e i 4 milioni) sarebbe stata necessaria una colletta-lampo, cosa difficilmente realizzabile per l'imminenza delle vacanze estive. Eppure non bisognava tentare di tutto in un caso del genere? E che cosa si sarebbe fatto più tardi se, nonostante un eventuale successo, la Fondazione avesse dovuto vendere altri quadri importanti, cosa che non sembrava affatto improbabile? A nostro parere era evidente che una tale raccolta di fondi si sarebbe potuta fare al massimo una volta e che poi saremmo stati costretti a passare la mano in occasione di vendite altrettanto o ancora più importanti. La decisione pro o contro «salvataggio» del van Gogh non poteva prescindere da una valutazione globale di tutte le opere principali della collezione Staechelin. In tal senso, il 29 giugno sottoponemmo alla Commissione per le Belle Arti una lista di quattro opere maggiori – elencate nell'ordine di importanza loro attribuita dal museo – in base alla quale prendere eventuali decisioni. In questa lista «La berceuse» figurava appena al quarto posto, dopo «Deux frères» di Picasso al primo posto, «NAFEA» di Gauguin al secondo posto e «Arlequin assis» di Picasso al terzo posto. La commissione accettò unanimemente questa graduatoria e fu cosí che si rinunciò, con grande rammarico, ad ogni tentativo di conservare «La berceuse».

175

"Deux frères", Gauguin's "NAFEA" and Picasso's "Arlequin assis" respectively. This definition of priorities was unequivocally accepted by the Art Committee; thus, the extraordinarily painful renunciation of any attempt to hold onto "La berceuse".

Notwithstanding the emphasis on the collection's main works of art, the most important issue at the time had to do with the contractual safeguarding of the remaining paintings on loan by the Foundation. Negotiations by the Foundation's Board of Trustees with a delegation of the museum were followed by further dealings with a government delegation. On August 10th an offer was finally made: if the museum saw fit to buy the two Picasso pictures (respectively nos. 1 and 3 on our list), the loan of the other 12 main works for a fixed period of 15 years would be guaranteed. We were told the Foundation had been offered 14 million francs for the two Picasso pictures by parties in the art business; the Foundation in turn offered to sell them to the Museum of Fine Arts for 9 million, though the sum was later reduced to 8.4 million.

We shall always recall the subsequent event as an outstanding chapter of engaged cultural policy on the part of our municipal authorities, who requested the Grosse Rat (Town Council) to grant a credit of 6 million for the Picasso purchases; the sum was actually guaranteed at a meeting of October 12th, with a mere 4 votes against the allocation. The "classis politica" of the city state thus, from the very beginning, almost unanimously favoured this truly spectacular cultural undertaking. How much more strenuous things were in 1939, when Georg Schmidt had requested SFr. 100,000.– in order to allow the museum to acquire so-called "entartete Kunst" (degenerate art); finally, the museum had been allotted SFr. 50,000.–, though not without a struggle. The passing of time alone cannot explain just why the commitment in favour of major works of modern art had become a matter of course by 1967, after all the politically-tinged restrictions of not so long ago. In many respects that commitment reflects the excellent work carried out since 1939 by Georg Schmidt on behalf of the museum's popularity. With the growth of the collection, counting by the fifties amongst the most internationally representative for art originating during the first half of our century, the attitude towards modern art in our town definitely took a turn for the better. And this change worked in favour of the museum in 1967.

Isn't it amazing that these paintings by Picasso, now considered nigh to "classical", were then – for the young as well as for the more "progressive" elements among the city's bourgeoisie – representative of a whole new spirit? One must remember these events took place in Basel before 1968: at the time, young people in particular felt no obligation to turn out in force in favour of such distinctly "establishment-related" values (as they were called as of 1968). In 1967, people were still optimistic about progress, although John F. Kennedy,

Arrivati a quel punto, però, salvataggio dei capolavori a parte, bisognava assicurarsi anche contrattualmente che il resto dei quadri in deposito rimanesse al Kunstmuseum. Queste conclusioni furono seguite da una serie di trattattive tra una delegazione del museo, poi una del governo cittadino e il Consiglio della Fondazione, che fece il 10 agosto l'offerta seguente: se il museo si decideva a comprare i due quadri di Picasso (le posizioni 1 e 3 della lista), sarebbe stato assicurato un deposito fisso delle altre 12 opere principali per i prossimi 15 anni. La Fondazione ci informò che le erano stati offerti dal mercato d'arte 14 milioni di franchi per i due Picasso, mentre sarebbe stata disposta a concederli al museo per 9 milioni, somma questa che fu in seguito ridotta a 8,4 milioni franchi.

Quanto avvenne in seguito restò un esempio di efficace politica culturale da parte delle autorità: il governo fece istanza al gran consiglio per la concessione di un credito di sei milioni per i due Picasso e il gran consiglio diede la sua approvazione nella seduta del 12 ottobre con soli quattro voti contrari. La classe politica cantonale, quindi, sostenne fin dall'inizio e quasi unanimemente la spettacolare azione culturale. E pensare che nel 1939 Georg Schmidt aveva incontrato enormi difficoltà, quando aveva chiesto a nome del museo lo stanziamento di 100 000 franchi per l'acquisto di quella che fu definita «arte degenerata».

Dopo un lungo tergiversare venne per fortuna concessa una somma di 50 000 franchi. Il trascorrere del tempo non basta a spiegare perché l'acquisto di capolavori d'arte moderna, ancora così osteggiato a livello politico nel 1939, ottenne un consenso quasi ovvio nel 1967. Il merito di ciò è da attribuire soprattutto all'influenza esercitata da Georg Schmidt ed all'eccellente lavoro che egli svolse al Kunstmuseum durante gli anni in cui ne fu direttore. Con l'ampliamento della collezione, che negli anni cinquanta era riconosciuta a livello internazionale come una delle più rappresentative anche della pittura della prima metà del nostro secolo, si andò modificando anche l'atteggiamento della città nei confronti dell'arte moderna. Questo cambiamento tornò nel 1967 a tutto vantaggio del museo.

D'altra parte, non è sorprendente che a suo tempo questi stessi quadri di Picasso, che oggi definiremmo piuttosto «classici», abbiano assunto il ruolo di testimoni del nuovo spirito della nostra epoca, sia per i giovani che per i borghesi di stampo «progressivo» della città? Naturalmente bisogna considerare che i fatti, di cui ci occupiamo, ebbero luogo «prima» del 1968: in seguito, proprio i giovani non si sarebbero più entusiasmati per quelli che furono definiti i valori dell'«establishment», per usare un'espressione allora in voga. Il 1967, invece, fu ancora un anno caratterizzato dalla fiducia nel progresso. Anche se John F. Kennedy, il rappresentante simbolico di quell'epoca, era scomparso da tempo, e la guerra continuava ad imperversare in Vietnam, la crescita economica e la conquista dello spazio venivano ancora considerate come garanti di un glorioso futuro. Quanto all'«arte moderna», che una volta era stata sentita come negazione dei valori borghesi al di fuori della cerchia ristretta dei suoi sostenitori, essa

"Les deux frères" as a street painting and as an advertisement for the vote

«Les deux frères» divenuto soggetto di pitture stradali

The voting results of Sunday, December 17, 1967 are put up at the town hall
32 118 citizens voted in favor of acquiring of the
Picasso paintings. 27 190 voted against their acquisition

Il risultato della votazione di domenica 17 dicembre 1967 viene affisso alla Rathaus
32 118 cittadini hanno votato a favore dell'acquisto dei due Picasso
27 190 cittadini hanno votato contro

the symbolic representative of that period, had long been dead, and the war in Vietnam was in full swing. But economic growth and the conquest of space were still considered the self-evident guarantors of a glorious future. And "modern art", once considered as the very epitome of anti-bourgeois values by all except a small circle of disciples, now stood for "open-mindeness", for the "future-oriented" mentality of a renewed middle-class world. The fact that such a mentality was still somewhat intact played in favour of the Basel Picasso event. Of course it was crucial to the event that the paintings in question were "legible", showing recognizable objects. Actually, they were works of a truly "classical" mood, as the museum sought to underscore by hanging Picasso's "Deux frères" side by side with Holbein's "Family Portrait", following a suggestion to that effect by Christoph Bernoulli.
In this entire venture, it was not only the Picasso pictures themselves that played a crucial role however. At the same time, people were tending to speak of "saving" the "threatened" Foundation Collection. An article entitled "All Hands

divenne allora una prova dello spirito aperto e vòlto al progresso di un rinnovato mondo borghese. E fu proprio questo spirito dell'epoca, pressoché intatto, ad avere un influsso positivo sulle vicende legate ai Picasso di Basilea. Non fu privo di importanza il fatto che i due dipinti in questione non erano «difficili» da capire. Si trattava anzi di una pittura figurativa, di tono classico, come, su proposta di Christoph Bernoulli, si cercò di dimostrare a suo tempo al Kunstmuseum, ponendo uno accanto all'altro il «Deux frères» di Picasso e il «Ritratto di Famiglia» di Holbein. L'azione di salvataggio non era rivolta solo ai due Picasso: contemporaneamente si pensava di «salvare» anche il resto della collezione Staechelin. Nella «Nationalzeitung» del 30 giugno, Wolfgang Bessenich scrisse sotto il titolo «Tutti in coperta!» «Il Kunstmuseum di Basilea corre pericolo di subire una grave perdita. La pinacoteca rischia di essere mutilata di una delle sue parti più belle, che ha maggior impatto sul pubblico, compreso quello straniero.» Una delle «sue» parti? Potevano dirsi «suoi» i quadri avuti in prestito da una fondazione privata?
Durante il periodo, in cui fu direttore Georg Schmidt, i mezzi

Franz Meyer, Pablo Picasso and Jacqueline in Mougins

Franz Meyer, Pablo Picasso e Jacqueline a Mougins

on Deck!" by Wolfgang Bessenich of June 30th, published by the "Nationalzeitung", began with the words: "The Basel Museum of Fine Arts is threatened by an irremediable loss. One of the most beautiful items in our art gallery and probably one with the greatest impact on our out-of-town visitors is threatened in its integrity." But can it be said that paintings on loan by a private foundation truly belong to a museum?

The acquisition funds available to the Basel Museum of Fine Arts during the Schmidt era were modest enough. Throughout the forties and fifties, they were selectively used to acquire some still available 20th century masterpieces. No thought could be spared for "the basics", i.e. Impressionism and Post-impressionism, except for the "main case", namely Cézanne (cf. the two marvelous acquisitions of 1955 and 1960). Therefore Georg Schmidt was simply obliged to base

finanziari del museo rimasero modesti e furono soprattutto impiegati, negli anni quaranta e cinquanta, per acquistare qualche opera maggiore del XX secolo, all'epoca ancora accessibile. Era fuori di questione pensare di costituire una «base» di impressionisti e postimpressionisti (le due gloriose acquisizioni di Cézanne nel 1955 e nel 1960 rappresentano un'eccezione). Fu per evitare che nella galleria di pittura del museo mancassero opere introduttive all'arte moderna che Georg Schmidt fu costretto a ricorrere ai prestiti della Fondazione Staechelin. Anche nei confronti di quest'ultima fu importante integrare subito questi dipinti nella collezione del museo, in modo da dimostrare «ad oculos» la necessità del deposito: con l'offerta del 1967 e il prolungamento del prestito della maggior parte dei capolavori oltre il termine contrattuale, la Fondazione ha dimostrato di averne tenuto conto.

Ai tempi di Schmidt, dover contare su un deposito senza regola-

Picasso offering a choice of two paintings side by side

Picasso pone i due quadri da scegliere uno accanto all'altro

the museum collection on loans made by the Staechelin Foundation; otherwise the gallery would have lacked any example at all of modernism's point of departure. It was important to openly include those loans out of respect as well for the Foundation. Thus the absolute necessity of the loans was demonstrated "ad oculos". The Foundation took this into account when making its package offer of 1967, and by keeping most of the main works of art on loan even after and beyond the relevant contractual obligations.
The fact that the museum based its decision during the Schmidt era on a loan lacking any purely legal safeguard, therefore was a risk taken out of dire necessity. If this is to be considered as a mistake, it is one committed by earlier generations: for why had no comparable acquisitions been made for the public art collection in the period between World War I and II? It is true such pictures were even more expen-

menti giuridici, fu quindi un rischio imposto dalle circostanze. Eventuali errori sotto questo profilo vanno imputati alle generazioni precedenti. Perché non furono effettuati acquisti altrettanto importanti per la collezione del museo nel periodo tra le due guerre? Ovviamente anche allora i prezzi dei quadri erano troppo elevati rispetto ai fondi a disposizione. Come mai la commissione preposta agli acquisti, di cui tra l'altro faceva parte proprio Rudolf Staechelin ed accanto a lui il suo amico Charles Im Obersteg come pure un gruppo di artisti, aperti nei confronti delle correnti moderne (nel frattempo Wilhelm Barth continuava a dimostrare alla Kunsthalle cosa si poteva considerare come grande arte della fine del XIX secolo e dell'inizio del XX), non fu in grado di procurare i mezzi necessari per salvaguardare il così particolare prestigio della collezione del museo? O quel gruppo di persone così eterogeneo ebbe troppa poca fiducia nell'immenso valore delle opere in discussione? Se non altro, vi furono alcune

sive in that era than the funds available. The purchase committee at the time included Rudolf Staechelin himself, as well as his friend Charles Im Obersteg and several artists favouring modernist art (at the very time Wilhelm Barth had taken to presenting with insistence in the Kunsthalle what was to be defined as the truly great art of the late 19th and early 20th centuries). Was that very prestigious group really unable to come up with sufficient means to expand a public art collection in which it had, after all, a vested interest? Or did they underestimate the immense value of such paintings and thus fail to gain acceptance for such acquisitions by a mixed board of directors? There were however some exceptions: e.g. van Gogh's "Mademoiselle Gachet at the Piano", acquired in 1934, and 140 drawings by Cézanne in 1934/35 (a truly courageous and profitable acquisition for our collection). But why was that all they accomplished?

Such regrets are only worth considering with the intention of improving the situation in the immediate. And this was what Georg Schmidt accomplished within the limits of his times and of his possibilities. In order to complete the modern collection to the fullest degree, he had to rely on the Staechelin deposita, accepting the risk entailed. The loans integrated into the collection thus became irreplaceable, so that the 1967 notification represented a threat to the entire collection. The signal was taken up and understood by the city, which led to the unique and unforgettable mobilization of its population, eager to help solve the museum's problem and to acquire those truly significant works of art.

Looking back over those stimulating battle times, we nevertheless have to mention a certain discrepancy: the (perfectly legal) sales, so eminently necessary for the Staechelin family, were understood and interpreted as a kind of enemy action, reflecting the battlefield mood of the times. This was surely unjustified. The starting point for all that was to come was the after all unsolicited permanent loan of the pictures, which then served to a great extent as a cornerstone for the city's classical modern art collection. Even taking into account the insurance rates that became incumbent upon the city and the costs for entrusting the works to a curator, this still represents a prominent contribution to the cultural assets of our city. That museums prefer to receive donations instead is no secret, but even short-term loans of important works (in the seventies, for example, the large Pollock painting sold to Teheran as well as "Plastischer Fuss, elastischer Fuss" by Beuys) do leave traces. All the more traces are left by the nigh to constant presence of important paintings by Cézanne, Gauguin, van Gogh and Picasso. Indeed, I am convinced that those who deign to put works of art at the disposal of the public in such a generous manner should not be punished at such time as they wish to repossess them. Be it only because such an attitude would be counterproductive in such cases where a museum vitally depends on important

eccezioni: nel 1934 venne acquistato il quadro di van Gogh «Mademoiselle Gachet al pianoforte» e tra il 1934 e il 1935 furono comperati 140 disegni di Cézanne (un acquisto molto coraggioso e fruttuoso per la collezione!). Ma perché non si proseguì su questa strada?

Tale rammarico non ha senso, se non è accompagnato dalla volontà di migliorare le cose: fu proprio questo che fece Georg Schmidt, cercando di sfruttare tutte le possibilità che aveva a quell'epoca. Per rendere completa la collezione di pittura moderna, fu costretto a contare sul deposito della Fondazione Staechelin e ad accettarne i rischi connessi. L'integrazione di questo insostituibile deposito nella collezione del Kunstmuseum diede adito nel 1967 alla notizia che l'integrità della collezione stessa era in pericolo. La città reagì al segnale d'allarme e dimostrò un impegno unico e indimenticabile, sostenendo la causa del museo e mostrando un autentico interesse per quei capolavori di valore inestimabile.

Tuttavia, riandando con la memoria a quello stimolante periodo di battaglie, è doveroso registrare anche una nota stonata: la vendita dei quadri, necessaria (e del tutto legale) per la famiglia Staechelin, venne interpretata, complice appunto l'atmosfera «battagliera», come un atto di ostilità. Questa presa di posizione fu ingiustificata. In fondo, alle radici di tutta la questione vi era il prestito volontario e a lungo termine di opere, grazie alle quali il grande pubblico aveva imparato ad apprezzare l'arte classica «moderna». Anche considerando i premi d'assicurazione a carico della città e le spese di conservazione a carico del museo, il prestito degli Staechelin rimane un contributo straordinario alla vita culturale di Basilea. Non è un segreto che ogni museo preferirebbe una donazione, ma anche prestiti a breve termine di opere importanti (per esempio, negli anni settanta, il grande quadro di Pollock venduto a Teheran e «Piede plastico, piede elastico» di Beuys) lasciano il segno. Ancor più grande lo lascia la presenza, quasi fissa, di quadri famosi di Cézanne, Gauguin, van Gogh e Picasso. Allora lasciatemi dire che non è giusto punire chi mette a disposizione della comunità opere di valore nel momento in cui le riprende. Non fosse altro perché un simile atteggiamento è sempre controproducente se si considera che spesso il museo non ha altre risorse che un prestito importante. Uno dei fattori che influenzò in modo negativo l'opinione pubblica nel 1967 fu anche l'entità della somma da reperire. Questa sembrava a molti critici degli avvenimenti di quei giorni un motivo valido per sollecitare la famiglia Staechelin ad anteporre l'interesse pubblico al proprio. Quello che si aspettava dalla scelta tra interesse pubblico e privato, era una generosità, di cui ben pochi tra quegli stessi critici sarebbero stati capaci.

Ma torniamo ai lati positivi dell'evento, all'ondata di solidarietà e impegno che culminò nel «Bettlerfest», una manifestazione a cui partecipò «tutta Basilea», con apporti creativi e con ingenti contributi in denaro. Queste manifestazioni furono di grande sostegno durante la campagna per la votazione. Per il museo fu un'esperienza estremamente stimolante, tuttavia era difficile cre-

Arrival of the donations in Basel

I doni sono arrivati a Basilea

loans. In 1967, public opinion also entailed vexation with all the financial red tape required. This seemed reason enough for many a critic to issue warnings that the personal interests of the family were taking precedence over the public interest issues. The generous turn of mind that would have been required to draw up an objective balance sheet of the public and private interests involved was lacking in most critics. Turning back to the more positive aspects of our story, to the wave of solidarity and enthusiasm that cumulated in the famous "Beggar's Party", we remember how "all Basel" participated with no holds barred. This wave of empathy signified equally strong support in the battle for votes, an immensely stimulating experience for the museum. Nevertheless, collecting the requisite number of votes seemed almost impossible. The happy and surprising results of the plebiscite were all the more gratifying!

The second part of Basel's Picasso story – Picasso's and soon afterwards Maja Sacher's gifts – has already been extensively commented upon elsewhere. Yet the very special role played by Jacqueline Picasso as to the gifts from Mougins seems – with the exception of some references in the book written by Bernard Scherz and Kurt Wyss – to be largely forgotten. Let me recapitulate...

...In 1950 I visited Picasso for the first time, together with Max Huggler. In his studio in Vallauris we were shown what had been created over those years, including the extraordinary painting "La cuisine", landscapes from Vallauris, childhood paintings, the political pamphlet "La guerre de Corée" and the wonderful plaster version of "La chèvre". There were frequent meetings after my marriage to Ida Chagall, whom

dere in una vittoria. Tanto maggiore fu la gioia, quando il risultato fu dunque così sorprendentemente positivo.

Riguardo alla seconda parte della storia dei Picasso di Basilea, vale a dire le donazioni di Picasso stesso e più tardi di Maja Sacher, si è già scritto spesso e molto. Quello che è meno noto, mi pare di poter dire oggi, è il ruolo particolare rivestito da Jacqueline Picasso nella storia delle donazioni di Mougins, a cui si accenna solo nel libro di Bernhard Scherz e Kurt Wyss. Ecco perché ora vorrei parlarne io. Nel 1950 visitai la prima volta Picasso insieme a Max Huggler. Nell'atelier di Vallauris potemmo ammirare quanto il maestro aveva creato in quegli anni, per esempio lo straordinario dipinto «La cuisine», paesaggi di Vallauris, ritratti di bambini, il pamphlet politico «La guerre de Corée» e uno splendido modello in gesso della «chèvre». Dopo il mio matrimonio con Ida Chagall, per la quale Picasso nutriva grande simpatia, i nostri incontri si intensificarono: una volta ci vedemmo a Parigi con Françoise (poco prima della separazione), poi alla «Californie», la villa sopra Cannes, con tanto di sfarzo borghese e finestre liberty, che Picasso aveva integrato nella sua vita e nel suo lavoro, quindi a Nîmes, dopo la corrida e infine a Vallauris, in occasione dell'ottantesimo compleanno dell'artista, e a Golfe Juan. Osservare quell'uomo gracile, col suo bel volto dagli occhi straordinariamente espressivi e percepire la sua vitalità spirituale, fu per me ogni volta un'esperienza toccante. D'altra parte, confesso che mi sentivo anche intimorito da tutto ciò che Picasso rappresentava. Fu sempre Jacqueline, la compagna dell'artista dal 1954 (e sua moglie a partire dal 1961) a farmi uscire dal guscio e ad incoraggiarmi a parlare. Io ammiravo la sua grazia (questa parola di sapore antiquato le si addice perfettamente), questa unione di bellezza classica e di profondo realismo illu-

Pablo Picasso
Homme, femme et enfant, 1906
Donation by the artist
Basel Museum of Fine Arts

Pablo Picasso
Homme, femme et enfant, 1906
Dono dell'Artista
Kunstmuseum di Basilea

Pablo Picasso
Les demoiselle d'Avignon, 1907 (Study)
Donation by the artist
Kupferstichkabinett, Basel Museum of Fine Arts

Pablo Picasso
Les demoiselles d'Avignon, 1907 (Studie)
Dono dell'Artista
Kupferstichkabinett, Kunstmuseum di Basilea

Picasso liked very much: once in Paris with Françoise (short-ly before their separation), afterwards during visits at "La Californie" – the villa above Cannes whose bourgeois splen-dour and Art Nouveau window tracery Picasso managed to integrate into his life and work, in Nîmes for meetings after the bullfights and finally at the party for his 80th birthday in Vallauris and Golfe Juan. To observe this gracile man with his beautiful broad-featured face and eyes of an unforgetta-

minato. Mi rimarrà per sempre il ricordo del suo grande calore umano.
Nel corso dell'autunno 1967, degli amici comuni tennero Picas-so costantemente al corrente sugli avvenimenti di Basilea. Egli fu estremamente sensibile al risultato straordinariamente lusinghiero della votazione (che in fondo si sarebbe potuta definire un plebiscito pro Picasso), ma ci volle l'abilità di Jacqueline per sfruttare questo entusiasmo e spingere l'artista non troppo gene-

Pablo Picasso
Vénus et l'Amour, 1967
Donation by the artist
Basel Museum of Fine Arts

Pablo Picasso
Vénus et l'Amour, 1967
Dono dell'Artista
Kunstmuseum di Basilea

Pablo Picasso
Le couple, 1967
Donation by the artist
Basel Museum of Fine Arts

Pablo Picasso
Le couple, 1967
Dono dell'Artista
Kunstmuseum di Basilea

ble brilliance, to experience his mental alacrity, was a touching experience every time we met. I have to admit though that I always felt quite intimidated by all that Picasso symbolizes.
And it was always Jacqueline, Picasso's companion since 1954 (and – since 1961 – his wife) who brought me into their circle and encouraged me to speak up. I admired her graciousness – that oldfashioned word is indeed appropriate, the combina-

roso nonostante la sua spontaneità, a fare una donazione a Basilea. Ella mi telefonò alla Kunsthalle la sera della domenica, nel corso dei festeggiamenti per la vittoria riportata. «Venez tout de suite», mi disse, «il y aura une grande surprise pour vous!». Volevo rinviare la partenza a causa di una seduta della commissione l'indomani e di diversi altri impegni, ma Jacqueline insistette: «Si vous attendez, il pourrait très bien changer d'avis.»
Come è noto, la munifica donazione consistette nel quadro

183

tion of her classically perfect beauty and her inspired close touch to life. And I still remember her great human warmth. All through fall 1967, mutual friends kept Picasso informed about events in Basel. He fully realized the significance of the vote victory – actually one might well define the vote as a plebiscite in favour of Picasso. But it took Jacqueline to put his enthusiasm to good use by winning Picasso, whose spending was not on a par with his proverbial spontaneity, over to the idea of making a gift to Basel. Her phone call reached me on the Sunday evening, while we were celebrating our victory in the Kunsthalle restaurant. "Venez tout-de-suite", she said, "il y aura une grande surprise pour vous!" [Come at once, there'll be a big surprise for you]. And when I tried to put her off, since a board meeting was scheduled the very next day, she insisted: "Si vous attendez, il pourrait bien changer d'avis." [If you wait, he might well change his mind]. It is common knowledge that Picasso's magnificent gift consisted of "Homme, femme et enfant" [Man, Woman and Child] of 1906, plus one coloured sketch "Demoiselles d'Avignon", very important and well known in literature, on the one hand, and two paintings of 1967 on the other. Upon my arrival, I was shown the first two works, a selection Picasso had made on the Sunday of the votation and that took the Basel collection into account: the 1906 painting represented a "step further" than the "Deux frères", the sketch visualizing his coming to terms with Cézanne and the changeover of 1907. The sketch served as well as a logical transition to Basel's imposing main painting, "Pain et compotier sur une table" [Bread and Fruit Bowl on a Table] of 1909. However, the significance of "Homme, femme et enfant" went beyond the reference to art history. While we were looking the painting over, Jacqueline told me why that particular painting was so important to them: Fernande, in the picture, bore a striking resemblance to Jacqueline. This work of 1906, she said, was a painting "de lui et de moi avec l'enfant qu'on n'a pas eu!" [A painting of us two with the child we never had]. At the time I was not aware that Jacqueline had been expecting a child by Picasso but had not been able to carry it to full term. All this had a crucial effect on the selection of that painting for Basel. It was obvious that, at least to Jacqueline, that work had a special, personal significance.

At first, Picasso had told me he wanted to present us as well with a painting from his last work period (the summer of 1967), but that he had not as yet been able to choose one. During our talk a bit later, he decided to show me the paintings, so we could make a choice together. We climbed to the first floor, where Picasso fumbled with a large bunch of keys. The door was finally unlocked, revealing a particularly bright studio, where Picasso had worked the summer before. There were approximately 40 paintings, probably his entire artistic production at that time. We began looking through them, one after the other.

«Homme, femme et enfant» del 1906, in un importante schizzo a colori delle «Demoiselles d'Avignon», spesso citato nei libri d'arte, e in due quadri del 1967. Quando arrivai, mi vennero presentate le prime due opere. La loro scelta era stata effettuata da Picasso stesso, dopo la famosa domenica, come completamento ai dipinti che già si trovavano a Basilea: il dipinto del 1906 rappresentava il «passo successivo» ai «Deux frères», mentre lo schizzo, oltre a fungere da ponte al poderoso «Pain et compotier sur une table» del 1909, anch'esso a Basilea, testimoniava lo «scontro» con Cézanne e il profondo rivolgimento del 1907 nell'opera di Picasso. Per quanto riguarda «Homme, femme et enfant» non furono determinanti solo i fattori storici o artistici: quando guardammo il quadro, Jacqueline spiegò perché esso era così importante per Picasso e per lei stessa. Fernande, in questo dipinto del 1906, le rassomigliava in modo sorprendente e, come mi disse, in fondo la rappresentazione era «de lui et de moi avec l'enfant qu'on a pas eu!». Allora non sapevo che Jacqueline era stata in attesa di un figlio di Picasso e che non aveva potuto portare a termine la gravidanza. Tutto questo aveva influenzato la scelta del quadro per Basilea: evidentemente, almeno per Jacqueline, la tela aveva anche un significato personale molto particolare.

Al mio arrivo, Picasso mi aveva detto che aveva l'intenzione di regalarci anche un quadro del suo ultimo periodo di lavoro (l'estate 1967), ma che non aveva ancora deciso quale. Più tardi, nel corso del nostro colloquio, pensò bene di mostrarmi i dipinti in modo da effettuare la scelta in comune. Salimmo al primo piano, Picasso tirò fuori un enorme mazzo di chiavi e, quando la porta si aprì, ci trovammo nel luminoso atelier, in cui aveva lavorato tutta l'estate. Vi erano 40 quadri, probabilmente tutta la produzione di quel periodo. Iniziammo a guardarli uno per uno. Nel frattempo arrivarono Kurt Wyss e Bernhard Scherz della «Nationalzeitung» di Basilea. Il giorno prima si erano presentati al portone d'ingresso della casa con una pila di articoli di giornale. Jacqueline stessa li aveva cercati a Mougins, pregandoli di venire durante la mia visita. Il suo scopo era di far sapere a Basilea come Picasso aveva reagito agli onori tributatigli. Mentre il maestro si era allontanato qualche minuto per prendere una medicina, continuai a confrontare i quadri a mio parere più significativi. In particolare ve ne erano due, molto diversi tra loro, che avevano attirato la mia attenzione. E, quando andando dall'uno all'altro, tra me e me dissi: «Pour le moment je ne sais pas lequel des deux!», Jacqueline, che aveva udito le mie parole, prese la palla al balzo e disse: «Mais pourquoi pas tous les deux!». Mentre Picasso era ancora assente, mettemmo i due quadri l'uno vicino all'altro e, quando l'artista tornò, Jacqueline gli chiese: «Tu ne penses pas, que ces deux seraient bien ensemble?». Avendo capito che ciò avrebbe fatto piacere a Jacqueline, egli fu subito d'accordo con la sua proposta: fu così che venimmo in possesso di altre due tele. Non è soltanto l'idea del regalo a Basilea che dobbiamo a Jacqueline, ma anche come condusse e portò a termine questa singolare vicenda.

Pablo Picasso
Le poète, 1912
Donation by Maja Sacher-Stehlin
Basel Museum of Fine Arts

Pablo Picasso
Le poète, 1912
Dono di Maja Sacher-Stehlin
Kunstmuseum di Basilea

In the meantime, Kurt Wyss and Bernhard Scherz of the
"Basler Nationalzeitung" arrived. The day before, they had
left a whole pile of newspaper clippings from Basel at the entry to the house. Jacqueline Picasso therupon sought them
out in Mougins, and asked them to return during my visit.
She wanted them to report back to Basel about how Picasso
had reacted to that city's toke of esteem to the artist.
When Picasso left me alone for a short time in order to take
some medication, I continued to compare the paintings I
considered the most impressive. Two very contrary ones had
caught my fancy. Going from one to the other, I muttered:
"Pour le moment, je ne sais pas lequel des deux" [I cannot
for the moment decide which of the two]. Jacqueline, who
had heard my comment, picked up the thread of my thought:
"Mais pourquoi pas tous les deux?" [Why not both of them?]
With Picasso still absent, we put the two side by side. And
when Picasso came back, she asked him: "tu ne penses pas
que ces deux iraient bien ensemble?" [Don't you think those
two would go well together?] He accepted the suggestion at
first glance, obviously because he realized it would please
Jacqueline: thus we were given two new paintings. Therefore not only did the idea of making a gift to Basel originate
with Jacqueline, but it was she who stage-managed the
generous concretization of that gift.

Simon de Pury

Price evolution in the art market and its consequences for collectors and museums

In order to analyze the influence of price developments on the general attitude of collectors and museums, a more precise definition of these two terms is needed. Indeed, there are several types of museums. On one hand there are public museums – national, municipal or those belonging to a public institution; on the other, there are private collections or museums, open as well to the public.

A further major type of classification is based on a given museum's purchasing capacity. In certain cases such capacity is so restricted by the statutes of the institution concerned as to be virtually non-existent. In the best of cases, funds bequeathed by a donator are destined exclusively for the maintenance and management of the works of the art involved. This prevents curators from making any new acquisitions; quite often, they are not even allowed to rearrange works of art in their respective exhibition spaces. The most famous example is the Stuart Gardner Museum in Boston. In other cases, the purchase fund itself is so limited or, to all practical purposes, again non-existent, that any enlargement of the collection is impossible. Italy's national museums are a good example.

All in all, only a few museums and foundations are actually in a position to pursue a policy of expansion with regard to their assets. Indeed, those are among the most interesting. In fact, the Basel Museum of Fine Arts represents a perfect combination of the three different types of museums, comprising as it does three main parts: the Amerbach Cabinet (one of Europe's oldest private collections), an important publicly owned collection of Impressionist and Modern paintings, and an outstanding series of works on loan to the museum. Indeed, this unusually active museum operates somewhat like a cooperative composed of various lenders who put their paintings at the disposal of the museum while retaining full legal title to them.

At this juncture, we would like to emphasize the crucial role played by collectors. Kenneth Clarke underscores their importance in his preface to "Les grandes collections privées", Editions du Pont Royal, 1963: "All considered, the world is enormously indebted to individual collectors. Without them, a large number of magnificent works of art would have been lost or destroyed. Actually, our public collections consist to a much larger extent than generally presumed of accumulated or reunited private collections. Indeed, a national or munici-

Simon de Pury

L'evoluzione dei prezzi sul mercato dell'arte e le conseguenze che ne derivano per musei e collezionisti

Prima di analizzare le conseguenze dell'evoluzione dei prezzi sul comportamento di collezionisti e musei, è necessario definire più precisamente questi due termini.

Il termine museo ha diversi significati: in primo luogo abbiamo i musei di proprietà di uno stato, di un comune o di un'istituzione pubblica, poi le collezioni e i musei privati, aperti al pubblico. Un altro criterio importante di classificazione è dato dalle capacità d'acquisto di un museo: in certi casi lo statuto vieta esplicitamente qualsiasi nuovo acquisto. Nel migliore dei casi il donatore lascia un fondo destinato esclusivamente alla gestione e al mantenimento delle opere d'arte, impedendo così ai conservatori di comprare nuove opere e talvolta anche di cambiare la disposizione dei quadri nelle sale d'esposizione. L'esempio più celebre è lo Stuart Gardner Museum di Boston.

In altri casi il budget per gli acquisti è talmente limitato, per non dire inesistente, che ogni tipo di ampliamento delle collezioni è praticamente escluso fin dall'inizio. È il caso dei musei pubblici italiani.

Infine restano i musei e le fondazioni che dispongono dei mezzi necessari per arricchire il loro patrimonio artistico. È a loro che si rivolge il nostro interesse.

Il Kunstmuseum di Basilea rappresenta la sintesi perfetta di questi tre tipi di musei. Esso è diviso in tre parti principali: la collezione Amerbach (una delle prime collezioni private d'oggetti d'arte in Europa), un'importante collezione di opere impressioniste e moderne di proprietà del comune di Basilea, nonché una serie ragguardevole di prestiti.

Molto attivo, questo museo agisce un po' come una cooperativa composta da privati che mettono a disposizione i loro quadri, pur restandone i proprietari legali.

A questo punto va menzionata l'importanza dei collezionisti. Kenneth Clark la sottolinea in modo eccellente nella prefazione alla sua opera: «Le grandi collezioni private» (Ed. Pont Royal, 1963): «In fin dei conti, il mondo deve profonda gratitudine ai collezionisti privati. Senza di loro un numero notevole di eccellenti opere d'arte sarebbe andato perduto o distrutto. Infatti, le nostre collezioni pubbliche sono – ben più di quanto ci si possa immaginare – un raggruppamento e un accumulo di collezioni private. A dir la verità, bisogna ammettere che più un museo si basa su collezioni private (come il Prado o il Mauritshuis), più le sue opere sono pregiate.»

Le grandi collezioni delle corti principesche stanno alla base di tutti i grandi musei europei. I Medici, i Papi, i re di Francia e

187

pal museum based on private collections, such as the Prado or the Mauritshuis, is usually all the more worth admiring." Many an extensive collection founded by a prince or a nobleman is at the origin of the larger European museums. The Medicis, the various popes, the kings of France and England were not only famous collectors, but also the creators of the largest museums. Therefore, an analysis of the psychological profile of collectors is very important. Some determinedly refuse to present their works of art to a larger public although, once they are dead, oft as not their heirs cannot wait to scatter their property far and wide. Others, quite to the contrary, find vital inspiration in confronting as large a public as possible: they open their residences to the public, and loan or bequeath their masterpieces to a museum.

In this respect, industrialists as of the turn of the century can be considered on a par with the already mentioned princely collectors, through their deep involvement in both professional and civic activities. The industrialist Emil G. Bührle is an outstanding example. Among the most fervent supporters of the Zurich Arts Center, he provided the funds for adding a new wing and repeatedly helped finance new acquisitions. Bührle's support as a collector was amazingly extensive. He was in fact unable to separate his activities as an industrialist from those in favour of the arts: "A true entrepreneur is something of an artist, too, even though he is a creator whose tool is neither the pen, the brush nor the chisel but reality instead. It is not by accident then that the most important heads of enterprises love to build things, and that quite a number of them collect paintings or sculptures, if they are not painters or sculptors in their own right." And, as he further explained to a friend, collecting represents a manner of transcending reality: "I had to steal time away from work to be with my canvases, but just being in their company gave that time back to me a hundredfold. Every moment I spent there represents a fragment of eternity." As a collector and patron there is no doubt that Rudolf Staechelin belongs in the same category.

Having defined both the type of collector and of museum structure that made it possible for private and public collections to blossom as they have during this century, we would now turn to an analysis of those market features most apt to encourage donations or loans of works of art. This is all the more relevant considering the rocketing prices attained at auctions nowadays. The sum of 160 million dollars paid within a mere two days in May 1990 by one and the same Japanese collector for a van Gogh and a Renoir at Christie's and Sotheby's respective auctions, makes establishing a museum boasting a complete collection of Impressionist and contemporary Modern painting seem like an impossible feat.

At the end of World War I, when Rudolf Staechelin established the largest part of his collection, the market

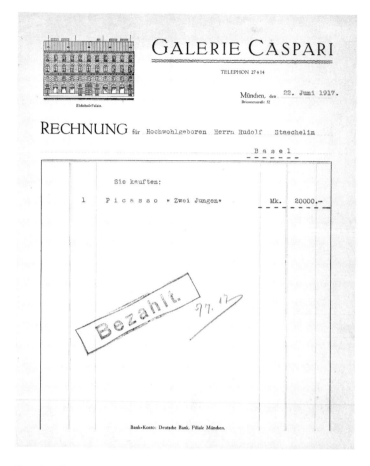

Invoice from Caspari gallery, Munich of June 22, 1917 for a painting by Picasso, "Zwei Jungen"

Fattura della Galleria Caspari di Monaco del 22 giugno 1917 per il dipinto di Picasso «Zwei Jungen»

d'Inghilterra non furono soltanto grandi collezionisti, bensì i fondatori dei maggiori musei.
In questo contesto è importante distinguere i diversi tipi psicologici del collezionista. Alcuni di loro si rifiutano in modo quasi maniaco di far conoscere le loro opere al pubblico, e alla loro morte gli eredi spesso si affrettano a vendere i loro beni. Altri invece sono dell'opinione che la loro attività di collezionisti abbia bisogno del confronto con un pubblico quanto mai vasto; perciò le loro case si aprono, capolavori di proprietà privata vengono dati in deposito o in lascito ai musei.
Ai collezionisti di estrazione nobile, menzionati in precedenza, corrisponde l'industriale borghese degli inizi del novecento, impegnato al massimo sia nella sua attività professionale che nella vita politica. Ne è dimostrazione esemplare Emil G. Bührle. Egli fu uno dei sostenitori più ferventi del Kunsthaus di Zurigo mettendo a disposizione i fondi necessari per una nuova ala del museo e appoggiando finanziariamente l'acquisto di nuove opere.

structure was quite different. The Old Masters clearly obtained the highest prices. That was the time Gulbenkian and Mellon acquired the greatest masterpieces on the London market or from Soviet museums for prices running into millions of francs. By then, Gauguin and van Gogh were no longer the unappreciated painters of their beginnings, yet their market value could not begin to rival with that of a Rembrandt or a Gainsborough.

An analysis of the invoices for new acquisitions by the Staechelin Foundation is quite revealing as to the development of tastes and prices for works of art at different periods of time. The Staechelin Collection is comprised mainly of Swiss and French paintings dating over the last hundred years…

On June 27th, 1917, Rudolf Staechelin was able to buy Gauguin's sumptuous painting "NAFEA faaipoipo" (When Will You Marry?) for the astonishing price of SFr. 18,000. Six months later, he also acquired three small paintings by Hodler belonging to the series on the illness and death of his girlfriend Valentine Godé-Darel for SFr. 50,000; both purchases were made through Galerie Moos in Geneva.

Gauguin's market value in 1917 was therefore quite a lot higher than it had been 20 years before, when two collectors were able to acquire "Never More" for a mere £ 20 and "Te Rerioa" for £ 44. These paintings, today the crown jewels of the Courtauld Collection in London, are of course of inestimable value by now.

Hodler's situation, however, is completely different. Of course he was a great painter, but it is quite astonishing to think that one of his small format works was sold for the same price as a large scale canvas by Gauguin.

The conclusion generally drawn, in the light of experience with the likes of Gauguin and van Gogh, is that, during their lifetime, painters are fated either to be scorned or, at best, to have trouble finding buyers. Yet, upon closer inspection, one is astonished at the exorbitant prices attained at their time for certain pompous French paintings or for the works of the English Pre-Raphaelites. In 1898, when Burne-Jones' studio was liquidated, "L'amour et le Pelerin" [Love and the Pilgrim] was bought by the Duchess of Sutherland for £ 5,575. In 1942, the very same painting was again put up for sale, but remained unsold in spite of being offered at a mere £ 21. Today that painting hangs in the Tate Gallery in London. Actually, it was financially impossible for the Tate Gallery to acquire the painting at the 1898 sale, and only lower market prices made its subsequent purchase possible.

In point of fact, during his lifetime Hodler was an officially recognized and appreciated painter, who had little trouble selling off his works. The fact that certain painters are only considered prophets in their own country is demonstrated by the four paintings and five drawings by Maurice Barraud, ac-

Invoice from Maison Moos gallery, Geneva of January 28, 1918 for three paintings by F. Hodler: "Femme malade I", "Femme malade II", "Femme morte"

Fattura della Galleria Moos di Ginevra del 28 gennaio 1918 per tre dipinti di F. Hodler: «Femme malade I», «Femme malade II», «Femme morte»

L'impegno del collezionista era per Bührle profondo e sincero e non era scindibile dalle sue attività d'industriale: «Il vero capo d'azienda ha grande affinità con l'artista. Anche lui crea, ma i suoi strumenti di lavoro non sono la penna, il pennello o lo scalpello, bensì la realtà, non è un caso che a tutti i grandi imprenditori piaccia costruire e che molti collezionino quadri e sculture o perfino dipingano e scolpiscano.» Bührle spiegava a un amico come il collezionare di opere d'arte offrisse la possibilità di trascendere la realtà: «Sono stato costretto a rubare le ore passate con le mie tele, ma la loro compagnia è valsa cento volte tutto quel tempo. Ogni momento che ho passato con loro è un frammento di tempo di durata illimitata.» Anche Rudolf Staechelin va annoverato tra questo tipo di collezionisti e mecenati.
In un primo tempo abbiamo identificato e delimitato i diversi tipi di collezionisti e le strutture dei musei che, nel nostro secolo,

quired in 1916 by Rudolf Staechelin through Galerie Moos for the then quite substantial sum of SFr. 4,500. Considering them in the light of today's market, works by Hodler and Barraud do not represent a particularly fruitful investment.

Another amazing market aspect is brought to light by comparing prices for respectively Impressionist and Modern painters. For instance, in 1917, Galerie Thannhauser in Munich sold the head of a woman painted by van Gogh for DM 40,000; a landscape by Pissarro was sold at almost the same price, DM 34,000. A popular painter, Pissarro – like Sisley, but unlike most of his contemporaries – quite rapidly achieved high market value. In September 1917, Rudolf Staechelin acquired a landscape by Sisley for SFr. 9500, through Galerie Moos, as well as "La route près d'Auvers" [Road Near Auvers] by Pissarro for SFr. 7500, and "Paysage et Figure"[Landscape and Figure] by Renoir for a mere SFr. 8000. Not to mention the incredibly reasonable SFr. 35,000 paid the same year to the Tanner gallery for a portrait by Cézanne.

The most striking difference in prices concerns the DM 40,000 paid in 1917 for a Fantin-Latour and the DM 20,000 paid the same year for "Les deux frères" [The Two Brothers] by Picasso. The latter was acquired in 1967 by the Basel Museum of Fine Arts, together with "Arlequin assis" [Harlequin, Sitting], another work of Picasso's, for SFr. 8,400,000. A first conclusion imposes itself: namely that important works by the more marginal geniuses, sought out as they are by museums, in fact have the hardest time obtaining recognition; minor works, more easily integrated into private homes, are usually overvalued. Museums use this principle to their benefit.

Rudolf Staechelin was therefore able to amass a truly remarkable collection by mobilizing a relatively minor part of his capital. The collection was built up due to his exceptional flair for the arts and to the prevailing conditions of his times. For nowadays it would be quite impossible to put together such an ensemble of Impressionist and Modern works, be it only because so few rare high-quality works now appear on the market. One must not lose sight of the fact that a collection is above all an accumulation of individual works, so that collectors naturally require a large choice from which to select. When the market offer narrows down too far, it is quite impossible to compile such a legacy.

The first skill required af any collector or museum curator is the ability to anticipate future tendencies, much like a financial analyst must be able to predict market fluctuations in time. Nowadays, for instance, no European or American museum would set up an Impressionist collection, since their walls are already overflowing with that school. Indeed, some have even been forced to sell what they now consider as surplus, in order pay for acquisitions in weaker areas. American

hanno permesso il fiorire di collezioni pubbliche e private. Ci resta ora da esaminare, quali siano le condizioni di mercato più favorevoli a donazioni e prestiti di opere d'arte. Le cifre pagate recentemente alle aste si collocano in sfere vertiginose.

Il fatto che un unico collezionista giapponese acquisisse nel giro di due giorni, alle aste di Sotheby's e Christie's nel maggio 1990, per 160 milioni di dollari un Renoir e un van Gogh, rende impossibile creare oggi un museo che abbracci in modo equilibrato le scuole impressioniste e moderne contemporanee.

Nel primo dopoguerra, all'epoca in cui Rudolf Staechelin formò la maggior parte della sua collezione, le condizioni del mercato dell'arte erano completamente diverse. Erano i pittori antichi a raggiungere i prezzi più alti; Gulbenkian e Mellon riuscirono, a colpi di milioni ad acquistare i più famosi capolavori del mercato londinese o di provenienza sovietica. Benché, Gauguin e van Gogh non fossero più i pittori incompresi dei loro inizi, le loro quotazioni non potevano di certo rivaleggiare con quelle di un Rembrandt oppure di un Gainsborough.

Per quanto riguarda l'evoluzione dei gusti e dei prezzi delle opere d'arte, l'analisi delle fatture d'acquisto dei quadri della Fondazione Staechelin porta a risultati interessanti ed esplicativi. La Collezione Staechelin si concentra sulla pittura svizzera e francese degli ultimi cent'anni.

Per prima cosa stupisce il fatto che il 27 giugno 1917 Rudolf Staechelin comprasse il sontuoso quadro di Gauguin intitolato «NAFEA faaipoipo» (quando ti sposi?) per Fr. 18 000. Sei mesi dopo, sempre alla galleria Moos, Staechelin acquistò tre piccoli quadri di Hodler, appartenenti al ciclo della malattia e della morte della sua amica Valentine Godé-Darel, per un totale di Fr. 50 000.

Nel 1917 le quotazioni di un Gauguin erano nettamente superiori a quelle di vent'anni prima, periodo in cui due collezionisti poterono permettersi per £ 20 «Never More» e per £ 44 «Te Rerioa». Queste due tele, che oggi sono considerate le più preziose della Collection Courtauld a Londra, hanno raggiunto ormai un valore inestimabile.

Per quanto riguarda Hodler, la situazione è completamente diversa. Senza dubbio, anche nel suo caso, si tratta di un grande pittore, ciononostante sorprende che una sua tela di piccole dimensioni si vendesse allo stesso prezzo di una di Gauguin, di misure assai più ampie.

Uno dei tanti luoghi comuni, nato dalle esperienze di Gauguin e van Gogh, vuole che un pittore vivente sia del tutto disdegnato e riesca difficilmente a vendere i suoi quadri. Guardando più da vicino ci si accorge che certe ampollose tele di pittori francesi e di preraffaelliti inglesi venivano all'epoca venduti a prezzi esorbitanti. In occasione della vendita dello studio di Burne-Jones nel 1898, il quadro intitolato «L'amore e il pellegrino» venne acquistato dalla duchessa di Sutherland per ben £ 5575, rimesso in vendita nel 1942 per £ 21, lo stesso dipinto non trovò acquirenti. Attualmente il quadro si trova alla Tate Gallery di Londra. Un'acquisizione alle condizioni del 1908 avrebbe sorpassato le

Invoice from Kunstsalon Ludwig Schames, Frankfurt, of February 13, 1918 for four paintings: Claude Monet "Temps calme", André Derain "Dorf auf Hügel" (Cadaquès) and "Häuser am Wasser", Max Pechstein "Drei Frauen am Meer"

Fattura del «Kunstsalon Ludwig Schames» di Francoforte del 13 febbraio 1918 per quattro dipinti: Claude Monet «Temps calme», André Derain «Dorf auf Hügel» (Cadaquès) e «Häuser am Wasser», Max Pechstein «Drei Frauen am Meer»

museums have become quite skilled in carrying out this type of policy. Thus the Guggenheim Museum in New York had recourse to this business practice on at least two occasions: in 1964, when they sold fifty of their Kandinskys – with the highest price being attained for an "improvisation" of 1914 at $ 140,000. And again in May 1990, when they resold, in order to finance the acquisition of the Minimal Art collection of Count Giuseppe Panza di Biumo, another series of works including another Kandinsky for which they obtained $ 20,900,000. The Museum of Modern Art, the Metropolitan Museum in New York and the Menil Foundation in Houston are not loathe to put works from their stock up for auction to increase their acquisition funds.

possibilità del museo, e soltanto un ridimensionamento del mercato ne rese possibile l'acquisto.
Per quel che riguarda Hodler, bisogna dire che era riconosciuto e apprezzato ancora in vita e che riusciva a vendere molto bene la sua produzione. Il fatto che alcuni pittori fossero riconosciuti e apprezzati soltanto nel proprio paese è illustrato da Maurice Barraud, di cui Rudolf Staechelin acquisitò nel 1916 quattro quadri e cinque disegni alla galleria Moos per la somma, all'epoca ragguardevole, di Fr. 4500. Considerata l'inflazione, queste opere di Hodler e Barraud andrebbero ritenute un investimento minore.
Un'altra fonte di stupore nell'analisi delle nostre fatture è data dal confronto tra i prezzi delle opere dei diversi pittori impressionisti e moderni. La galleria Thannhauser di Monaco vendette nel 1917 una testa di donna di van Gogh per DM 40 000 e per una somma simile, cioè DM 34 000, un paesaggio di Pissarro, pittore molto popolare che, come Sisley, riuscì ad avere quotazioni alquanto elevate soprattutto se le confrontiamo con quelle di certi suoi contemporanei. Nel settembre del 1917, ancora alla galleria Moos, Rudolf Staechelin acquistò un paesaggio di Sisley per 9500 Fr., «La route près d'Auvers» di Pissarro per Fr. 7500 e per soli Fr. 8000 «Paysage et Figure» di Renoir. La somma di Fr. 35 000, pagata lo stesso anno alla galleria Tanner per un ritratto di uomo di Cézanne, va considerata ancora più conveniente.
Il fatto più rimarchevole resterà comunque il divario tra un Fantin-Latour, acquistato per DM 40 000, e i DM 20 000 pagati, sempre nel 1917, per «Les deux frères» di Picasso, un'opera che nel 1967 venne acquista dal museo di Basilea insieme con un'altra opera di Picasso, «L'Arlequin assis», per Fr. 8 400 000.
Qui possiamo trarre una prima conclusione: le opere importanti di geni isolati, ricercate soprattutto dai musei, incontrano molto meno il favore del pubblico. Mentre le opere minori, che riescono ad integrarsi più facilmente nelle case private, tendono ad esser sopravvalutate; una tendenza questa che lavora a favore dei musei.
Grazie a fattori storici appena menzionati e al suo fiuto eccezionale, Rudolf Staechelin riuscí, pur investendo soltanto una piccola parte del suo capitale, a crearsi una collezione di opere d'arte ragguardevole.
Naturalmente al giorno d'oggi sarebbe impossibile mettere insieme una collezione di impressionisti e moderni di una tale importanza. Non lo impedisce soltanto il prezzo, ma anche il fatto che ogni anno pochissime opere di alta qualità vengano offerte sul mercato. Volendo esser obiettivi, dobbiamo ammettere che una collezione in fin dei conti non è che un accumulo di singole opere per cui ci vuole una grande offerta per poter collezionare. Senza un mercato ricco di offerte è impossibile costituire una collezione di un certa importanza. Ecco perchè la prima qualità di un collezionista o di un conservatore è quella di saper anticipare le tendenze, come finanzieri e bancari devono essere capaci di prevedere le oscillazioni del mercato. Appare evidente che nella

Private collectors proceed in much the same manner; the majority of contemporary art enthusiasts will sooner or later resell works by artists who have become famous in the meantime (works originally bought at the beginning of such artists' careers) in order to set up a new collection realm with the proceeds. Others, interested in a variety of areas of artistic expression, are willing to sell an entire group of works less important in their eyes, in order to enlarge upon an area closer to their heart.

Few collectors are unduly daunted by excessive price increases, as these tend to be taken into consideration in cases where funds have already been consolidated. Although acquiring its nth van Gogh adds nothing to the image of a given museum, obtaining substantial donations from private individuals is essential to its existence. Museums already well implanted in local social and political life, such as many Swiss-German and American museums, achieve truly remarkable results in this respect. When visiting such museums, you will notice the frame labels mention not only the name of the artist but that as well of the generous donator or lender. Not least of all, the upkeep and expansion of museum collections depends a great deal on governmental fiscal policy. American law, which allowed contributors a tax deduction for amounts equal to the value of the works of art donated to museums, lies at the origin of the truly amazing development of American museums. The restriction of the amount of deduction that can be claimed, by the Reagan administration in 1986, caused irrevocable damage, halting the flow of donations almost entirely.

The possibility of paying inheritance taxes by means of works of art as practiced on a widespread basis in France (called "dation" = gift replacing payment) enjoyed enormous success. As important works of art as Vermeer's "Astronomer" of the Rothschild collection, invaluable furniture from royal residences, or Leonardo da Vinci's drapery studies (part of the Ganay legacy) thus landed in the Louvre and in other large French museums. Quite to the contrary, taxing works of art constitutes the very best means to keep private parties from acquiring works of art.

In conclusion, we can state that the general tendency for market prices to rise is relatively unlikely to daunt either collectors or museums. However, the requisite insurance costs for works of art have reached such unprecedented heights that nowadays organizing a particular well-endowed exhibition requires – sine qua non – the financial help of industrial art patronage.

In the thirties, during the economic depression, museums were not in a position to take advantage of the lower prices to expand. Not only were less funds budgeted for acquisitions, but prospective donators – collectors – were forced to first carry out their own business transactions before thinking of donations to museums.

situazione attuale nessun museo, né europeo, né americano, ha interesse a formare una collezione di pittori impressionisti, poiché le loro pareti ne sono già piene. Talvolta sono i musei stessi a vendere quei lavori considerati ripetitivi, per poter riempire le lacune di altri settori. Sono soprattutto i musei americani ad adottare questo tipo di politica. Il museo Guggenheim di New York ha fatto ricorso a questa pratica come minimo due volte: nel 1964 mettendo in vendita cinquanta opere di Kandinsky, tra cui una «Improvvisazione» del 1914 che raggiunse il prezzo di $ 140 000, e nel maggio del 1990 rimettendo in vendita un'altra serie di opere importanti (tra cui un altro Kandinsky per $ 20 900 000) con l'obiettivo di finanziare l'acquisto della collezione di «minimal art» del conte Giuseppe Panza di Biumo. Anche il Museum of Modern Art ed il Metropolitan Museum di New York spesso mettono all'asta delle opere considerate minori per poter effettuare nuovi acquisti.

Allo stesso modo si comportano anche i collezionisti privati. Una grande parte di loro vendette le opere di artisti contemporanei, da loro scoperti agli inizi della carriera e poi diventati famosi, per iniziare una nuova collezione. Altri invece, interessandosi di diversi settori dell'espressione artistica, pur di poter completare quello che più sta loro a cuore, sono disposti a vendere dei gruppi di opere per loro diventati di minore importanza.

Sono pochi i collezionisti veri che vengono scoraggiati da forti aumenti dei prezzi, poiché il rincaro subentra in genere quando la loro collezione è già consolidata. Per i musei acquistare un ennesimo van Gogh non serve a migliorare il loro prestigio, mentre riuscire ad ottenere importanti donazioni da privati, è di essenziale importanza. I musei strettamente legati alla vita sociale e alla politica locale, come quelli svizzero-tedeschi e americani, ottengono successi straordinari in questo ambito. Ciò risulta se si leggono in questi musei le targhette sulle cornici delle opere esposte, dato che esse non soltanto informano sul nome dell'artista, ma anche su chi ha generosamente donato o prestato l'opera. Un altro elemento essenziale che permette di conservare le collezioni e di accrescere il patrimonio artistico dei musei consiste in una favorevole politica fiscale dello stato. La legge americana, che permise ai contribuenti di detrarre dalle imposte l'ammontare equivalente al valore delle opere donate ai musei, diede il via ad uno sviluppo formidabile dei musei americani. L'abrogazione di questa legge nel 1986 da parte dell'amministrazione Reagan bloccò quasi totalmente il flusso delle donazioni procurando grandi danni alle istituzioni culturali. La possibilità di pagare le tasse di successione con opere d'arte, una pratica molto frequente in Francia, chiamata «dation» (donation invece di pagamento), riscosse enorme successo. È così che delle opere tanto importanti come «L'astronome» di Vermeer della collezione Rothschild, dei mobili di valore inestimabile provenienti dalle residenze reali oppure anche gli studi sul drappeggio di Leonardo da Vinci del lascito Ganay entrarono nel Louvre e nei maggiori musei francesi.

La tassazione di opere d'arte invece costituisce il mezzo migliore

Invoice from the Bernheim-Jeune & Cie gallery, Lausanne of May 2, 1918 for a painting by Cézanne, "Nature morte collec Degas"

Fattura della Galleria Bernheim-Jeune & Cie. di Losanna del 2 maggio 1918 per il dipinto di Cézanne «Nature morte collec Degas»

Today's generation of art collectors and museum directors see themselves in the role of administrators. This involves not only the upkeep of their collections but as well the expansion of their assets. Fortunately, the generosity of some donators remains on a grand scale despite the record-shattering prices on today's art market. As an example, at the very time recent auction sales sent prices rocketing, Mrs. Pamela Harriman – widow of ambassador Harriman, formerly posted in London and Moscow – donated one of van Gogh's major works, "Roses" 1890, to Washington.

*per distogliere i privati dall'acquisto di oggetti d'arte.
In definitiva possiamo dire che la tendenza all'aumento dei prezzi delle opere d'arte ostacola ben poco sia collezionisti che musei. Certo, i premi d'assicurazione per le opere d'arte sono ormai alle stelle e l'organizzazione di un'esposizione di alto livello si realizza soltanto grazie all'appoggio di qualche mecenate industriale.
Gli anni trenta, caratterizzati dalla depressione economica e quindi anche dal crollo dei prezzi degli oggetti d'arte, non hanno però permesso ai musei di espandersi, poiché le loro risorse finanziarie erano ridotte a un minimo indispensabile e i collezionisti, prima di pensare a delle donazioni, dovevano occuparsi dei loro affari. Le nuove leve di direttori di musei e di amatori d'arte si comportano da buoni amministratori: non solo curano la conservazione delle loro collezioni ma provvedono anche ad arricchirle.
In certi casi la generosità dei donatori supera persino l'esplosione dei prezzi: al momento in cui diverse opere d'arte raggiungevano quote esorbitanti (decine di milioni di dollari) alle aste, la signora Pamela Harriman, vedova dell'ambasciatore americano Harriman, già in carica a Londra e Mosca, donò alle National Gallery di Washington uno dei quadri più importanti di van Gogh («Roses», 1890).*

Ruedi Staechelin

The Past and the Future – A Personal Point of View

I am truly sorry that I never got to know my grandfather, Rudolf Staechelin, who died some years before I was born. In spite of this, his influence on our family was felt constantly, it was almost omnipresent, and I was brought up surrounded by the many works of art he had collected.

Our house in the Gellert, a residential neighbourhood, where my brother Martin and I grew up, bore the stamp of his works of art, much as my own home and office do today. Two 12th–14th century wooden Chinese statuettes stood guard at the entrance, while Picasso's "Arlequin assis" seemed to sneer down at the smalltalk of coffee-drinking society gathered in our drawing-room. In the dining room, van Gogh's "Les harengs saurs" and Sisley's "Poisson sur plat" competed for our attention with the "truite au bleu" served for dinner. In the hall, Madame Matisse dominated the scene, looking down almost arrogantly from the canvas, to keep a constant check on our whereabouts. Meanwhile Pissarro's "Le Monument Henri IV et le Pont des Arts" lent a touch of Parisian big city life to my parent's bedroom.

This slowly growing awareness of a world characterized by important works of art, which I accepted at first as a matter of course and only perceived as truly extraordinary in retrospect, is certainly the most beautiful aspect of the legacy left by my grandfather.

Only at the end of the sixties, with the bankruptcy of the Globe Air charter airline, a company in which my father, Peter Staechelin, had heavily invested, did it suddenly become obvious that these important works of art – the Rudolf Staechelin Collection – represented more than purely intellectual wealth or cultural values.

Subsequent to the crash of a Bristol-Britannia aircraft on Nicosia, Globe Air developed serious financial troubles which its shareholders hoped to remedy by increasing the company's capital through additional payments. However, these efforts were rendered invalid by an unexpected deathblow dealt against the already ailing company by a third party. Although the criminal code of the Canton of Basel-Landschaft imposes a general obligation of secrecy concerning all official investigations the cantonal authorities actually called a press conference to announce that serious charges were being brought against Globe Air, namely for having failed to take suitable measures to ensure passenger safety. In spite of an official denial of these accusations made, two days after the

---

Ruedi Staechelin

Avvenimenti passati e prospettive future: una riflessione personale

Purtroppo non ho mai conosciuto mio nonno, Rudolf Staechelin; egli morì alcuni anni prima della mia nascita. Eppure sempre e dovunque l'intera famiglia ha continuato a percepire la sua presenza, e dalla più tenera infanzia sino ad oggi ho sempre vissuto – ho sempre avuto il privilegio di vivere – circondato dalla sua collezione, dalla sua arte.

Dominante era nella casa nel Gellert, nella quale mio fratello Martin ed io siamo cresciuti, la presenza delle sue opere d'arte, come pure essa lo è oggi nella mia casa e nel mio ufficio. Sull'entrata vegliavano due statue cinesi in legno del XII–XIV secolo. Nel salone l'«Arlequin assis» di Picasso si dilettava alle conversazioni della compagnia riunita per prendere il caffè. Nella sala da pranzo «Les harengs saurs» di van Gogh e «Poisson sur plat» di Sisley scommettevano con la trota blu servita a tavola, chi di loro avrebbe ricevuto più attenzione dai commensali. Sulle scale, Madame Matisse, perfettamente consapevole del suo aspetto dominante, sorvegliava quasi con arroganza, dall'alto della sua tela, dove si trovasse chiunque. Infine, «Le monument Henri IV et le Pont des Arts» di Pissarro conferiva un pizzico di atmosfera parigina alla camera da letto dei miei genitori. L'infanzia, trascorsa in mezzo a grandi opere d'arte – allora mi sembrava così naturale e solo oggi, guardando al passato, mi rendo conto della straordinarietà di quell'esperienza – è sicuramente la più preziosa eredità lasciata da mio nonno ai suoi discendenti.

Fu alla fine degli anni sessanta, ai tempi del fallimento della compagnia aerea charter Globe Air, nella quale mio padre, Peter Staechelin, aveva un'importante partecipazione, che si manifestò in modo molto evidente come le grandi opere d'arte, come la collezione Rudolf Staechelin, non rappresentassero unicamente una fonte di ricchezza spirituale e di valori culturali.

Dopo la caduta di un aereo Bristol-Britannia a Nicosia, la Globe Air conobbe serie difficoltà finanziarie, che gli azionisti sperarono di superare portando alla società nuovi capitali. Un autentico e del tutto inatteso colpo di grazia alla società già barcollante rese tuttavia completamente vani tutti questi sforzi: sebbene secondo il codice di procedura penale in vigore nel cantone di Basel-Landschaft, i funzionari responsabili delle indagini fossero espressamente tenuti a rispettare il segreto istruttorio, la prefettura di Arlesheim indisse addirittura una conferenza stampa, nel corso della quale accusò pesantemente la direzione della Globe Air di aver trascurato la sicurezza dei passeggeri. Nonostante la smentita ufficiale, due giorni dopo, da parte della Commissione federale per la navigazione aerea, responsabile effettiva della si-

195

conference, by the Federal Office for Civil Aviation (competent in all matters of airline security), the damage caused proved irrevocable: Globe Air's most important business partners decided to break off all business relations, while the public acted on the principle of "when in doubt, better not". When, in addition, the insurance company – basing their decision on information released at the press conference – refused to pay the contractually immediately due indemnity payments of millions of francs, which were urgently needed to enable the continuation of flight operations, bankruptcy was inevitable.

The fact that no criminal case or punishable offence could be proven against the Globe Air management in connection with the catastrophe – the accident was due to human failure – and that the insurence company eventually did have to pay the full amount to the estate, no longer helped those concerned: my father not only lost his entire investment but also had to pay all guarantees and sureties he had entered into when trying, in vain, to save Globe Air.

curezza aerea, i danni erano ormai irreparabili: i principali soci della Globe Air troncarono i rapporti con quest'ultima, mentre il pubblico preferì, come si può ben capire, mettere in pratica il vecchio adagio: in caso di dubbio meglio astenersi. Quando, in riferimento ad una proposta avanzata nel corso della conferenza stampa, la compagnia assicuratrice si rifiutò, dal canto suo, di versare la somma d'indennizzo convenuta per contratto – nell'ordine di milioni di franchi e da versare immediatamente – cosa assolutamente indispensabile per la prosecuzione dell'attività della compagnia, il fallimento fu inevitabile.

Il fatto che, successivamente, non si evidenziò alcun tipo di reato in relazione alla catastrofe – l'incidente era da attribuire ad un errore umano – e che, conseguentemente, la compagnia assicuratrice dovette versare l'intera somma alla massa fallimentare, non fu più di alcun ausilio per gli interessati: mio padre non soltanto aveva perso tutti i suoi investimenti, ma doveva ancora onorare le garanzie e le fideiussioni che aveva contratto nel suo vano tentativo di salvare la Globe Air.

Nel 1967 la Fondazione di Famiglia Rudolf Staechelin si trovò

Globe Air Basel Bristol-Britannia aeroplane

Bristol-Britannia della Globe Air di Basilea

In 1967, the Rudolf Staechelin Family Foundation therefore faced, for the very first time, the entire impact of the conflict existing between intellectual and cultural values, on the one hand, and money on the other; between, on the one hand the preservation of the artistic and cultural values of the collection and, on the other, the purpose of the Family Foundation formulated by Rudolf Staechelin in his deed of foundation, as follows:

"By establishing this Foundation, the founder intends to ensure, as far as necessary, the welfare and support of the members of the Staechelin family, as well as the maintenance of a certain family coherence with respect to all beneficiaries of the Foundation."

Up to such time that purpose had never been put to test, for until then the family had managed to forego, out of love of the arts and in favour of the public good, all profits stemming from this part of the family property. Given this state of affairs, the activities of the Foundation were – even after

per la prima volta di fronte drammaticamente al conflitto che contrappone i beni culturali ai beni materiali. In altre parole, la conservazione dei valori artistici-culturali della collezione si opponeva allo scopo della Fondazione di Famiglia, che era stato chiaramente formulato all'atto della sua fondazione da parte di Rudolf Staechelin stesso: «Con l'istituzione della presente Fondazione, il fondatore si propone, nel caso dovesse rendersi necessario, di garantire l'assistenza ed il sostegno ai membri della famiglia Staechelin, nonché la salvaguardia dello spirito di appartenenza familiare dei beneficiari della Fondazione.» Fino a quel momento, tale proposito non era mai stato messo in pratica in quanto, sino ad allora, alla famiglia era stato possibile rinunciare, per amore dell'arte ed a favore della comunità, a qualsiasi profitto derivante da questa parte del patrimonio familiare. Le attività della Fondazione si erano infatti limitate, anche dopo la morte del fondatore, all'ambito artistico; le due grandi mostre a Basilea (Kunstmuseum, 1956) e a Parigi (Petit Palais, 1964) ne avevano rappresentato i punti salienti.

the founder's death – chiefly limited to the arts, with the two general exhibitions in Basel (The Basel Museum of Fine Arts 1956) and Paris (Petit Palais 1964) as highlights.

The close collaboration thus established between the Staechelin Family Foundation and the "Öffentliche Kunstsammlung" (Public Art Collection), and Peter Staechelin's many years of collaboration on the "Kunstkommission" (Art Committee), lent support to the Foundation's board new policy, established shortly after Rudolf Staechelin's death, of loaning out works of art to the museum.

During Rudolf Staechelin's lifetime, except for short-term loans to exhibitions, the collection hung in his house in Mühlenberg and at the Ebenrain Castle, but after his death almost all the major works of art were put at the disposal of the "Öffentliche Kunstsammlung" on loan.

My father's generous policy in granting the general public constant access to the most significant works of the collection, was to prove a two-edged sword by 1967. The long decades of loaning almost all the important works to the museum, and the full integration of those works into the collection of the Basel Museum of Fine Arts, were mentioned only as fine print on small labels. As a result, the public tended to advance claims on the loans, no longer considering them as private property at all – property which the Family Foundation could dispose of within the scope set down in its statutes – but almost as if they were public property instead.

On December 17th, 1967, on my father's 45th birthday, an event took place in Basel that had never occurred before, and to my knowledge, has never recurred elsewhere later on: the citizens of Basel, or rather its voters, were convened to decide by vote whether Picasso's "Les deux frères" and "Arlequin assis" were to be purchased from the Rudolf Staechelin Family Foundation.

The decision to purchase involved as well a contract concerning a fifteen-year loan of twelve other major works of art belonging to the collection. The truly extraordinary aspect of this vote was that for the very first time a representative part of the population was in a position to state its opinion concerning Picasso and even concerning contemporary art as such.

The Foundation board and the Canton of Basel-City agreed on a purchase price for both paintings amounting to Sfr. 8.4 million, or 34 Swiss francs per citizen.

This positive voting result, which came as a surprise to many, was internationally commented upon; it thoroughly refuted the prejudice of the "culturally uneducated masses". Irrefutable evidence was borne of the cultural open-mindedness of the old town of Basel, known for its rather overly conservative artistic and humanist outlook.

At that time only a few people were fully aware that the Rudolf Staechelin Family Foundation had escaped a far greater disaster by a mere hair's breadth. Among others, it

In tal modo la stretta collaborazione generatasi tra la Fondazione e la Öffentliche Kunstsammlung, nonché la partecipazione, durata numerosi anni, di Peter Staechelin alla Commissione per le Belle Arti, favorirono una nuova definizione della politica dei prestiti del Consiglio della Fondazione, politica che era già stata introdotta poco dopo la morte di Rudolf Staechelin.

Mentre ai tempi di Rudolf Staechelin i quadri della collezione rimasero sempre, ad eccezione di prestiti di breve durata ad esposizioni, nel suo domicilio al Mühlenberg e nella residenza di campagna Ebenrain, dopo la sua morte, poco a poco, quasi tutte le opere maggiori vennero messe a disposizione della Öffentliche Kunstsammlung come deposito.

Nel 1967 la magnanima decisione, a suo tempo presa da mio padre, di concedere al grande pubblico l'accesso alle opere più importanti della collezione, doveva rivelarsi un'arma a doppio taglio. Il prestito, durato ormai decenni, di quasi tutte le opere più importanti, nonché la loro completa integrazione nella collezione del Kunstmuseum di Basilea, dove erano contrassegnate soltanto da una piccola iscrizione, fece insorgere delle pretese da parte del pubblico. Improvvisamente agli occhi dell'opinione pubblica il patrimonio della Fondazione non era più un bene privato, del quale la Fondazione di Famiglia potesse disporre liberamente nell'ambito dello statuto, bensì una sorta di bene pubblico.

Il 17 dicembre 1967 – il giorno del quarantacinquesimo compleanno di mio padre – ebbe luogo a Basilea un avvenimento mai verificatosi in passato e, per quanto ne sappia, mai più ripetutosi in nessun altro luogo: gli abitanti di Basilea vennero chiamati alle urne per pronunciarsi sull'acquisto di due tele di Picasso, «Les deux frères» e «Arlequin assis», appartenenti alla Fondazione di Famiglia Rudolf Staechelin.

Alla decisione di acquisto era legato un contratto di prestito, della durata di quindici anni, di altre dodici opere maggiori della collezione. La particolarità di questa votazione consisteva nel fatto che, per la prima volta, una fetta rappresentativa della popolazione aveva in tal modo l'opportunità di prendere posizione in favore – o contro – Picasso ed, in un certo qual modo, nei confronti dell'arte contemporanea. Il prezzo d'acquisto delle due tele concordato tra il Consiglio della Fondazione ed il cantone Basel-Stadt ammontava a 8,4 milioni di franchi, ossia pari ad una somma di circa 34 franchi per abitante!

L'esito positivo della votazione – un risultato del tutto inaspettato per molti – ebbe risonanza a livello mondiale; confutò in modo inequivocabile il pregiudizio della «grande massa priva di cultura» e fornì inoltre a Basilea, una città di antica tradizione artistica ed umanistica e tuttavia considerata, talvolta a ragione, troppo chiusa, l'occasione di smentire tale reputazione.

Allora erano pochissimi a sapere che la Fondazione di Famiglia Rudolf Staechelin era sfuggita miracolosamente ad un salasso ben maggiore. Il merito di questo ‹salvataggio› spetta in gran parte al Dr. Georges Bollag, membro del Consiglio della Fondazione e avvocato di mio padre. Egli si era accorto che le

View seen from
Peter Staechelin's home
at Kilulu (Watamu), Kenya

*Vista dalla casa
di Peter Staechelin
a Kilulu (Watamu), Kenya*

was mainly Dr. Georges Bollag, a trustee of the Foundation and my father's attorney, who helped save the collection. It was he who had realized that the conditions according to which the Globe Air aircraft were to be auctioned off had little chance of succeeding, because prospective purchasers were expected to pay immediately in cash or by banker's guarantee. The auction hall was therefore filled more with the curious than with men sporting suitcases of money or people interested in purchasing who had, on the mere chance of being successful, provided themselves with costly banker's guarantees. Therefore the sales price of the aircraft was even below the amount of the mortgage held by the manufacturer who, to the surprise of those present, was not even bidding. Unknown to all of us, the manufacturer of the aircraft would not possibly be interested in purchasing used aircraft at the auction, and in trying to resell them afterwards, as his losses on the mortgage were covered by an export risk guarantee. Peter Staechelin was hence able to acquire the aircraft belonging to the bankruptcy assets at a very low price, and to immediately make a quite substantial profit by selling them subsequently on deferred terms. This profit permitted my father to offer the Globe Air creditors a favourable settlement and to cover all his obligations. The success of this transaction came to the rescue of the remaining part of the Rudolf Staechelin Family Foundation.

Even today, more than twenty years later, my feelings – whenever I stand in front of "Les deux frères" or the "Arlequin assis" at the Basel Museum of Fine Arts – are both intense and two-edged.

As a citizen of Basel, I am proud that my hometown so courageously decided to purchase the two paintings, supported by the efforts of many of its citizens and in particular, by the young, and after a long drawn-out struggle for votes. It is moreover pleasant to know that these two key paintings of

condizioni di messa all'asta degli aerei della Globe Air imposte dall'Ufficio Fallimenti erano scoraggianti: prevedevano il versamento immediato del prezzo di acquisto, in contanti o tramite garanzia bancaria. Ben lungi dall'essere stipato da uomini con borse rigonfie di denaro, oppure da persone interessate all'aquisto munite di cospicue garanzie bancarie, il salone dell'asta attirava soprattutto i curiosi. Il prezzo di vendita degli aerei era addirittura inferiore all'ipoteca sulla vendita del produttore che, con grande sorpresa, non partecipava all'asta. Il motivo, sconosciuto a tutti, di questo comportamento, era che il produttore di aerei non poteva, in effetti, avere un grosso interesse ad acquistare all'asta aerei usati e cercare di rivenderli successivamente in quanto era coperto da una garanzia di rischio per l'esportazione che compensava eventuali perdite sulla sua ipoteca. Peter Staechelin riuscì in tal modo ad acquistare gli aerei dalla massa fallimentare ad un prezzo molto vantaggioso ed a realizzare immediatamente, tramite una vendita a rate, un utile tutt'altro che irrilevante. Questo guadagno permise a mio padre di finanziare un concordato globale molto favorevole ai creditori e di liberarsi in tal modo di tutti i suoi obblighi. Proprio il successo di questa transazione significò allora la definitiva salvezza del resto della collezione Rudolf Staechelin.

Ancora oggi, dopo oltre vent'anni, i miei sentimenti sono molto vivi, seppur contraddittori, quando al Kunstmuseum di Basilea osservo «I due fratelli» oppure «L'Arlecchino».

Come cittadino di Basilea sono molto orgoglioso del fatto che allora la città, animata dall'impegno di numerose iniziative individuali ed in particolar modo dei giovani, dopo un lungo dibattito, si espresse a favore di tale audace acquisto. Inoltre, è molto bello sapere che queste due grandi opere di Picasso, che hanno segnato così profondamente la mia infanzia, mi sono ancora tanto vicine. Per me, nonostante siano state vendute, continuano ad essere infatti strettamente connesse alla famiglia, in quanto occupano una posizione-chiave non solo nell'intera opera di

Picasso's, which helped shape my youth to such an extent, are somehow still nearby; I still consider them closely linked to our family, in spite of their having been sold, for they hold a key position not only in Picasso's own oeuvre, in the cultural history of Basel and within the museum collection, but as well within the Staechelin family and in my own life.

However, I still feel hurt that those memorable and important days for Basel had to take place in such an adverse atmosphere for our own family. I myself was directly involved: as a consequence of the hostile attacks on our father, my brother Martin and I were "put into safe hands" – all of a sudden we were sent away to boarding-school.

In retrospect and objectively judged, the reason for all this is still quite difficult to fathom, for my father's renunciation of a much higher purchase bid was the largest single contribution to keeping the two paintings in Basel. He was never given credit for this commitment, made in spite of his admittedly serious financial troubles and against some opinions of the Foundation board.

Sotheby's had already guaranteed, in case of an auction, a much higher sales price than the Basel offer; they were confident of surpassing the banker's minimal guarantee by a sub-

Picasso, nella storia culturale di Basilea e nella collezione del museo, ma anche nella storia della famiglia Staechelin e, quindi, nella mia vita.

Quale figlio di un uomo allora così fortemente osteggiato e quale diretto interessato – mio fratello Martin ed io fummo costretti ad abbandonare quasi precipitosamente la nostra città natale in subbuglio per essere ‹messi al sicuro› in un collegio – soffro ancora oggi al pensiero che queste giornate memorabili e così importanti per la città di Basilea si fossero svolte in un'atmosfera così ostile nei confronti della nostra famiglia.

Guardando al passato e giudicando con obiettività, il motivo di questa animosità è effettivamente difficile da comprendere: la rinuncia da parte di mio padre a vendere le due tele ad un prezzo nettamente più alto, rappresentò in effetti il maggiore contributo individuale per far sì che i due quadri restassero a Basilea. Il fatto che egli, nonostante la sua situazione finanziaria estremamente precaria e le opinioni controverse dei membri del Consiglio della Fondazione, fosse riuscito a prendere tale decisione, non è mai stato apprezzato alla luce del suo valore reale.

In caso di messa all'asta, la Sotheby's garantiva, per esempio, un ricavato decisamente superiore all'offerta di Basilea e riteneva di potere superare sensibilmente la garanzia minima fornita dalla

Peter Staechelin

Martin Staechelin in the cockpit of the crashed plane, 1977

Martin Staechelin nell'abitacolo dell'aereo precipitato nel 1977

stantial amount. Moreover the Foundation had received two additional serious purchase bids that were – without having been finalized – substantially higher than the specially reduced sales price granted to the town of Basel.

Since then a lot of water has flowed down the Rhine, and though the wounds have not healed altogether, there is, by now, sufficient scar tissue.

banca. Inoltre, la Fondazione aveva ricevuto altre due serie offerte d'acquisto, le quali, pur senza essere state oggetto di trattative, erano sin dall'inizio ben superiori al prezzo di vendita ridotto, concordato appositamente per Basilea.

Da allora è passata molta acqua sotto i ponti; e se le ferite non sono ancora scomparse completamente, nel frattempo si sono almeno ben cicatrizzate.

In 1977, ten years after the tragedy of Nicosia, another flight accident was to wreak havoc on our family: on September 25th, a sports aircraft, piloted by my brother Martin, crashed near Ravensburg on its return flight from Munich. My brother Martin, his fiancée Hildegard and my father died on the spot. This heavy burden and in particular my "little" brother's death were a deep blow. In time, I learned to accept it, though there has been no forgetting.

In 1978, proceedings against the former Globe Air management were begun in earnest. My father had been looking forward eagerly to this event, for he planned – once the suit was decided in his favour and he was no longer the accused party – to obtain court support for his longstanding ten million franc suite for damages stemming from the false statements at the press conference, and thus to recover part of his losses. Ironically enough, according to the oral statement of the presiding judge, Peter Staechelin would have been acquitted; since he was dead the case was automatically dismissed and thus neither his acquittal nor his long yearned-for official rehabilitation could be pursued posthumously.
My father's tragic death and the absurd delay of more than a decade between the hasty pre-trial sentencing by the public, resulting from the press conference called by the cantonal authorities in 1967, and the incredibly late beginning of the actual proceedings in 1978, rendered any legal counterattack impossible. Without Peter Staechelin in person, who – as the party chiefly concerned – knew all the facts down to the tiniest detail, such a suit was, according to the lawyer's opinion, doomed to fail.
The many years that the court of inquiry had remained idle thus provoked an unfavourable result for my father and a favourable one for the Canton of Basel-Landschaft, who had caused the delay in the first place.
Strangely enough, the tape recording of the press conference, presumably made by the head of the cantonal authorities for his own protection, and our main evidence, had in the meantime vanished into thin air.
In spite of this bitter experience, I still felt that I had my roots in Basel and its region, that I needed to forget about the past and wanted to continue to spend my life in that city.
To this purpose, the Foundation board decided, in accordance with my wishes – and by revising earlier intents – to continue loaning the major works of art belonging to the collection to the Basel Museum of Fine Arts, even after the expiration of the fifteen-year contract in 1982.
This situation remained unchanged until 1989 when, after a 22-year interval, once again one of the works – which had by then been hanging in the Basel Museum of Fine Arts for decades – was sold:
On November 15th, Paul Gauguin's "Entre les Lys" was auctioned off at Sotheby's New York autumn auction, knocked

Nel 1977, dieci anni dopo la tragedia di Nicosia, fu di nuovo un incidente aereo a colpire duramente la nostra famiglia: il 25 settembre un aereo sportivo, pilotato da mio fratello, si schiantò nelle vicinanze di Ravensburg, mentre da Monaco stava tornando a Basilea. Tutti e tre i passegeri – mio padre, mio fratello Martin e la sua fidanzata Hildegard – morirono sul colpo. Questa grave disgrazia, soprattutto la perdita del mio ‹fratellino›, mi colpì profondamente; soltanto il trascorrere degli anni mi ha aiutato ad accettare la realtà, ma certo non a dimenticare.

Nel 1978 ebbe luogo il processo penale tanto atteso da mio padre, contro la vecchia direzione della Globe Air. Egli aveva infatti l'intenzione, dopo la conclusione del processo penale, in veste di assolto e non più di accusato, di ottenere il pagamento dell'indennizzo di 10 milioni di franchi per i danni subiti a causa di false deposizioni rilasciate in occasione della conferenza stampa. Con questo pagamento, la cui richiesta era stata già inoltrata da tempo, mio padre avrebbe compensato una parte delle sue perdite patrimoniali.
Ironia della sorte: secondo la dichiarazione orale del giudice, Peter Staechelin sarebbe stato assolto. Ma, dato che con la sua morte la procedura venne automaticamente sospesa, non ci fu né l'assoluzione, né la tanto agognata riabilitazione ufficiale, seppure postuma.
La tragica morte di mio padre, l'assurdo ritardo di oltre un decennio tra la precipitosa condanna, pronunciata a priori dalla prefettura di Arlesheim nel 1967 e l'inizio tardivo del processo nel 1978, dovevano rendere impossibile anche la controffensiva giuridica tanto attesa. Senza la presenza fisica di Peter Staechelin, che, essendo stata la persona principalmente coinvolta. conosceva con precisione tutti i fatti, non era più possibile, a giudizio degli avvocati, proseguire un tale processo.
La pluriennale inattività degli organi di inchiesta si rivelò tanto negativa per mio padre quanto positiva per il cantone Basel-Landschaft, che l'aveva provocata. Altro fatto strano fu, che nel frattempo anche la registrazione su nastro della conferenza stampa tenuta dal prefetto e che egli stesso aveva, a suo dire, approntato a sua difesa, era scomparsa senza lasciare traccia. Venne così a mancare il nostro principale argomento di prova.
Nonostante queste esperienze spesso dolorose, mi sentivo sempre fortemente legato a Basilea ed alla regione, volevo che questo continuasse ad essere il centro della mia vita e sentivo anche la necessità di lasciare in pace il passato.
In tal senso, il Consiglio della Fondazione, conformemente al mio desiderio e rivedendo decisioni prese in passato, decise nel 1982 di lasciare le opere maggiori della collezione in deposito al Kunstmuseum di Basilea anche dopo la scadenza del contratto di prestito di 15 anni.
Tale situazione rimase invariata fin verso la fine del 1989, quando, 22 anni dopo la votazione per i Picasso, si giunse alla vendita di un'opera che era in prestito da decenni al museo di Basilea: il 15 novembre, il dipinto «Entre les Lys» di Paul Gauguin venne

down to the Japanese Aska Gallery for $ 11 million (including buyer's premium).

This money was to enable me to set myself up in independent business, since my son and I were the only remaining beneficiaries of the Foundation after the deaths of my father and of my brother. Of course, the "Öffentliche Kunstsammlung" strongly regretted this loss, in particular since it has no other works of this period of Gauguin's work at its disposal; there was, however, some understanding for the reasons leading to this sale.

With prices rising to unprecedented heights for major art works by Impressionists, Post-Impressionists and Modernists, the sale of that single painting, valued at a "mere" 1.5 million francs in 1981, was to fetch approximately as much as the far greater loss the Foundation suffered as a consequence of the Globe Air collapse.

The sales executed at that time included, in addition to the two much more important Picasso paintings sold to Basel – "Les deux frères" and "Arlequin assis", van Gogh's "La Berceuse" (today part of the famous Annenberg Collection), plus important works by Cézanne, Renoir, Monet, Sisley and others.

The excellent sales proceeds serve, on the one hand, to help safeguard the remaining part of the collection; on the other hand, the loss of this painting, created during the time Paul Gauguin spent in the Brittany, leaves a gap in the collection. This sale removes the centerpiece of Gauguin's trilogy consisting of "Paysage au toit rouge "(1985) – an early work of Gauguin's, largely painted in Pissaro's style, "Entre les Lys" (1889) – a work painted during an important phase of change, i.e. the Pont Avon period which already left Impressionism behind to a great degree, and "NAFEA faaipoipo" (1892) – part of his most important work period spent in Tahiti and, in Gauguin's own opinion, one of his most important paintings.

Since the success of the "Entre les Lys" sales transaction, for the time being the eternal struggle between spiritual and monetary interests is no longer critical. Although from a financial point of view, tying up 90% of the family fortune without its bringing any profit – in a market generally considered as over-priced due to speculation – runs quite counter to all principles of healthy property management or of a balanced diversification of risks.

However, it is the firm intention of the whole Foundation board to initiate no further sales for the time being, in spite of repeated, and tempting, purchase offers. The excellent collaboration with the Basel Museum of Fine Arts is to continue.

The same intention holds for the loans accorded to the Kunsthaus Zurich and the Musée d'art et d'histoire Geneva. On the other hand, it is the Foundation board's will and obligation to remain independent, free to act within the scope

messo in vendita in occasione della grande asta d'autunno della Sotheby's a New York ed aggiudicato alla galleria giapponese Aska per un ammontare pari a 11 milioni di dollari (commissione inclusa).

Il profitto derivante dalla vendita doveva consentirmi – essendo io l'unico, insieme a mio figlio, beneficiario della Fondazione, dopo la morte di mio padre e di mio fratello – di dare inizio ad una nuova attività indipendente.

La Öffentliche Kunstsammlung espresse naturalmente un forte rincrescimento per la vendita del dipinto, specialmente perché non disponeva di altre opere di questo periodo creativo di Gauguin, ma dimostrò anche una certa comprensione per i motivi della vendita.

L'aumento dei prezzi, in maniera quasi esplosiva nel corso degli ultimi anni, per le opere di assoluto rilievo degli impressionisti, dei postimpressionisti e dei grandi classici della pittura moderna, ha avuto come conseguenza che la vendita di quest'unica tela, valutata ancora nel 1981 «solo» 1,5 milioni di franchi, ha reso, in valore nominale, all'incirca tanto quanto rese la somma delle numerose vendite che la Fondazione dovette effettuare in seguito al fallimento della Globe Air.

Le vendite di quell'epoca includevano, oltre i due quadri ben più importanti di Picasso, venduti alla città di Basilea, «Les deux frères» e «Arlequin assis», anche «La Berceuse» di van Gogh (oggi nella celebre collezione Annenberg), diverse opere importanti di Cézanne, Renoir, Monet, Sisley ed altri pittori.

Se da una parte il notevole ricavo derivato da quest'ultima vendita mette oggi al sicuro il resto della collezione, dall'altra la mancanza di questo quadro del periodo bretone di Paul Gauguin lascia nella Collezione una sensibile lacuna.

Nella trilogia di Gauguin – costituita da «Paysage au toit rouge» (1885), un'opera precoce di questo artista, che si dedicò abbastanza tardi alla pittura e che richiama ancora molto lo stile di Pissarro, da «Entre les Lys» (1889) un'opera dell'importante periodo involutivo di Pont-Aven, in cui Gauguin supera già, almeno in parte, l'impressionismo e da «NAFEA faaipoipo» (1892) del suo periodo creativo più importante a Tahiti, uno dei quadri più significativi anche a giudizio di Gauguin stesso – manca adesso l'opera centrale.

Dopo la vendita di «Entre les Lys», conclusasi con successo, l'eterno conflitto tra cultura e denaro non è più così acuto sebbene, giudicato da un punto di vista strettamente economico, un patrimonio familiare immobilizzato ancora oggi per più del 90% – in un mercato fortemente speculativo – contraddica formalmente i principi di una sana gestione oppure di un'equa suddivisione dei rischi.

Il Consiglio della Fondazione in toto è fermamente intenzionato, nonostante le numerose offerte d'acquisto alquanto allettanti che continuano a pervenire, a non procedere alla vendita di altri quadri in un prossimo futuro ed anche a mantenere la buona

Ruedi Staechelin at the
presentation of the Gauguin
painting in London before the
auction at Sotheby's in
New York, 1989

*Ruedi Staechelin alla presentazione
del dipinto di Gauguin a Londra
prima dell'asta da Sotheby's
a New York, 1989*

of its statutes and without undue pressure by others, in order
to carry out its responsibilities which, it might be pointed
out, are to the beneficiaries and not to the public.

From time to time, the media, political or cultural circles utter accusations to the effect that the museum is not taking
suitable measures to ensure the works of the Rudolf Staechelin Family Foundation remain in Basel. Any such rebuke has
to be gainsaid explicitly, for the possibilities of the "Öffentliche Kunstsammlung" and the Art Committee are severely
limited. Occasional attempts to acquire individual works of
the collection for the museum have always been denied, as
the purpose of the Family Foundation has been and remains
not to sell any further works, not even to the Basel Museum
of Fine Arts. A long-term loan agreement ensuring that the
collection stays in Basel is, without any doubt, contrary to
the explicit purpose of the Foundation.

Thus, even though no further changes are to be expected in
the near future, the far-off future remains uncertain, depending as it does on the further lot of the Staechelin family.
Should the Foundation property have to be divided up
among several descendants (such as Rudolf Staechelin proposed in his deed of Foundation), should an individual
Foundation beneficiary move away from the Basel region or
anything similar, the remaining part of the collection in Basel
could be endangered.

This is certainly not very probable in the near future. As a
father I am trying to familiarize my son with his great grandfather's legacy, and to make him aware of the cultural, historical and family values entailed.

*collaborazione con il Kunstmuseum di Basilea. Il medesimo
proposito è valido anche per i prestiti al Kunsthaus di Zurigo ed
al Musée d'art et d'histoire di Ginevra.*

*D'altro canto il Consiglio della Fondazione, che risponde del suo
operato esclusivamente ai beneficiari della Fondazione stessa e
non all'opinione pubblica, deve e vuole conservare la sua indi-
pendenza nell'ambito dello statuto, senza essere sottoposto ad
eccessive pressioni.*

*Di quando in quando i mass media oppure certi ambienti cul-
turali e politici rimproverano al museo di non prendere le misure
necessarie a garantire la permanenza a Basilea delle opere della
Fondazione di Famiglia Rudolf Staechelin; tale rimprovero non
ha alcun fondamento in quanto le possibilità della Öffentliche
Kunstsammlung e della Commissione per le Belle Arti sono
molto limitate. Tentativi occasionali di acquisire alcune opere
della collezione per il museo hanno sempre ricevuto una risposta
negativa, in quanto la Fondazione di Famiglia non era e non è
intenzionata a cedere altre opere, nemmeno al Museo di Basilea.
E un impegno ufficiale a mantenere permanentemente la collezione a Basilea sarebbe indubbiamente anche in contraddizione
con l'obiettivo esplicito della Fondazione.*

*Mentre, a breve scadenza, non si prevedono dunque particolari
cambiamenti, il futuro più lontano rimane, come per qualsiasi
proprietà privata, incerto, in quanto dipenderà dal destino della
famiglia Staechelin.*

*Una divisione del patrimonio della Fondazione nel caso di più
discendenti (come aveva stabilito Rudolf Staechelin nell'atto
di fondazione), l'allontanamento dalla regione di qualcuno dei
beneficiari della Fondazione od altre circostanze analoghe*

Paul Gauguin
Entre les lys, 1889
Sold at auction, 1989

Paul Gauguin
Entre les lys, 1889
Venduto all'asta, 1989

Returning from a visit away from home about a year ago, my son Martin, now eleven, had this to say:
"Those people are really poor, you know; just imagine, they don't have a single painting hanging on their walls."
Remarkably, he had noticed the lack of those "silly paintings" (as he is apt to say whenever I drag him to a museum once too often) yet had no comment to make on the lack of a car or a video recorder or any other symbol of social prestige.
This short statement gives me hope that the collection will stay in the family – out of the free will of those concerned – in the sense and spirit it was established by Rudolf Staechelin, any purely financial considerations notwithstanding.

potrebbero in futuro mettere in pericolo la permanenza della collezione a Basilea. Tuttavia, almeno nell'immediato futuro, tutte queste possibilità sono abbastanza improbabili ed io, in qualità di padre, sono attualmente impegnato per quanto possibile a far conoscere ed apprezzare a mio figlio l'eredità del suo bisnonno, nonché a trasmettergli i valori culturali, storici e familiari.
Circa un anno fa mio figlio Martin, che oggi ha undici anni, tornando a casa da una visita mi raccontava:
«Questa gente è veramente povera; pensa papà, non hanno nemmeno un quadro appeso alle pareti!»
Significativamente notò l'assenza degli «stupidi quadri» (citando la sua consueta espressione, quando lo trascino troppo spesso nei musei), non la mancanza della macchina, del videoregistratore o di un altro status symbol.
Questa piccola affermazione, questa osservazione, mi lascia sperare che, conformemente allo spirito ed alla volontà di Rudolf Staechelin, la collezione, a dispetto di tutte le considerazioni di carattere prettamente economico, rimarrà per libera scelta nella nostra famiglia.

203